U0089762

中國學術思想研究輯刊

二一編

林慶彰 主編

第7冊

論莊子「遊」的人生哲學

張慧英 著

游在魏晉士人中的情意顯現

吳沂澐 著

花木蘭文化出版社

國家圖書館出版品預行編目資料

論莊子「遊」的人生哲學　張慧英 著／游在魏晉士人中的情意顯現　吳沂澐 著－初版－新北市：花木蘭文化出版社，2015〔民104〕

目 2+82 面 + 目 2+142 面；19×26 公分

（中國學術思想研究輯刊 二一編；第7冊）

ISBN 978-986-404-047-6／978-986-404-046-9

1.（周）莊周 2.莊子 3.研究考訂 4.人生哲學／1.魏晉南北朝哲學 2.知識分子

030.8　　103027151／103027150

中國學術思想研究輯刊

二一編　第七冊　ISBN：978-986-404-047-6／978-986-404-046-9

論莊子「遊」的人生哲學
游在魏晉士人中的情意顯現

作　　者　張慧英／吳沂澐

主　　編　林慶彰

總 編 輯　杜潔祥

副總編輯　楊嘉樂

編　　輯　許郁翎

出　　版　花木蘭文化出版社

社　　長　高小娟

聯絡地址　235 新北市中和區中安街七二號十三樓

電話：02-2923-1455／傳眞：02-2923-1452

網　　址　http://www.huamulan.tw 信箱 hml 810518@gmail.com

印　　刷　普羅文化出版廣告事業

封面設計　劉開工作室

初　　版　2015 年 3 月

定　　價　二一編 27 冊（精裝）新台幣 50,000 元

論莊子「遊」的人生哲學

張慧英　著

作者簡介

張慧英，湖北通城縣人，出生於台灣澎湖，台南成功大學中國文學系畢業，台灣師範大學國文研究所碩士，西元 1999 年全國大專優秀青年代表，學生活動中心總幹事、學藝委員會主席。曾任高雄市旗津國中教師，現執教於台北市金甌女子高級中學，此為旅台湖北人士所創之女子中學，教書迄今二十餘年。認為人生旅行在一個時空下，因為種種的不容易，所以都會特別的珍惜，更不願意錯過。抱著這是僅有的一次機會，傾全心欣賞人生風景，體會感動。

提　要

人的生命中會經過許多的起伏轉折，引發出人生的存在感受。當人面對生命中摯愛的告別，或是自我的生死大限時，我們才能真正貼近生命最深的底層，去思考人生命的意義與價值。宋儒張載說：「富貴福澤，將厚吾之生也；貧賤憂戚，庸玉汝於成也。存，吾順事；沒，吾寧也。」既然人生的存在常是被放置在貧乏、恐懼、不安的環境之中，人除非從精神上得到滿足，否則對一切將無以從被壓迫中解脫。

莊子是繼老子之後，最有名的道家學者。莊子所處的年代，根據司馬遷《史記・老莊申韓列傳》的記載，是「與梁惠王、齊宣王同時」，與孟子所處的時代一樣，飽經戰爭、離亂的苦難。他置身在悲苦的現實世界，面對充滿殺戮、飢餓、流亡的戰禍，天下沉濁，人心苦悶，但他不僅沒退避，更以超然的態度把生命提升上來，因之，欲有豁達的人生觀、不羈塵俗的睿智，而獲得自由快樂的人生，此乃吾人之初衷，本論文便針對《莊子》中「遊」的人生哲學加以探討，安排本論文的架構及章節如下：

第一章：「緒論」。揭示本論文的研究動機及方法，處理文獻的態度及近代研究莊子學述要。

第二章：「遊的人生哲學」之提出與證成。「遊」之概念的提出，著眼於它在展現思想系統上的核心地位。「遊」之概念，其重要性不僅表現在數量之多，也表現在義理系統的樞紐地位。本文研究焦點分別從量的統計和質的分析兩端加以論述。

第三章：「逍遙遊的境界及其實踐的先決條件」。研究焦點在於針對莊子「逍遙」二字的意義做理解，並進一步就莊子的四個層次分析逍遙遊的境界，及遊之前的先決要件。

第四章：「忘的意義及其境界」。研究焦點在「忘」的意義、對象、層次及境界的整全性理解。

第五章：「致忘之方」。「忘」既是涵養之工夫，便有致忘之方。莊子以為，透過理智的思辨，可使人改變觀念。茲依〈齊物論〉所言，而歸納為「齊小大」、「齊是非」、「齊物我」、「齊死生」四端論述之。

第六章：「遊方之外與遊方之內」。本章研究焦點在於人心的自由與現實生命不脫人世，須謹慎處世。莊子主張並提出兩種處世之方，以便安然行於人生旅途。

第七章：「結論」。總結以上各章節之探析，試圖為莊子學之研究，找到另一個可能的詮釋進路。

傅序

在台灣師大國文系教書四十年，常向學生提倡讀「新四書」，即《論語》、《孟子》、《老子》、《莊子》。因爲：這四本書纔眞正符合「中國文化基本教材」的名義。以往讀的四書（《論語》、《孟子》、《大學》、《中庸》），只是儒家的典籍，不能涵括「中國文化」。既然要「復興中國文化」，則顯然需要並讀儒家和道家的典籍，因爲中國文化的主體是建立在儒家和道家思想的基礎上的。

治學要有方法。最根本的方法，就是「知所先後」。《大學》上說：「物有本末，事有終始；知所先後，則近道矣。」所謂「知所先後」，就是「知本先而後末」。王弼曾指出：老子之學，其主旨在於「崇本以舉末」（見〈老子微旨例略〉），可見儒道兩家的說法是一致的。

中國文化之本，在儒家和道家。儒家之學，其本在《論語》、《孟子》；道家之學，其本在《老子》、《莊子》，所以要研究中國文化，根本之道，在掌握這四部書，掌握了論、孟，則兩漢四百年的儒學、宋元明六百年的理學，皆迎刃而解矣。掌握老、莊，則魏晉南北朝四百年的玄學，皆水落石出矣。譬如從河流的源頭解纜放船，順流而下，則輕鬆自然，暢遂無阻。倘若目眩於清末民初之處士橫議，百家爭鳴，遂從末流下手，上溯乾嘉，再逆探宋明，又從而倒推魏晉南北朝，以至於兩漢，則雖矻矻窮年，至於老耄，也尙不見儒道經典之眞面目。這就有如自海口逆流而上，再怎麼用力撐篙拉縴，也難進尺寸，雖至於筋疲力竭，也終不知水源何處。這就是我要提倡「新四書」的緣故。

其次，治學之方在於「一以貫之」。大凡學者著書，必有一宗旨；能掌握其宗旨，則拔茅連如，綱舉目張矣。《呂氏春秋・不二》云：「老聃貴柔，孔子貴仁，墨翟貴廉，關尹貴清，子列子貴虛，陽生貴己……。」這就是掌握宗旨的實例。孟子說：「博學而詳說之，將以反說約也。」（《孟子・離婁下》）能把長篇大論的文章或一本書的宗旨，用最簡約的一句話，甚或一個字說出來，這才表示對它有了通透的了解，表示能「一以貫之」了。上引《呂氏春秋・不二》，文章共舉了十個思想家，而各以一字指出其宗旨，卻獨缺了莊子。難道是因莊子之文，汪洋恣肆，讓《呂氏春秋》的作者也感到困惑而下筆爲難嗎？

莊子，無疑是先秦大思想家。他在道家的地位，僅次於老子。猶之乎孟子在儒家的地位，僅次於孔子。司馬遷在《史記》中說莊子的學說是「散道德放論」，意思是打散老子《道德經》中道跟德的內容，加以擴大申論。很明顯是說，莊子的學說，是繼承老子的。用現在的觀念來說，老莊思想的本質是一致的，只是表達方式不同。老子所採的是「分解的說」，說「道」是甚麼？「德」是甚麼？而莊子所採的是「非分解的說」，就是把老子所說的觀念，用小說式的故事或寓言把它搬演出來。例如《老子》第七十一章說：「知，不知，上；不知，知，病。」意謂：有所知而看起來像無知，這是上等智慧；無所知而裝作有所知，那就有害了。這樣的觀念，到了莊子就演成了〈應帝王〉中神巫季咸給壺子、列子師生看相的那段故事。

正因採非分解的說，而編排了無數的寓言故事，故常使讀者在他的「謬悠之說、荒唐之言、無端崖之辭」（〈天下〉篇語）中迷眩失心，把握不住他的宗旨。余治《莊子》多年，乃採用最笨的方法，就是把內七篇背下來。背熟之後，各篇主旨便自然浮現；七篇的義理連貫性，也就像從空中俯瞰群山，而知其來龍去脈。因此，頗思刺取其中一語而貫串莊子整體思想，寫成文章；但終未做到。

民國九十三年，台灣師大國研所研究生張慧英，從余治《莊子》，欲以莊子思想爲鵠的撰寫碩士論文，余即告以此意。慧英因讀王叔岷教授《莊子管窺》一書而獲啓發，認爲「遊」之一字在《莊子》書中誠如王教授所言有其特殊意義，遂以「論莊子『遊』的人生哲學」爲題，撰成碩士論文。大意是說：莊子把百年人生比喻爲一次旅遊。只要沒有牽掛，旅遊是自由的、快樂的。人生百年，倘若每天都「遊」得自由自在，快快樂樂，那就是「逍遙遊」了。可是人生旅途中，學業、事業、愛情、婚姻、家庭、名譽、健康和年壽等等，哪一樣不叫人牽掛、操心，乃至患得患失呢？因此，莊子教我們先要有「忘」的工夫，即陶淵明所說的「忘懷得失」〈五柳先生傳〉；至於所謂的「忘」，不是生理退化的健忘，而是「舒適的與它共存，卻不覺得它的存在」。這樣，人生旅途中無論遭遇甚麼事情，都能像明鏡般「應而不藏」(〈應帝王〉篇語)，而成就其「逍遙遊」了。這樣的觀點，這樣的一以貫之，頗能掌握莊子學說的樞要，可謂持之有故，言之成理了。

末了，有一頗具趣味的問題，附記於此。東晉的王羲之曾與莊子唱反調，他以現實生命的深切感受，鄭重地說「一死生爲虛誕，齊彭殤爲妄作」(〈蘭亭集序〉)，莊子該如何自圓其說呢？這眞是難答的問題。不過，深入思之，譬如牙痛，便會服普拿疼來止痛。莊子正因看到人生的種種苦痛，所以在心靈上給予止痛的良方。這樣說來，莊子「遊」的人生哲學，正是人生旅途中必備的普拿疼了。

民國一〇三年歲次甲午十月二十五日
傅武光 寫於 飛鳳山房

目次

第一章　緒　論

第一節　研究動機

生命者何？生命是一不可究詰而眞實的存在。這本無需發問的，而仍不免發問，實因人在世界中有疑而不能不問！人之作爲一存在於天地之間的生命，乃是以種種不同的生命方式來呈現的。換言之，雖然同樣身爲人，然每一人所表現出之生命型態卻是各呈其貌的。而由於複雜的原因，使得人開始對於此截然不同的生命方式有所思考。在現今動盪的社會中，不珍視自我生命的社會事件層出不窮，生命教育已成當今之顯學。在社會各界熱烈探討此門領域之際，實不能僅對西方的生命教育作全盤「橫的移植」，而應兼作「縱的繼承」。我們應當在中國的哲學文化領域中，由先哲最理想的生命表現方式，定位出適合現今社會的生命關懷。以此作爲基點而開展，眞正做到關懷每一個靈魂的實存個體，也才有實際價值與意義。

由於在莊子的思想中，主張採取一個逍遙自適的生活態度，他給世人一種灑脫、放達、愉悅、自適的感覺，即使處在都市叢林，也如處在無何有之鄉；即使活在五濁惡世，也如曳尾於泥塗。他可超拔於俗塵之上，放乎天壤，像大鵬鳥舉著垂天之翼，摶扶搖而上九萬里！由北溟而徙於南溟。

儒、道兩大哲學系統，都教人把握現世人生，以現世人生爲人生幸福的場域，都相信此岸即可以永恆。儒者剛健奮發的本色，使其不但關心自己的道德人格，更要建構這人文世界的道德秩序；而道家則是在個人現世的精神生活中安享靜謐。這並不是說他不具修齊治平的理想，而是這些理想終究要在主體對其生命本眞的把握中開展而出，其目標是要在生命中尋得心靈自由，顯一逍遙自足的境界。

正因莊子是如此正視生命，屬於所謂「生命的學問」，所以在動盪的世局中成了被矚目的對象，而在民國以來諸子學勃興的浪潮中，成爲熠耀的新星。統計民國以來的莊子學著述，專書即有一百多種，博碩士論文二百餘篇，期刊論文近千篇。抑孟子嘗云：「博學而詳說之，將以反說約也。」〔註1〕。當孔子說「吾道一以貫之」，曾子即悟「夫子之道，忠恕而已矣」的道理。〔註2〕當子貢問「有一言而可以終身行之者乎？」，孔子即答以「其恕乎！」〔註3〕，《呂氏春秋》曾分別以一個字統括一家之學，說「老耼貴柔，孔子貴仁，墨翟貴廉，關尹貴清，……」〔註4〕，這都是教人「反說約」的實例。本人讀了《莊子》之後，深歎莊子思想之浩瀚精深，渺無涯涘，在泛覽千餘篇，「博學而詳說之」的莊學論述以後，更覺猶河漢之無極也！於是也思以「反說約」的方式，試尋出莊子之核心概念，以統貫莊子之學說，乃經反覆歸納衡證而終確認「遊」之一字爲莊子學說之主脈。換言之，莊子學說可由「遊」字而一以貫之，其學可謂「遊之哲學」，故以「論莊子遊之人生哲學」爲題，撰寫此論文。

第二節　研究方法

本論文試圖以莊子人生哲學中之「遊」爲核心，開啓對莊子學的不同理解。筆者對莊子思想的理解主要採「以經解經」的方式，通過查閱、分析、整理文獻資料，尋找和莊子哲學有關之文本加以分析。其次，參閱前人研究《莊子》之相關論著及學位論文，旁蒐遠紹，取精用宏，務求掌握原典核心概念，展現莊子之思想系統。

王開府老師在〈思想研究法綜論〉〔註5〕中表示哲學不應以西方所界定的意義爲限。他就勞思光、蔡尚思及吳怡等人所言一般哲學研究通用的方法，提出五種加以說明：

〔註1〕《十三經注疏・孟子》〈台北：藝文印書館，2001年12月初版14刷〉，頁144。
〔註2〕《十三經注疏・論語》〈台北：藝文印書館，2001年12月初版14刷〉，頁37。
〔註3〕同注2，頁140。
〔註4〕《呂氏春秋・不二》，呂不韋編，台北：台灣中華書局，民國68年初版。
〔註5〕參見《師大國文學報》27期，〈台北：台灣師大國文學系，1998年〉，頁147～187。

一、發生研究法：所謂發生研究法，即著眼於一個哲學家的思想如何一點一點發展變化，而依觀念的發生程序作一種敘述。研究者可將所研究的思想依照發生的先後排出次序來。假如有足夠的資料可用，這種敘述是最詳盡的。但是若不能把握哲學問題的發展脈絡，將不能由此判定這理論的價值與意義。〔註6〕

二、解析研究法：用解析法來研究，基本態度是比較客觀的。這是一種微觀的方法，將哲學分析成小部份以了解之。……「以經解經」之法，就是透過文獻的歸納、比對而訓解經文。但「以經解經」不能停留在表面文義的比附，而應深入義理層面作詮釋。

三、系統研究法：此法就是將哲學作系統的陳述，發現或建立哲學的完整架構，這是一種宏觀的方法，由大處著眼，綜匯貫通全體以了解之。從而發現某家哲學的基源。從另一個角度說，即是對學說作一系統性的研究。也可視爲一種廣義的系統法。〔註7〕

四、比較研究法：係對不同的哲學作比較研究，以凸顯不同哲學的特殊性、價值和地位。前三方法大體可視爲一個系統內的研究法，而比較研究法則可在兩個以上的系統作比較。

五、實踐研究法：由實踐來體悟思想的眞實內涵，會因實踐的進程對思想的體悟有深淺的層次之分，這可以說是一種境界的體悟或證悟法。它是一種廣義地作爲了解事物的活動或歷程，而不限於學術研究，所以實踐也可視爲一種研究法。

以上五種研究法，除第四種外，本論文均交互運用之，特別是第二種和第三種，使用尤多。

第三節　對莊學文獻處理的態度

《莊子》一書非一人一時之作，乃莊子學派的總集，這一點是目前研究莊子者的共識。然而，《莊子》三十三篇中何者爲莊子本人所自著？何者爲莊子後學所撰寫？目前並無一共同之定論。因此，研究《莊子》必然要面對內

〔註6〕參見勞思光，《新編中國哲學史，序言》第一冊，頁8。

〔註7〕案：此法與勞思光所言之基源問題研究法類似，王開府老師將之歸併於系統研究法的第一類，爲一種廣義的系統研究法。有關基源問題研究法，可參氏著《新編中國哲學史》第一冊，頁15。

容擇取的問題。多數研究者以〈逍遙遊〉、〈齊物論〉、〈養生主〉、〈人間世〉、〈德充符〉、〈大宗師〉與〈應帝王〉七篇為主要研究對象，而以其餘各篇作為輔助說明的材料。換言之，多數學者認為內七篇所闡述之內容是莊子本人之思想，而其餘各篇則較不純粹。然而，各篇之作者縱使不為莊子本人，其思想內容亦是莊子思想的開展，因此，本文所採取的態度是以內篇為主，外篇與雜篇為輔。此一態度，乃依據王叔岷《莊學管窺》中之看法。王叔岷認為，莊子篇章有下列幾種情形：

一、外篇合入內篇者：

內篇〈齊物論〉第二「夫道未始有封」下，釋文引崔譔云：「齊物七章，此連上篇，而班固說在外篇」。此可注意，漢時所傳《莊子》已有內、外篇；而班固所見五十二篇本「夫道未始有封」章，原在外篇也。

二、外篇移為內篇者：

隋釋吉藏《百論疏・卷上之上》云：「莊子外篇，庖丁十二年不見全牛」。今本庖丁解牛事在內篇〈養生主〉第三。

三、內篇移為外篇者：

唐釋湛然《輔行記・卷四十》：「莊子內篇，自然為本。如云『雨為雲乎？雲為雨乎？孰降施是？』皆其自然」。今本「雨為雲乎？雲為雨乎？孰降施是？」在外篇〈天運〉第十四。

四、兩篇合為一篇者：

雜篇〈盜跖〉第二十九「幾不免虎口哉！」下，郭注：「此篇寄明因眾之所欲亡而亡之，雖王紂可去也；不因眾而獨用之，雖盜跖不可御也」。此篇以盜跖名篇，而述盜跖事於此以終，則此篇當止於此。郭象於某篇之中言某章之義，絕無言「此篇」者。獨於此云「此篇」者，則〈盜跖〉篇本止於此甚明。下文「子張問於滿苟得曰」，至篇末，所記非盜跖之事，郭氏分為兩章，當是他篇之文，郭氏合於此篇者耳。又《北齊書・杜弼傳》，稱弼注莊子〈惠施〉篇。郭本莊子無〈惠施〉篇，而雜篇〈天下〉第三十三「惠施多方」以下，專述惠子學說，舊或另為一篇，而郭氏合入〈天下〉篇者也。

五、一篇分為兩篇者：

雜篇〈寓言〉第二十七末「陽子居南之沛」章，與雜篇〈列禦寇〉第三十二首「列禦寇之齊」章，旨意相承，蘇軾〈莊子祠記〉，謂二章「是固一章」。宋陳碧虛《南華眞經音義》、明羅勉道《南華眞經循本》，並以二章相連。舊或在一篇。僞《列子・黃帝》篇正以二章相連，唐盧重玄注云「『子列子之齊』章，言列子之使人保汝；『楊朱南之沛』章，言楊朱使人無保汝也」。是也。

《莊子》三十三篇誠有純駁問題，然不可憑內、外、雜篇爲斷。蓋今本內、外、雜篇之區畫，乃定於郭象。則內篇未必盡可信，外、雜篇未必盡可疑。

王氏此論，精闢合理，可以採信，故據以爲立論的基礎。

第四節　近代莊子學述要

莊子哲學，博大精深，未易了解。道家哲學至莊子始告大成，如荀卿之於儒家，韓非之於法家。歷來解莊之書，代有佳構，明朝以來，像明憨山大師的《莊子內篇講義》，以佛理講解內篇，焦竑的《莊子翼》是明代以前注莊子的一大集結。王夫之《莊子通》和《莊子解》訓詁和義理兼顧而側重義理；宣穎的《南華經解》確守莊子的立場，來解釋其文句；林雲銘的《莊子因》是偏向講明文章義法；陸樹芝的《莊子雪》以儒家立場來解莊；，清末楊文會的《南華經發隱》及章炳麟的《莊子齊物論釋》都是以佛家的立場來莊。王先謙的《莊子集解》，把清代的考據家對《莊子》文句的校勘和古字古義的詮釋，收集很多。郭慶藩的《莊子集釋》把郭象的注，成玄英的疏，陸德明的音義，和十餘家的疏都收在裡面，十分簡便。但他的缺點是古字古義未曾多加考釋。民國十七年時，阮毓崧《莊子集注》由中華書局刊印手寫初稿，二十五年重印定稿。此書徵引前人數十家注疏，考證詳明，注解正確。全書對於協韻的地方，都依照古韻，一一辨清，注於書眉，可隨時對照。林紓著《莊子淺說》，止於內篇七篇，每篇分段申說其大意，見解甚精。嚴復有《評點莊子》，將讀莊所得記於眉，每以新觀念、新詞語甚至西洋名詞爲解，饒有新意。馬敘倫的《莊子義證》，王叔岷的《莊子校釋》則偏重於版本的校勘，考訂莊子字義。陳壽昌的《南華眞經正義》，將各篇的段落，分析得很清楚。高亨的《莊子今箋》刺取有歧義之詞句而解之，或訓詁字義，或糾正句讀，有助解讀原典，自敘舉六證以明內篇與外、雜篇之異，而斷定爲內篇爲莊子所自著，所見甚卓。

近人研究莊子學說的書，如錢穆《莊子纂箋》搜羅古今注解、取精用宏，極有價值。郎擎霄的《莊子學案》以科學方法，就莊子學說，作有系統的研究，包括本體論、自然論、進化論、人生哲學、政治哲學、經濟思想、心理學、辯證法及文學，可謂系統完整。朱桂曜的《莊子內篇證補》針對內七篇詮證其疑難字句，勘正其舛之文字及未當之諸家訓詁，補充義理之所未備，甚有功於莊學。何敬群的《莊子義繹》旨在闡釋莊子學說之義蘊，以觀莊子始終本末之義。自言遠紹漢儒詁經之精神，依文爲釋，例不違經。於莊子原典只作義蘊之闡明，不作異同之評判。但字裏行間，時不免浮現儒家之立場。陳啓天的《莊子淺說》以校勘、訓詁爲主，而分每篇爲若干節，每節之後，指點該節之主旨及其與上下文之關係，頗便讀者；但只針對內七篇而爲之，爲可惜耳。劉光義的《莊子內七篇類析語釋》可顧其名而思其義，即將內七篇中，其義旨相近者，分別歸納在一起，然後以較易了解的詞語解釋深奧難解之經文。雖自言爲初學初讀者所寫，然其詮解之方，心裁獨出，亦頗有可觀。胡楚生的《老莊研究》對於莊子的逍遙之理想境界做了深入的剖析，吳怡的《逍遙的莊子》針對莊子的逍遙觀先有詳細的義理詮釋，再做全面性的探討。王邦雄所著《莊子道》，則爲演講錄音整理稿，止於內七篇，常於發揮義理時，舉現實事例以爲證，親切易明。朱師榮智所著的《莊子的美學與文學》綰合了美學與文學而談論之，見解新穎，爲莊子學研究別開生面。趙衛民所著《莊子的道》，採詮釋之進路，全面梳理莊子哲學，時或輔以西哲之觀念，冀構成當代之新莊子。

幾種中國哲學史如胡適的《中國哲學史大綱》，馮友蘭、勞思光、任繼愈的《中國哲學史》……錢穆、韋政通的《中國思想史》……皆於莊學有所論述，而各有見解。綜觀近世莊子學之研究，可謂百花齊放，萬壑爭流矣。

第二章 「遊的人生哲學」之提出與證成

第一節 「遊」之概念的提出

「遊」之概念的提出，著眼於它在展現思想系統上的核心地位。「遊」之概念，其重要性不僅表現在數量之多，也表現在義理系統的樞紐地位。以下分別從量的統計和質的分析兩端加以論述。

一、量的統計

《莊子》三十三篇循篇而讀，不難覺察有些詞語不斷出現，重複經眼，嚴復《評點莊子》〔註1〕即有此發現：

> 莊子文中多用遊字，自首篇之名逍遙遊以下，如「遊於物之初」、「遊於物之所不得遯」、「遊乎天地之一氣」、「遊乎逸蕩恣睢轉徙之塗」、「此所遊已」、「聖人有所遊」、「乘物以遊心」、「遊其樊」、「遊刃」、「遊乎塵垢之外」、「遊乎四海之外」、「遊方之外」、「遊方之內」、「遊無何有之鄉」、「遊心於淡」、「遊於無有」、「而遊無朕」。

嚴復所舉，限於內七篇，若合外、雜篇計之，遊字共出現 85 次。其它概念常出現者尚有「自然」7 次、「無爲」49 次、「忘」79 次、「待」字 47 次等等。

其中，「自然」與「無爲」已常見於《老子》，屬於固有概念。「遊」、「忘」、「待」則爲《莊子》特用之新概念。經過研究，此三個新概念，在莊子義理的系統上，關係非常緊密。特別是「遊」與「忘」，兩者出現的次數旗鼓相當，

〔註 1〕《評點莊子》：嚴復，以馬其昶集虛草堂《莊子故》爲本。

義理的關聯性也特別緊密，本論文將會在後面幾章有所論述。至於本論文特別以「遊」字做為主軸來論述，則是因為它是莊子在文學上的表現手法。通讀《莊子》，可以發現是以「遊」的概念貫串全書，建立系統。王叔岷曰：

> 詳讀各篇，涉及遊字之文，尤復不少，其一切議論譬喻，似皆本此字發揮之。〔註2〕

換言之，「遊」的概念是莊子展現思想系統的核心概念，也是基源概念。為方便參證，茲將出現「遊」字的文句列舉於下。

內篇：

以遊無窮者〈逍遙遊〉
而遊乎四海之外〈逍遙遊〉
而遊乎塵垢之外〈齊物論〉
恢恢乎其於遊刃必有餘地矣〈養生主〉
若能入遊其樊〈人間世〉
且夫乘物以遊心〈人間世〉
南伯子綦遊乎商之丘〈人間世〉
則支離攘臂而遊於其間〈人間世〉
楚狂接輿遊其門曰〈人間世〉
從之遊者〈德充符〉
從之遊者與夫子中分魯〈德充符〉
而遊心乎德之和〈德充符〉
遊於羿之彀中〈德充符〉
吾與夫子遊十九年矣〈德充符〉
今日與我遊於形骸之內〈德充符〉
故聖人有所遊〈德充符〉
故聖人將遊於物之所不得遯而皆存〈大宗師〉
以遊大川〈大宗師〉
孰能登天遊霧〈大宗師〉
彼遊方之外者也〈大宗師〉
而丘遊方之內者也〈大宗師〉
而遊乎天地之一氣〈大宗師〉

〔註 2〕《莊學管窺》：王叔岷，台北：藝文印書館，民國 67 年 3 月初版，頁 179。

汝將何以遊夫遙蕩恣睢轉徙之塗乎〈大宗師〉
吾願遊於其藩〈大宗師〉
此所遊已〈大宗師〉
天根遊於殷陽〈應帝王〉
而遊無何有之鄉〈應帝王〉
汝遊心於淡〈應帝王〉
而遊於無有者也〈應帝王〉
而遊無朕〈應帝王〉

外篇：

竄句遊心於堅白同異之間〈駢拇〉
而遊乎道德之間爲哉〈駢拇〉
則博塞以遊〈駢拇〉
是故禽獸可係羈而遊〈馬蹄〉
鼓腹而遊〈馬蹄〉
以遊無極之野〈在宥〉
雲將東遊〈在宥〉
鴻蒙方將拊脾雀躍而遊〈在宥〉
鴻蒙拊脾雀躍不輟，對雲將曰：遊〈在宥〉
浮遊不知所求〈在宥〉
東遊過有宋之野〈在宥〉
遊者鞅掌〈在宥〉
遊乎九州〈在宥〉
以遊無端〈在宥〉
黃帝遊乎赤水之北〈天地〉
子貢南遊於楚〈天地〉
以遊世俗之間者〈天地〉
吾將遊焉〈天地〉
遊居寢臥其下〈天運〉
以遊逍遙之虛〈天運〉
古者謂是采眞之遊〈天運〉
遊居學者之所好也〈刻意〉

孔子遊於匡〈秋水〉
儵魚出遊從容〈秋水〉
遊之壇陸〈至樂〉
遊乎萬物之所終始〈達生〉
浮游乎萬物之祖〈山木〉
而遊於無人之野〈山木〉
而獨與道遊於大莫之國〈山木〉
人能虛己以遊世〈山木〉
莊周遊於雕陵之樊〈山木〉
今吾遊於雕稜而忘吾身〈山木〉
遊於栗林而忘眞〈山木〉
吾遊心於物之初〈田子方〉
請問遊是〈田子方〉
得至美而遊乎至樂〈田子方〉
知北遊於元水之上〈知北遊〉
不遊乎太虛〈知北遊〉
回敢問其遊〈知北遊〉

雜篇：

予少而自遊於六合之內〈徐無鬼〉
予又且復遊於六合之外〈徐無鬼〉
而遊於襄城之野〈徐無鬼〉
吾所與吾子遊者〈徐無鬼〉
遊於天地〈徐無鬼〉
知遊心於無窮〈則陽〉
請之天下遊〈則陽〉
我且南遊吳越之王〈外物〉
人有能遊〈外物〉
且得不遊乎〈外物〉
唯至人乃能遊於世而不僻〈外物〉
老聃西遊於秦〈寓言〉
居於畎畝之中而遊堯之門〈讓王〉

孔子遊乎緇帷之林〈漁父〉

與汝遊者〈列禦寇〉

上與造物者遊〈天下〉

計內篇出現 30 次，外篇 39 次，雜篇 16 次。共 85 次，而內篇僅七篇，而出現次數的占全書三分之一。

二、質的分析

所謂質的分析，是指在義理的本質上作「定性分析」〔註3〕。也就是說，「遊」之概念，除了在《莊子》出現的頻率上顯得突出外；是否在義理的本質上，也確然屬於核心概念，宜再作分析。

這一點，在首篇的義理脈絡上便可得到答案。古人著書，習慣藉首篇來標示宗旨。例如：孔子重學，《論語》即以「學而時習之」開端。孟子提倡仁義，《孟子》七篇即以「王何必曰利，亦有仁義而已矣」放在首篇之首。荀子論性惡，一切需靠後天學習，所以〈勸學〉篇放在最前頭。老子講「道」，《道德經》五千言開頭第一句便說「道可道，非常道」。至於《孝經》第一章即逕稱之曰〈開宗明義章〉。可見，古人著書就是習慣在首篇或首章「開宗明義」。

由是觀之，莊子把揭示宗旨的任務放在首篇，也就不足爲奇了！而《莊子》的首篇便叫做〈逍遙遊〉。

當然，從傳統目錄學的觀點來看，古書各篇的題目未必是原作者所加。因爲古人述作未必像今人習慣，先立題目，然後據題書寫。據楊家駱先生的說法，今傳西漢以前的典籍，都應稱作「劉向歆父子所輯某書」，因爲古書不管書於簡牘或絹帛，都以單篇爲單位而流傳，秦火之後，典籍散亂，至漢成帝時下詔鼓勵民間獻書，於是天下典籍紛集於朝廷，而由劉向、劉歆父子校讎、整理，重新編輯，才呈現後世所傳的圖書模樣。〔註4〕

所以今傳《莊子》各篇篇名，實不知起於何時何人，從目錄學的觀點來看，最有可能是劉向、歆父子所加，也有人認爲是出於郭象之手。

不管出於何人之手，以「逍遙遊」名篇，確然符合首篇內容，可謂題文相應，名實相符。以〈逍遙遊〉提挈內七篇，誠然當得起「開宗明義」揭示宗旨的任務。再則，《莊子・天下》述莊子之學曰：

〔註 3〕定性分析〈qualitative analysis〉，原爲化學名詞。指測定物質、混合物、化合物或溶液中所含的成分或離子的方法。此處借用來指義理本質的分析。

〔註 4〕楊家駱先生的說法，乃根據傅武光老師所轉述。

上與造物者遊，而下與外生死、無終始者爲友。〔註5〕

此亦以遊字歸結其旨趣。所以「遊」的概念，除了在內文中頻頻出現而顯示「量多」之外，也確然顯示它在義理系統上，是宗旨所寄的核心概念。

第二節　「遊」的意義

壹、從文字學看「遊」的意義

何謂遊？《莊子》一書的第一篇即稱爲〈逍遙遊〉。按許愼《說文解字・七上》云：

遊，本作游。本義是「旌旗之流」……　，古文遊。

段注：

引申爲出游，嬉戲，俗作遊。

《廣雅・釋詁三》：

遊，戲也。

旌旗所垂之旒，隨風飄蕩而無所繫縛，故引申爲遊戲之遊。

《荀子・宥坐》：

百仞之山，而豎子馮而游焉。

此游字，義即出游、嬉游，與遊字音同義通。大抵戰國以後，游與遊已經通用，故「逍遙遊」也有傳本作「逍遙游」，而書中也多遊、游互用的例子，如「嘗相與游乎無何有之宮」〔註6〕、「則陽游於楚」〔註7〕等是。

陸德明《音義》謂逍遙：「義取閒放不拘，怡適自得」。釋文「逍亦作消；遙亦作搖」；郭慶藩《莊子釋義》：「逍遙二字，《說文》未收，作消搖者，是也」。消者，消釋而無執滯，乃對理而言。搖者，隨順而無抵觸，乃對人而言者。遊者，象徵無所拘礙之自得自由的狀態。〔註8〕總括言之，莊子把精神的自由解放，以一個遊字加以象徵，雖並非是具體的遊戲，而是有取於具

〔註5〕語見清・郭慶藩，《莊子集釋・天下》，〈台北：漢京文化事業有限公司，1983年9月初版〉，頁1099。以下關於莊子之出注皆簡稱《集釋》

〔註6〕《集釋・知北遊》，頁752。

〔註7〕《集釋・則陽》，頁876。

〔註8〕參見徐復觀，《中國人性論史》〈台北：台灣商務印書館 1975年一月二版〉，頁393。

體遊戲中所呈現出的自由活動，昇華上去以作爲精神狀態得到自由解放的象徵。〔註 9〕

貳、莊子使用「遊」字的意義

《莊子》喜用「遊」字，前已言之，至於《莊子》使用「遊」字的意義何在？約言而之，有兩點：

一、文學的意義

莊子使用「遊」字的文學意義，就是把人生百年比喻成一次遠遊。何以見得？〈齊物論〉云：

> 予惡知說生之非惑邪？予惡知惡死之非弱喪而不知歸者邪？〔註 10〕

這是說，人不必悅生，也不必惡死；如果悅生而惡死，那就好像少小離家，老大卻不知回去一樣〔註 11〕。既然把「死」比作回家（歸），那麼「生」自然是比作離家遠行了。離家遠行便是「遊」。〈德充符〉云：

> 遊於羿之彀中，中央者，中地也；然而不中者，命也。〔註 12〕

這是說，人生的旅程很危險，隨時都有可能受傷，好像遊於神射手羿的瞄準範圍內，隨時都有被射中的可能。這又分明把人生百年比喻爲「遊」，而強調這趟旅遊的危險。

那麼，要怎樣地「遊」，纔能免於危險呢？〈山木〉說：

> 人能虛己以游世，其孰能害之？〔註 13〕

〈天地〉：

> 夫明白入素，無爲復朴，體性抱神，以遊世俗之間者，汝將固驚邪？〔註 14〕

這兩段話是說，人能消除自我的成見與私慾（虛己），恢復純潔樸厚的本性（明白入素、復樸），而順物自然（無爲），那麼，這趟「遊」就不會受到什麼驚

〔註 9〕參見徐復觀，《中國藝術精神》〈台北：台灣學生書局 1992 年七月 11 刷〉，頁 64。

〔註 10〕《集釋・齊物論》，頁 103。

〔註 11〕郭象注：「少而失其故居，名爲弱喪。夫弱喪者，遂安於所在，而不知歸於故鄉也。焉知生之非夫弱喪，焉知死之非夫還歸而惡之哉！」

〔註 12〕《集釋・德充符》，頁 199。

〔註 13〕《集釋・山木》，頁 675。

〔註 14〕《集釋・天地》，頁 438。

嚇和傷害了。莊子在此處，清清楚楚地把生活在人世之間稱作「遊世」，又稱作「遊世俗之間」，足見它是把人生百年比喻爲一次遠遊的。

二、哲學的意義

從訓詁方面來看，「遊」（或作游），是遨遊、旅遊的意思。遨遊、旅行，是相對長久定居一處、固定從事一職而言；也就是離開長久定居的地方，而改作休閒活動。就活動空間來說，不再拘限一處，而獲得任意馳騁的自由；就活動的性質而說，不再固守一事，而獲得隨心所欲的暢快。總之，「遊」就是突破原有的拘限，而獲得自由、快樂。換言之，莊子使用「遊」字，就表示追求自由、快樂。

當然，莊子所追求的逍遙境界，不是今天由法律所規定的自由，而是心靈解脫的自由。所以常用「遊心」（〈人間世〉、〈應帝王〉）、「遊無窮」（〈逍遙遊〉）、「遊乎四海之外」（同上）、「遊乎塵垢之外」（〈齊物論〉）、「遊乎天地之一氣」（〔大宗師〕）等詞語來表示。這就是莊子使用「遊」字的哲學意義。

第三節　「遊」的人生哲學

根據前兩節之析論，無論從量的統計或質的分析，都足以確認「遊」的概念的確爲莊子最核心的概念。而莊子使用「遊」字，一方面是文學的手法，一方面具有哲學的意義。所謂文學的手法，就是比喻法，將人生百年的歷程，比喻爲一趟遠遊。而所謂具有哲學意義，其意義在於追求人生的自由快樂。外出旅遊，是自由快樂的；人生百年能過得自由快樂，便是逍遙遊。所以本論文將莊子的人生哲學定名爲「『遊』的人生哲學」。

任何哲人的人生哲學均有其一貫的義理系統。「『遊』的人生哲學」自然是以「遊」的概念爲中心而展開其義理系統。

從普遍的經驗而言，出外旅遊是自由快樂的；但，有個先決條件，便是在旅途中不能有任何牽掛。一有牽掛，就會憂心忡忡，一路都遊得惴惴不安，自然沒有樂趣。所以出門旅遊之前，須做許多安頓公私事務的動作。

百年人生之旅也一樣。若要遊得自由快樂，亦不能有所牽掛。但是，人生要牽掛的事太多了，諸如貧富、貴賤、窮達、榮辱等，無不對之患得患失。所以，百年人生要遊得自由快樂，其先決條件便是「忘懷得失」。惟有能「忘」而後能做逍遙遊。故從下一章開始，先對逍遙遊的境界做一番論述，然後探討忘的意義及其層次、境界，繼而研究致忘的工夫。最後敘論遊方之內與遊方之外的智慧。於是莊子遊的人生哲學其義理系統乃論證完成。

第三章　逍遙遊的境界及其實踐的先決條件

第一節　逍遙的意義

「逍遙遊」一語既爲莊子思想宗趣所寄，則首先尤當了解「逍遙」二字的意義。

唐陸德明《經典釋文》云：

> 逍，音銷，亦作消。遙，如字，亦作搖。

清郭慶藩《莊子集釋》云：

> 逍遙二字，《說文》不收，作消搖者是也。《禮・檀弓》「消搖於門」。《漢書・司馬相如傳》「消搖乎襄羊」，京山引《太玄・翕首》「雖欲消搖，天不之茲」。漢〈開母石闕〉「則文燿以消搖」。《文選・宋玉九辯》「聊消搖以相羊」。《後漢書・東平憲王蒼傳》「消搖相羊」。字並從水作消，從手作搖。

《經典釋文》謂「逍遙」亦作「消搖」。郭慶藩更歷舉六例以證成之。從訓詁學的觀點看，逍與消，遙與搖，並屬同音通假。「逍遙」與「消搖」音義相同。馬敘倫曰：「逍遙者，疊韻連緜詞。」甚是，今亦稱之爲「疊韻衍聲複詞」，此一構詞法，乃由二字之聲音取義，而不以單字解之也。然則「逍遙」之意爲何？郭慶藩引唐釋湛然《止觀輔行傳》所引王瞀夜之言曰：

> 消搖者，調暢逸豫之意。夫至理內足，無時不適，止懷應物，何往不通。以斯而遊天下，故曰消搖。

以今語釋之，即「自由自在，舒暢快樂」之意。

然亦有將「逍遙」二字分別解之者，可以王夫之為代表，其言曰：

逍者，嚮於消也，過而忘也；遙者，引而遠也，不局於心智之靈也。〔註1〕

此雖拆而解之，但其含義與作衍聲複詞解者，初無二致，可備一說。

第二節　逍遙遊的境界

人之天性，愛好自由，這是毋庸置疑的。而出外旅遊，擺脫俗務，解除束縛，正合人類愛好自由的天性，所以人人都愛旅遊。莊子把百歲人生比作一趟旅遊，意即希望百歲人生天天都過得自由自在，舒暢快樂。這樣的人生即謂之「逍遙遊」。那是怎樣的一番境界呢？莊子用四個層次將它映襯出來：

故夫知效一官，行比一鄉，德合一君，而徵一國者，其自視也亦若此矣。而宋榮子猶然笑之。且舉世而譽之而不加勸，舉世而非之而不加沮，定乎內外之分，辯乎榮辱之境，斯已矣。彼其於世未數數然也。雖然，猶有未樹也。夫列子御風而行，泠然善也，十又五日而後反。彼於致福者，未數數然也。此雖免乎行，猶有所待者也。若夫乘天地之正，御六氣之辯，以遊無窮者，彼且惡乎待哉？故曰：至人無己，神人無功，聖人無名。〔註2〕

第一個層次，莊子比之於「斥澤之鷃」。斥澤之鷃看到高飛九萬里的大鵬鳥，嘲笑說：「彼且奚適也？我騰躍而上，不過數仞而下，翱翔蓬蒿之間，此亦飛之至也，而彼且奚適也！」意指這個層次的人，受限於生長的環境，見聞有限，能力有限，而又自認為很行；自滿自傲，而不信別有天地。

第二個層次，以宋榮子為例。宋榮子，即宋牼，在《荀子・非十二子》，與墨翟為一派；在《莊子・天下》，與尹文為一派。其學說以「見侮不辱」和「人之情，寡欲」為主。〔註3〕上引所謂「舉世而譽之，而不加勸；舉世而非之，而不加沮。定乎內外之分，辯乎榮辱之竟」，就是「見侮不辱」的推衍說

〔註1〕參見王夫之，《莊子通・莊子解》卷一，〈台北：里仁書局，1984年9月〉，頁1。

〔註2〕《集釋・逍遙遊》，頁16。

〔註3〕見王先謙，《荀子・正論》，台北市：華正書局有限公司，1988年8月初版，頁229。

明。這表示，宋榮子不在乎別人的批評，不被別人所左右，因爲他根本就不汲汲於世俗名譽的追求（彼其於世，未數數然也）。這樣的心靈，有自主的空間，有轉動的自由，相較於第一個層次，他是解放的、自由的。

第三個層次，代表人物是列子。列子的本領是「御風而行，泠然善也，十有五日而後反。彼於致福者，未數數然也」。他除了不汲汲於追求世俗的名利之外，更能駕風而行，暫時離開塵世，什麼都不管，達十天半月之久。這個境界顯得比宋榮子更自由、更快樂。因爲宋榮子還必須周旋於世俗之間「上說下教；雖天下不取，強聒而不舍」〔註4〕。列子則一旦御風而行，遠離塵土，人間萬事，一概不管。像這樣一切放下，何等逍遙？不過，這是第三個境界，還不是究竟，因此，他要作此逍遙之遊，還須有待；待什麼呢？待風！沒有風，他依舊是世俗中人，承擔著塵俗的煩惱。所以他多半還是不能自主的。

至於第四個層次，也就是最高層次，就不一樣了。這個層次，只是順著自然本性，而與陰陽大化同步流行，無往而不自得，心靈得到充分的解放，或得充分的自由，而無所待。這種人，達到了人生的最高境界，所以叫做「至人」；這種人，從世俗的眼光看來，不像世上的人，而像是神，所以叫做「神人」；但他畢竟是人，不是神；他之到此境界，乃由修養而得，所以叫做「聖人」。至人、神人、聖人，名稱有三，實指一人，此人在人間世之遊，謂之逍遙遊。這便是遊的最高境界。

這樣的遊，也叫做「遊心」，所謂「乘物以遊心」〔註5〕、「遊心於淡」〔註6〕是也。也叫做「遊方之外」〔註7〕「遊乎天地之一氣」〔註8〕、「遊夫遙蕩恣睢轉徙之塗乎」〔註9〕、「遊於物之所不得遯」〔註10〕、「遊乎四海之外」〔註11〕、「遊乎塵垢之外」〔註12〕、「遊无何有之鄉」〔註13〕、「遊於无有」〔註14〕、

〔註4〕《集釋・天下》，頁1084。
〔註5〕《集釋・人間世〉，頁160。
〔註6〕《集釋・應帝王》，頁294。
〔註7〕《集釋・大宗師》，頁267。
〔註8〕《集釋・大宗師》，頁268。
〔註9〕《集釋・大宗師》，頁279。
〔註10〕《集釋・大宗師》，頁244。
〔註11〕《集釋・逍遙遊》，頁28。
〔註12〕《集釋・齊物論》，頁97。
〔註13〕《集釋・應帝王》，頁293。
〔註14〕《集釋・應帝王》，頁296。

「遊無朕」〔註 15〕、「浮遊乎萬物之祖」〔註 16〕、「上與造物者遊」〔註 17〕。

第三節　逍遙遊的先決條件

在日常生活中，出外旅遊是自由的、快樂的。但要遊得自由快樂，有個先決條件，就是在旅途中要毫無牽掛。一有牽掛就會憂心忡忡，而快樂不起來。所以每個人在旅行之前都會先把公事、家事及私事安頓妥當，以免產生後顧之憂。人生的旅途也是一樣，必須了無牽掛，才能過得自由快樂。可是百歲的人生旅途當中，學業、事業、愛情、婚姻、家庭、子女、名譽、地位、財富、權力等種種得失都是切身的問題，怎能一無牽掛？在莊子看來，世人對這些名利場中的事物，豈止是牽掛而已，簡直看得比生命還重要，因而百般爭奪、千萬般計較，至於精疲力竭、油盡燈枯而後已。他有一段話形容這番情景，〈齊物論〉說：

> 其寐也魂交，其覺也形開。與接爲構，日以心鬥。縵者，窖者，密者。小恐惴惴，大恐縵縵。其發若機栝，其司是非之謂也；其留如詛盟，其守勝之謂也。其殺如秋冬，以言其日消也，其溺之所爲之不可使復之也。其厭也如緘，以言其老洫也，近死之心莫使之復陽也。〔註 18〕

仔細觀察社會百態，莊子的形容，一點都不爲過。這些俗名俗物，彷彿一面巨網，鋪天蓋地地網住每個人，世人便在這一面塵網中失去自由，失去快樂。所以百歲人生，自古便有世路崎嶇、困蹇難行的感慨。晉陶淵明有「誤落塵網」之歎〔註 19〕，鮑照更有代表作〈擬行路難〉組詩十八首〔註 20〕爲世人道出共同的心聲。

然則，要怎樣才能在人生旅途中掙脫塵網，了無牽掛，自由快樂地走到人生盡頭呢？莊子提出一種工夫，也是一種境界，叫做「忘」。就是將前述的種種得失給「忘」掉。〈齊物論〉云：

〔註 15〕《集釋．應帝王》，頁 307。
〔註 16〕《集釋．山木》，頁 668。
〔註 17〕《集釋．天下》，頁 1099。
〔註 18〕《集釋．齊物論》，頁 51。
〔註 19〕楊勇，《陶淵明集校箋》〈歸原田居〉，台北市：正文書局。
〔註 20〕錢仲聯集說補註，《鮑參軍集》本，台北：木鐸出版社，1982 年。

忘年忘義，振於無竟，故寓諸無竟。〔註21〕

忘年，猶言忘生死；忘義，猶言忘是非。唯有如此，方能遨遊於無窮之境，方能寄身於無窮之境。換言之，逍遙遊的先決條件就是「忘」。晉陶淵明自述所以能做「無懷氏之民」與「葛天氏之民」，正是由於「忘懷得失，以此自終」的緣故〔註22〕。陶淵明的人生情懷可謂最得莊生之旨。

〔註21〕《集釋・齊物論》，頁108。
〔註22〕楊勇，《陶淵明集校箋》，台北市：正文書局，頁134。

第四章　「忘」的意義及其境界

第一節　「忘」的提出

在莊子所提出的富有特殊意義之新概念中，「忘」的概念和「遊」幾乎一樣重要。在全書出現的次數，也幾與「遊」字相當。茲逐一羅列於下，以便說明：

內篇

不忘以待盡〈齊物論〉
忘年忘義〈齊物論〉
忘其所受〈養生主〉
行事之情而忘其身〈人間世〉
而形有所忘〈德充符〉
人不忘其所忘〈德充符〉
而忘其所不忘〈德充符〉
不忘其所始〈大宗師〉
忘而復之〈大宗師〉
悗乎忘其言也〈大宗師〉
不如相忘於江湖〈大宗師〉
不如兩忘而化其道〈大宗師〉
相忘以生〈大宗師〉
忘其肝膽〈大宗師〉

魚相忘乎江湖〈大宗師〉
人相忘乎道術〈大宗師〉
回忘仁義矣〈大宗師〉
回忘禮樂矣〈大宗師〉
回坐忘矣〈大宗師〉
何謂坐忘〈大宗師〉
此謂坐忘〈大宗師〉

外篇

天忘朕邪〈在宥〉
倫與物忘〈在宥〉
忘乎天〈天地〉
忘乎物〈天地〉
汝方將忘汝神氣〈天地〉
必忘夫人之心〈天地〉
以忘親難〈天運〉
忘親易〈天運〉
使親忘我難〈天運〉
使親忘我易〈天運〉
兼忘天下難〈天運〉
兼忘天下易〈天運〉
使天下兼忘我難〈天運〉
不若相忘於江湖〈天運〉
無不忘也〈刻意〉
將忘子之故〈秋水〉
忘水也〈達生〉
則使人善也〈達生〉
輒然忘吾有四肢形體也〈達生〉
忘足〈達生〉
忘要〈達生〉
知忘是非〈達生〉
忘適之適也〈達生〉

覩一蟬方得美蔭而忘其身〈山木〉
見得而忘其形〈山木〉
建利而忘其眞〈山木〉
吾守形而忘身〈山木〉
今吾遊於雕陵而忘吾身〈山木〉
遊於栗林而忘眞〈山木〉
吾服女也甚忘〈田子方〉
雖忘乎故吾〈田子方〉
吾有不忘者存〈田子方〉
使秦穆公忘其賤與之政也〈田子方〉
中欲言而忘其所欲言〈知北遊〉
中欲告而忘之也〈知北遊〉
以其忘之也〈知北遊〉

雜篇

今者吾忘吾答〈庚桑楚〉
夫復謵不餽而忘人〈庚桑楚〉
忘人因以爲天人矣〈庚桑楚〉
終身不忘〈徐無鬼〉
上忘而下畔〈徐無鬼〉
使家人忘其貧〈則揚〉
使王公忘爵祿而化卑〈則揚〉
不如兩忘而閉其所譽〈外物〉
得魚而忘荃〈外物〉
得兔而忘蹄〈外物〉
得兔而忘蹄〈外物〉
得意而忘言〈外物〉
吾安得夫忘言之人而與之言哉〈外物〉
故養志者忘形〈讓王〉
養形者忘利〈讓王〉
致道者忘心矣〈讓王〉
貪得忘親〈盜跖〉
故推正不忘邪〈盜跖〉

遺忘其業〈盜跖〉

皆遺忘而不知察〈盜跖〉

施于人而不忘〈列禦寇〉

不忘天下〈天下〉

這麼多的數量，自然顯示它具有不尋常的意義。在質的方面來說，〈大宗師〉中的「坐忘」一詞是莊子工夫論重要的一環，允為莊子的重要概念，這是研究莊子學者們的共識。其他雖不言「忘」，而意義與「忘」相同者尚有「喪」、「失」、「遺」、「外」、「無」諸字。使用「喪」字以代「忘」字之例，如：

南郭子綦隱机而坐，仰天而噓，荅焉似喪其偶。顏成子游立侍乎前，曰：「何居乎？形固可使如槁木，而心固可使如死灰乎？今之隱机者非昔之隱機者也。」子綦曰：「偃，不亦善乎！而問之也。今者吾喪我，汝知之乎？〔註 1〕

成玄英疏（以下簡稱《疏》）：

子綦憑几坐忘，凝神遐想，仰天而歎，妙悟自然，離形去智，荅焉墜體，身心俱遺，物我兼忘，故若喪其匹耦也。〔註 2〕

成玄英逕指「子綦隱机而坐，仰天而噓，荅焉似喪其偶」的這種情態謂之「坐忘」。這是南郭子綦所已達的無上境界。

使用「失」字以代「忘」字之例，如：

意而子曰：「夫無莊之失其美，據梁之失其力，黃帝之亡其智，皆在爐捶之間耳！」〔註 3〕

郭象注（以下簡稱《注》）：

此之三人，亦皆聞道而忘其所務也。〔註 4〕

《疏》：

無莊，古之美人，為聞道故，不復莊飾，而自忘其美色也。據梁，古之多力人，為聞道守雌，故不勇其力也。黃帝，軒轅也，有聖知，亦為聞道，故能忘遺其知也。……以上三人，皆因聞道，然後忘其所務，以契其眞。〔註 5〕

〔註 1〕《集釋・齊物論》，頁 43。
〔註 2〕《集釋・齊物論》，頁 43。
〔註 3〕《集釋・大宗師》，頁 280。
〔註 4〕《集釋・大宗師》，頁 280。
〔註 5〕《集釋・大宗師》，頁 280。

郭注成疏皆解「失」為「忘」。

使用「外」字以代「忘」字之例，如：

吾猶守而告之，三日而後能外天下；已外天下矣，吾又守之，七日而後能外物；已外務矣，吾又守之，九日而後能外生；已外生矣，而後能朝徹；朝徹而後能見獨，見獨而後能無古今，而後能入於不死不生。〔註6〕

《注》：

外，猶遺也。〔註7〕

《疏》：

外，遺忘也。〔註8〕

又：

彼何人者邪？修行無有，而外其形骸。〔註9〕

《疏》：

無有禮儀，而忘外形骸。〔註10〕

故「外物」、「外生」、「外其形骸」云者，猶言「忘物」、「忘生」、「忘其形骸」也。

使用「遺」字以代「忘」字之例，如：

假於異物，託於同體，忘其肝膽，遺其耳目。〔註11〕

《疏》：

既知形質虛假，無可欣愛，故能內則忘於臟腑，外則忘其根竅也。〔註12〕

「忘其肝膽，遺其耳目」二句屬排比句法。「忘」與「遺」同義，故成玄英兩以「忘」字解之。

使用、「無」字以代「忘」字之例，如：前引「見獨而後能無古今」〔註

〔註 6〕《集釋．大宗師》，頁 252。
〔註 7〕《集釋．大宗師》，頁 253。
〔註 8〕《集釋．大宗師》，頁 253。
〔註 9〕《集釋．大宗師》，頁 267。
〔註10〕《集釋．大宗師》，頁 267。
〔註11〕《集釋．大宗師》，頁 268。
〔註12〕《集釋．大宗師》，頁 270。
〔註13〕參見注 50。

13〕、「黃帝之亡其知」〔註 14〕（亡，讀如無）皆屬之。他如「至人無己，神人無功，聖人無名」〔註 15〕，此三無字，皆可作「忘」字解。

所以，無論從量的統計或質的分析而言，「忘」字確是莊子義理系統中極為重要的概念。

第二節 「忘」的意義

這一節探討「忘」的意義，主要是探討莊子使用「忘」的意義，以及它和「遊」的關係。為了明瞭這一點，有必要先探討通常習用的訓詁學意義。

壹、「忘」在訓詁學上的意義

《說文解字》云：

> 忘，不識也。从心，亡聲。〔註 16〕

段玉裁注云：

> 識者，意也。今所謂知識，所謂記憶也。〔註 17〕

依段注之意，「忘」即不復記憶，今所謂「不記得」也。

古籍之中，「忘」字首見於《詩經》，《詩・小雅・隰桑》云：

> 心乎愛矣，遐不謂矣。中心藏之，何日忘之。〔註 18〕

其他典籍出現「忘」字之例甚多，其出現於《春秋左氏傳》者，如：

> 楚君之惠，未之敢忘。〔註 19〕
>
> 苟有禮焉，書之：以無忘舊好。〔註 20〕
>
> 君不忘先君之好，照臨魯國，鎮撫其社稷。〔註 21〕
>
> 不忘恭敬，民之主也。〔註 21〕

〔註 14〕參見注 47。

〔註 15〕《集釋・逍遙遊》，頁 17。

〔註 16〕段玉裁，《說文解字注》，台北市：蘭台書局，頁 514。

〔註 17〕同注 1

〔註 18〕《詩毛氏傳疏・小雅——隰桑》，〈台北市：台灣學生書局，1967 年 9 月初版七刷〉，頁 628。

〔註 19〕《新譯左傳讀本・僖公 28 年傳》，台北市：三民書局，民國 91 年 9 月初版 1 刷，頁 434。

〔註 20〕同上注，〈文公 9 年傳〉，頁 542。

〔註 21〕同注 62，〈文公 12 年傳〉，頁 554。

出現於《易經》者，如：

說以先民，民忘其勞；說以犯難，民忘其死。〔註22〕

出現於《莊子》者，如：

意知而力不能行邪？故推正不忘邪？〔註23〕

出現於《列子》者，如：

中年病忘。〔註24〕

以上諸例，其「忘」字之意，皆所謂「不記得」也。這是傳統習用之義。

貳、莊子所使用之「忘」的意義

從前節所列79則出現「忘」字的句例觀察之，絕大多數仍取習用的「不記得」之義，如「忘年忘義」、「忘其肝膽」、「忘仁義」、「忘禮樂」、「魚相忘乎江湖，人相忘乎道術」、「兩忘而化其道」等皆是也。但在下引一段文本中，對於「忘」的解說，卻可看出別饒新義，〈達生〉云：

忘足，履之適也；忘要，帶之適也。知忘是非，心之適也。不內變，不外從，事會之適也。始乎適而未嘗不適者，忘適之適也。〔註25〕

這段文本的特殊，在提出「適」與「忘」的關係。他舉例而言，腳穿著鞋，卻不會覺得腳上時時有鞋子套著，那是因爲鞋子很合腳，穿著很舒適。腰間繫著腰帶，卻不會覺得腰間時時有腰帶捆縛著，那是因爲腰帶很合身，繫著很舒適。心靈常要面對是非的爭議，卻不會覺得是非的爭議干擾心靈，那是因爲是非的爭議在心靈中融通無礙，感覺心靈坦蕩舒適。最終連舒適之感覺都歸於不覺了。由此觀之，這段話透露一個嶄新的說法，就是：「忘」是一種與萬事萬物共處而和諧舒適到無物無我的境界。

這一嶄新的說法，一面通著心理學上的感覺經驗，一面又超越心理學而達於形而上的精神境界。依據心理學的原理，只要有心去記住某一事物，就不會忘記它；反之，不在乎它，就會忘記。今再追問，爲甚麼不在乎它？常識的理解，就是認爲它不重要，或者根本事不關己。它存不存在都絲毫沒有影響我的舒適感，它存不存在都絲毫沒有差別。換言之，雖存在而若不存在，

〔註21〕同注62，〈宣公2年傳〉，頁616。

〔註22〕語見王弼注．孔穎達正義：《周易正義．兑．彖》，第58卦。

〔註23〕《集釋．盜跖》，頁1008。

〔註24〕楊伯峻：《列子．周穆王》，香港：太平書局，民國54年10月版，頁67。

〔註25〕《集釋．達生》，頁662。

舒適到連舒適的概念都沒有。這便到了超心理學的層次。所以莊子所說的忘，可以訓詁學、心理學為基礎來了解；但終要超越它而昇進到形而上無物無我的境界。這就是莊子所使用的「忘」字的意義。

第三節 「忘」的對象

〈德充符〉提出「誠忘」之說，說明何謂「眞正的忘」：

德有所長，形有所忘。人不忘其所忘，而忘其所不忘，是謂「誠忘」。〔註26〕

這裡以「德」與「形」相對，而所要忘的是形。奧地利著名精神分析派心理學家弗洛伊德（Sigmund Freud）有所謂超我〔註27〕、自我〔註28〕和本我〔註29〕之說。超我相當於「德」，自我和本我合一，相當於「形」，故所要忘的是自我和本我。〈齊物論〉所說的「喪其耦」、「吾喪我」，其所喪者，都應指「形」而言。《老子》講「及吾無身，吾有何患」〔註30〕，〈逍遙遊〉說「至人無己」。「無身」與「無己」也都應指忘其形而言。〈大宗師〉以「墮肢體，黜聰明，離形去知，同於大通」說「坐忘」，其所忘者，也是指形而言。

「德有所長，形有所忘」之說，除了指出所忘的對象是「形」以外，也指出「德」與「形」互為消長的關係。亦即人的「德」有所增進，則他的「形」就相對的被淡忘。最著名的例子是：孔子「在齊聞韶，三月不知肉味」。〔註31〕聆聽韶樂，是心靈接受藝術的陶冶。在心靈的陶醉中，渾然忘記感官的知

〔註26〕《集釋・德充符》，頁216。

〔註27〕弗洛伊德（Sigmund Freud）認為，人格是由超我、自我和本我構成，超我即是指良心和自我理想，自我理想確定道德行為的標準，良心負責對違反道德行為的標準進行懲罰，所以超我經常影響一個人的行為，其主要方式是通過指導自我，去限制本我的本能衝動，使一個人的言行符合現實社會的道德行為的標準。參見《心理學名詞辭典》，（台北市：五南圖書出版公司，1988年11月再版），頁216。

〔註28〕弗洛伊德（Sigmund Freud）認為，人格中與現實打交道的，即是自我（ego）的部分，頁67。

〔註29〕本我（id），主要是人格結構中的潛意識狀態，這是人格最原始的系統，Sigmund Freud認為，自我及超我均由其分化出來。本我在滿足需要與動機時所遵循的是享樂原則，可由幻想中達到快感的目的，同注71，頁39。

〔註30〕參見晉・王弼注，《老子帛書老子・13章》，台北市：學海出版社，1994年5月再版，頁13。

〔註31〕《論語・述而》，頁61。

覺。這種經驗，不是聖人才有；一般人也都有之。大抵心靈專注於道德、宗教、藝術等情境中時，都會忽略肢體官能的知覺。所以孔子又曾自述「發憤忘食，樂以忘憂」。〔註32〕

根據近世美國人本主義心理學家馬斯洛（Abraham Maslow）〔註33〕的說法，人類的需要有幾個層次：首先是生存的需要，也就是衣食住行的基本需要；其上是安全的需要、歸屬的需要、自尊的需要；最高層次是精神上自我實現的需要。〔註34〕陶淵明詩云:「人生歸有道，衣食固其端。」〔註35〕「歸有道」就是人生的最高境界，要達到這個境界，則謀求衣食的溫飽是它的開端。開端，只表示它是必要條件，而非充分條件。當追求最高層次的精神境界時，那較低層次的需要就會被忽略，甚至被遺忘。所以，一個人如果只在意豐美的物質享受，而以粗衣惡食為恥，就表示這個人很難作高層次的自我實現，孔子說:「士志於道，而恥惡衣惡食者，未足與議也。」〔註36〕就是這個道理，〈大宗師〉說:「其耆欲深者，其天機淺。」〔註37〕也是這個意思。

總之,「忘」的對象是自己的形體。

按照老子的說法，人的形體是禍患的根源：

吾所以有大患者，為吾有身；及吾無身，吾有何患。〔註38〕

為什麼「有身」就會有禍患？因為形體有知覺，有慾望。有知覺則能認知，而有知識，乃至成就知識系統。但「吾生也有涯，而知也無涯」〔註39〕，窮畢生之力，以追求客觀知識，亦僅得九牛之一毛。其所成就的知識，只是一個封閉的系統。於是看任何問題，都根據這個封閉的系統去看。久而久之，

〔註32〕《論語・述而》，頁62。

〔註33〕20世紀50年代末出現的人本主義心理學家,他主張把個人的需要分為五個層次：生理的需要、安全的需要、愛和歸屬的需要、尊敬的需要及自我實現的需要。此語同注71，頁299。

〔註34〕馬斯洛（Abraham Maslow）認為，只有滿足了低層次的需要，高層次的需要才會產生。這和中國古代「衣食足而知榮辱」的說法有相近之處。

〔註35〕〈庚戌歲九月中於西田獲早稻〉楊勇,《陶淵明集校箋》，台北市：正文書局，頁134。

〔註36〕《論語・里仁》，頁37。

〔註37〕《集釋・大宗師》，頁228。

〔註38〕參見晉・王弼注,《老子帛書老子・13章》，台北市：學海出版社，1994年5月再版，頁12～13。

〔註39〕《集釋・養生主》，頁115。

內化而為心靈結構的成分，僵化而牢固，是謂「意底牢結」〔註 40〕，是謂意識形態，〈齊物論〉謂之「成心」〔註 41〕，今人謂之成見、偏見。以「成心」看待任何問題，而又以為眞理在此，是謂「隨其成心而師之」〔註 42〕。這樣當然會有所蔽，雖大哲亦不能免，如「墨子蔽於用，而不知文；惠子蔽於辭，而不知實」〔註 43〕之類是也。〈天下〉云：

> 天下多得一察焉以自好。譬如耳目鼻口，皆有所明，不能相通。猶百家眾技也，皆有所長，時有所用。雖然，不該不徧，一曲之士也。〔註 44〕

莊子既憫傷這「一曲之士」，又因此憂心道術為天下人所裂解，〈天下〉云：

> 天下之人，各為其所欲焉，以自為方。悲夫！百家往而不反，必不合矣！後世之學者，不幸不見天地之純、古人之大體，道術將為天下裂！〔註 45〕

知識是重要的、可貴的；可是片面的知識，適足以成就封閉的知識系統，反而造成認識眞理的障蔽。其為害對個人而言，只是不幸而不見天地之純，古人之大體；對人群而言，則可能製造嚴重的災難，近代馬克思主義的流行，使地球上半數的人民陷於貧窮，淪為專制政治的奴隸，不正是知識危害的顯例嗎？由是便不難理解老子為什麼會說出「絕學無憂」〔註 46〕這樣激越的話，也不難理解莊子為什麼要教我們「墮肢體、絀聰明，離形去智」〔註 47〕了。

至於欲望之為害，較為淺顯易知，老子云：

> 五色，令人目盲；五音，令人耳聾；五味，令人口爽；馳騁畋獵，令人心發狂；難得之貨，令人行妨。〔註 48〕

欲望太多，貪得無饜，以致陷溺不拔，則或傾家蕩產、妻離子散，或作姦犯

〔註 40〕 Ideologic 的音譯兼意譯。指有些人的思想有偏見，在估量情況時產生一些與實際不相符合的好或壞的估計偏向，同注 71，頁 63。

〔註 41〕《集釋・齊物論》，頁 56。

〔註 42〕《集釋・齊物論》，頁 56。

〔註 43〕王先謙，《荀子集解・解蔽》，台北市：華正書局，1988 年 8 月初版，頁 262。

〔註 44〕《集釋・天下》，頁 1069。

〔註 45〕《集釋・天下》，頁 1069。

〔註 46〕參見晉・王弼注，《老子帛書老子・20 章》，台北市：學海出版社，1994 年 5 月再版，頁 20。

〔註 47〕《集釋・大宗師》，284 頁。

〔註 48〕參見晉・王弼注，《老子帛書老子・12 章》，台北市：學海出版社，1994 年 5 月再版，頁 11。

科，鋃鐺入獄，爲害不可謂不深。然而莊子所關注者，尤在乎「其耆欲深者，其天機淺。」〔註 49〕不能「調適而上遂」〔註 50〕，與道爲一，反而成爲「終身役役而不見其成功，薾然疲役而不知其所歸」的「芒」人〔註 51〕，這才是最大的悲哀！

由以上的論述，就可知由形體而來的「智」和「欲」所可能造成的禍患，是多麼的可怕，而不能不加以警覺了，也就可以了解老子爲什麼會說「吾所以有大患者，爲吾有身」了。

至於對治之道，老子主張「無身」，而提出「常使民無知無欲」〔註 52〕之說。莊子則主張「坐忘」，而提出「無己」、「喪我」、「忘形」之說，教人「墮肢體、絀聰明，離形去智，同於大通」。

由此觀之，莊子說「忘」，其對象乃指向自己的形體，確然可知。

第四節 「忘」的層次

「忘」的指涉對象，在於形體，這是總持地說。若分別而說，則是指由形體所發生的「智」和「欲」。若再分析之，則內容非常繁富，舉凡與個人生命相關的事物都在其中。因爲人生命不是孤立的，必然是在血緣關係中、社會關係中以及大自然環境中完成個人生命歷程。因此，個人生命的禍福、吉凶、成敗、得失都與上述種種事物密切相關。詳細言之，則學業、事業、愛情、婚姻、家庭、健康、財富、權力、地位、名聲等，直接關聯著個人生命。經濟、政治、教育、法律、國防、衛生、保健等制度，還有民情、風俗等，則屬對個人生命的間接影響因素。至於時代思潮、宗教信仰、社會價值觀等，則對個人生命似遠而近，似近而遠。因爲它屬於抽象，闊遠於現實。

故以個人生命爲核心，向外輻射，則上述三個層次，由內而外，構成三個同心圓。以圖示之，如下：

〔註 49〕《集釋・大宗師》，頁 228。

〔註 50〕《集釋・天下》，頁 1099。

〔註 51〕《集釋・齊物論》，頁 56。

〔註 52〕參見晉・王弼注，《老子帛書老子・3 章》，台北市：學海出版社，1994 年 5 月再版，頁 4。

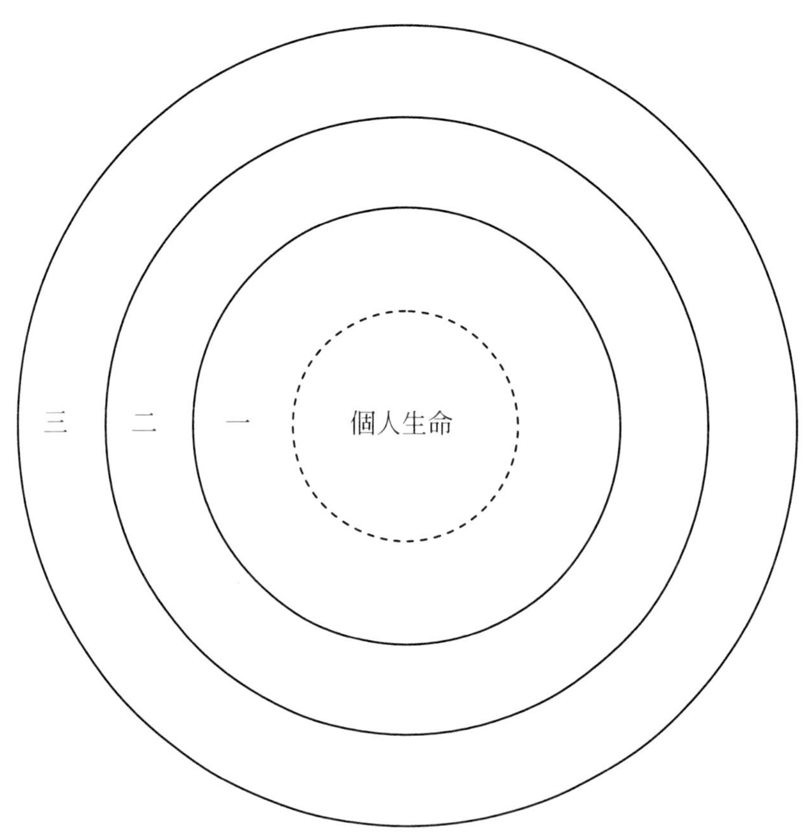

一、學業、事業、愛情、婚姻、家庭、健康、財富、權力、地位、名聲

二、制度、民情、風俗

三、時代思潮、宗教信仰、社會價值觀

這三個同心圓，都與個人生命相關，其中學業、事業、愛情、婚姻、家庭、健康、財富、權力、地位、名聲等，與個人生命合爲一體，屬於第一層，其外圍依序爲第二層、第三層，雖然或遠或近，但對個人生命都會產生影響。而影響最重大、最直接的，則是個人形體裡面的「智」和「欲」。所以莊子講「坐忘」，終極要忘的是「智」和「欲」。〈大宗師〉藉孔子與顏回師生的對話，展現「忘」的過程，云：

顏回曰：「回益矣。」

仲尼曰：「何謂也？」

曰：「回忘仁義矣。」

曰：「可矣，猶未也。」

他日，復見，曰：「回益矣。」

曰：「何謂也？」

曰：「回忘禮樂矣。」

曰：「可矣，猶未也。」

他日，復見，曰：「回益矣。」

曰：「何謂也？」

曰：「回坐忘矣。」

仲尼蹵然曰：「何謂坐忘？」

顏回曰：「墮肢體，黜聰明，離形去智，同於大通，此謂坐忘。」〔註53〕

顏回說「忘」的過程，共有三個層次：忘仁義、忘禮樂、忘智欲。這正與前述個人生命關係的同心圓相應。

為什麼最先忘的是仁義？因為仁義屬於思想的層次，在儒家乃生命價值所寄，也是信仰的層次。此一層次距離現實生活較遠；與個人的愛情、學業、事業、婚姻、家庭、健康、財富、權力、地位、名聲等，沒有直接的關聯，所以易忘。

為什麼其次忘的是禮樂？因為禮樂屬於制度、民情、風俗的層次，與個人生命較為相近。例如經濟的榮枯，影響到個人的財富；政治的良窳，影響個人的前途；法律的平頗，影響個人的權益；……。這些制度性的事物，較之仁義之形上思維，既具體，又切實，令人不得不注意於此，自然教人難忘。故先忘仁義，而後忘禮樂。

為什麼最後纔忘智欲？因為智欲與生俱來，內藏於形體之中，相輔為用，無所不求，無所不貪，而又無所不用其極，舉凡愛情、學業、事業、婚姻、家庭、健康、財富、權力、地位、名聲等，沒一樣放過。成敗、利鈍、禍福、吉凶關鍵皆在於此。所以天天為此搏鬥，所謂「其寐也魂交，其覺也形開，與接為構，日以心鬥」，鬥得「小恐惴惴，大恐縵縵」，最後「近死之心，莫使復陽」。這樣的生命糾結，豈容忘之！所以擺在最後。此而能忘，則徹底忘

〔註53〕《集釋・大宗師》，頁282～284。

矣，這是最難的一關，難怪孔子聽到「墮肢體，黜聰明，離形去智，同於大通」之言時，讚道：

同則無好也，化則無常也。而果其賢乎！丘也，請從而後也。〔註54〕

《疏》：

既同於大道，則無是非好惡，冥於變化，故不執滯守常也。〔註55〕

意思是說，既同於大道，則人間的是非、好惡、禍福、吉凶、貧賤、富貴等差別相，俱已泯除，所謂「以道觀之，物無貴賤」〔註56〕、「萬物一齊，孰短孰長」〔註57〕故能一切忘之，不以縈懷。

這樣坐忘的層次與過程，在〈大宗師〉另一段女偊答南伯子葵之問，敘述聞道之過程，與此類似：

南伯子葵問乎女偊曰：「子之年長矣，而色若孺子，何也？」曰：「吾聞道矣。」南伯子葵曰：「道可得學耶？」曰：「惡，惡可！……吾猶守而告之，三日而後能外天下；已外天下矣，吾又守之，七日而後能外物；已外物矣，吾又守之，九日而後能外生。〔註58〕

這一段話，《注》、《疏》都解「外」爲「遺忘」〔註59〕。所謂「外天下」、「外物」、「外生」就是「忘天下」、「忘物」、「忘生」。而此一忘的次第，正與坐忘之「忘仁義」、「忘禮樂」「墮肢體，黜聰明，離形去智」相應。「忘天下」相當於「忘仁義」，因爲天下屬於抽象的概念，屬於最外層，所以先忘。「忘物」相當於「忘禮樂」，因爲「物」不管是有形的器物或無形的事務，都切近於日常生活，所以居次。「忘生」，則相當於「墮肢體，黜聰明，離形去智」，因爲「生」代表生命，生命寄載於形體；形體則有智有欲。「忘生」，就是「忘形」、「喪我」。由於形軀是生命的載體，「德」與「形」爲一，所以「忘生」視「忘物」爲尤難。

另〈達生〉篇記梓慶削木爲鐻一事，其忘物忘我之過程，次第亦與「坐忘」相彷彿，其言云：

梓慶削木爲鐻，鐻成，見者驚猶鬼神。魯侯見而問焉，曰：「子何術

〔註54〕《集釋・大宗師》，頁285。
〔註55〕《集釋・大宗師》，頁285。
〔註56〕《集釋・秋水》，頁577。
〔註57〕《集釋・秋水》，頁584。
〔註58〕《集釋・大宗師》，頁252。
〔註59〕《集釋・大宗師》，頁253。

以爲焉？」對曰：「臣工人，何術之有！雖然，有一焉。臣將爲鐻，未嘗敢以耗氣也。必齊〈齋〉以靜心。齊三日，而不敢懷慶賞爵祿。齊五日，不敢懷非〈誹〉譽巧拙。齊七日，輒然忘吾有四枝〈肢〉形體也。〔註60〕

所謂「不敢懷」，即忘之也。此文梓慶削木爲鐻之前，由心齋而達於坐忘之過程，凡三層：先忘慶賞爵祿，次忘非〈誹〉譽巧拙，最後忘四枝〈肢〉形體，由外而內。亦足證忘四肢形體之艱難也。

第五節 「忘」的境界

前節提到，孔子聞顏淵「坐忘」之說時，讚嘆道：「同則無好也，化則無常也。」這便是忘的境界，達此境界時，面對差別相，不起差別心，不復有任何執著，自然一無牽掛，無所牽掛而後能「遊」。此一境界，莊子多次以不同的筆墨描述之。如〈大宗師〉云：

外生而後能朝徹；朝徹，而後能見獨；見獨，而後能無古今；無古今，而後能入於不死不生。〔註61〕

這段話接在「外天下」、「外物」、「外生」之後，而敘說其境界。從「外生」而朝徹，而見獨，而無古今，而入於不死不生。似有次第；但這是分解的說，是方便說，用以表現一邏輯的次第。實際上，一到「外生」的層次，上述的次第展現，原是一體展現。也就是一達「外生」〈忘生〉的境界，同時就朝徹，同時見獨，同時無古今，同時入於不死不生。所謂朝徹，《疏》謂「惠照豁然，如朝陽初起」亦即金光遍照，乾坤朗朗。所謂見獨，《疏》謂「非無非有，不古不今，獨來獨往，絕待絕對。睹斯勝境，謂之見獨。」簡言之，即泯絕對待而超然獨立。所謂「無古今」，即超越古今，而無時間相。所謂「入於不死不生」，即超越生死循環，而無生滅相。以上種種說法，只是一種境界之頓然朗現，而從不同面向述說之。總持地說，可以「朝徹」涵蓋之，謂當「外生」之際，如朝陽之乍昇，金光遍照，無不通徹也，故於「外生」之同時，即以「朝徹」領涵下文。

由「朝徹」而「見獨」而「无古今」而「入於不死不生」，便是忘的最高

〔註60〕《集釋・達生》，頁658。

〔註61〕《集釋・大宗師》，頁252。

境界，也是修養的最高境界。此一境界，易以他言，亦謂之「遊無窮」，所謂：

乘天地之正，御六氣之辯，以遊無窮。〔註62〕

亦謂之「獨與天地精神往來」，所謂：

獨與天地精神往來，而不敖倪於萬物。〔註63〕

亦謂之「上與造物者遊」，所謂：

上與造物者遊，而下與外生死、無終始者爲友。〔註64〕

亦謂之「乘道德而浮遊」「浮遊乎萬物之祖」，所謂：

若夫乘道德而浮遊則不然。無譽無訾，一龍一蛇。與時俱化，而無肯專爲。一下一上，以和爲量。浮游乎萬物之祖，物物而不物於物。〔註65〕

亦謂之「與造物者爲人」，所謂：

與造物者爲人，而遊乎天地之一氣。〔註66〕

總之，達此境界時，個體生命之「德」，與「道」合一；而其「形」則雖有而若無，死生、窮達、貧富、毀譽等緣於「形」而產生之種種計較、種種得失，皆不以縈懷，其言曰：

死生、窮達、貧富、賢與不肖、毀譽、飢渴寒暑，是事之變，命之行也，日夜相代乎前，而知不能規（窺）乎其始者也。故不可以滑和，不可入於靈府。〔註67〕

又云：

死生亦大矣，而不得與之變，雖天地覆墜，亦將不與之遺。〔註68〕

又云：

以生爲附贅縣疣，以死爲決𤴯潰癰。夫若然者，又惡知死生先後之所在。假於異物，託於同體；忘其肝膽，遺其耳目；反覆終始，不知端倪；芒然彷徨乎塵垢之外，逍遙乎無爲之業。〔註69〕

〔註62〕《集釋・逍遙遊》，頁17。
〔註63〕《集釋・天下》，頁1098。
〔註64〕《集釋・天下》，頁1099。
〔註65〕《集釋・山木》，頁668。「一下一上」原作「一上一下」，姚鼐曰：「上下字互易。」今從之。
〔註66〕《集釋・大宗師》，頁268。
〔註67〕《集釋・德充符》，頁212。
〔註68〕《集釋・德充符》，頁189。
〔註69〕《集釋・大宗師》，頁268。

又云：

若然者，且不知耳目之所宜，而遊心乎德之和。物視其所一，而不見其所喪；視喪其足，猶遺土也。〔註 70〕

以上四段文字，同一主旨，即人之「靈府」，爲「德之和」之所在；「德之和」即「德與道和合」之境界。此時，形體之耳目、肝膽（代表一切感官），以及於緣於形體而來的飢渴、窮達、貧富、毀譽，乃至於最重大的死生問題，皆絲毫不足以攪亂他中和的天性（所謂「不可以滑和」），絲毫不能影響他的心靈（所謂「不可入於靈府」）。

這樣的境界，若具體形容之，便是〈齊物論〉中南郭子綦坐忘的狀態：

南郭子綦隱机而坐，仰天而噓，荅焉似喪其耦。顏成子游立侍乎前，曰：「何居乎？形固可使如槁木，而心固可使如死灰乎？今之隱机者非昔之隱機者也。」子綦曰：「偃，不亦善乎而問之也。今者吾喪我，汝知之乎？〔註 71〕

所謂「荅焉似喪其耦」，所謂「形如槁木，心如死灰」，所謂「吾喪我」，都是「坐忘」的具體描述。

「槁木死灰」的樣子，容易使人誤會爲「無情」。惠施即曾有「人故〈固〉无情」之疑，而質問莊子：

惠施謂莊子曰：「人故無情乎？」

莊子曰：「然。」

惠子曰：「人而無情，何以謂之人？」

莊子曰：「道與之貌，天與之形，惡得不謂之人？」

惠子曰：「既謂之人，惡得無情？」

莊子曰：「是，非吾所謂情也。吾所謂無情者，言人不以好惡內傷其身，常因自然而不益生也。」〔註 72〕

這一段對話，莊子告訴我們，生而爲人，自有喜怒哀樂與種種好惡，不可能無情；但應知道「德」之所歸，而不以好惡內傷其身。故莊子又特用鏡子來比喻，云：

〔註 70〕《集釋・德充符》，頁 190。

〔註 71〕《集釋・齊物論》，頁 43。

〔註 72〕《集釋・德充符》，頁 220。

至人之用心若鏡，不將不迎，應而不藏，故能勝物而不傷。〔註73〕

人們天天都要面對無窮的事物，前文一再提到的學業、事業、愛情、婚姻、家庭、健康、財富、權力、地位、名聲等，都在關心之列，都要善加處理；關心、處理的結果，便有成敗、利鈍、禍福、吉凶、得失、榮辱等情境要面對。這裡面，每一項都構成切身的壓力，怎樣才能正面去承擔它，而不受傷呢？莊子提出的方法是，像鏡子一樣，「不將不迎，應而不藏」。所謂「不藏」，就是忘了它。那些無窮的事物，我們不能不去面對它，也就是不能不去「應」它。但是「應」了之後，不管是好是壞，是得是失，都不要留在心上。雖然它宛然在我們身邊，卻好像我們穿著鞋子而不覺得腳上有鞋子的存在；又好像繫著腰帶而不覺腰上有衣帶的存在。在本文第四章第二節敘論莊子所說的忘的意義時，曾引〈達生〉篇這一段話：

忘足，履之適也；忘腰，帶之適也。知忘是非，心之適也。〔註74〕

這段話說明，腳上穿著鞋卻不覺得鞋子的存在，是因爲鞋子合腳而舒適的關係。腰上繫著衣帶，卻不會覺得腰間時時有腰帶捆縛著，是因爲衣帶合身而舒適的關係。所以，這裡所說的「忘」是一種和諧共處而舒適到無物無我的境界。故所謂「應而不藏」，就是與成敗、利鈍、禍福、吉凶、得失、榮辱等情境和諧共處而無所不適的境界。

第六節 「相忘」的社會

前節所論「忘的境界」，乃就個人之修養而言，亦即「坐忘」的全部內容。如果每個人都達此境界，就成了「相忘」的社會。要使社會昇進到此一境界，需要教化的過程，這便關涉到政治的部分領域。莊子於政治，不作正面表述，而只有潛在的映現；不像老子，老子五千言，泰半在講政治。特別是第八十章對「小國寡民」的敘述，具體而微地呈現他理想的國度。莊子「相忘」的社會，在老子「小國寡民」這一章，已初見端倪，老子云：

小國寡民，使有什佰之器而不用，使民重死而遠徙。〔註75〕雖有舟輿，無所乘之；雖有甲兵，無所陳之；使民復結繩而用之。甘其食，

〔註73〕《集釋・應帝王》，頁307。

〔註74〕《集釋・達生》，頁662。

〔註75〕王弼注本作「不遠徙」，帛書甲、乙本俱無「不」字。按：帛書甲、乙本無「不」字，則「重死而遠徙」構成「句中對」，（遠，讀去聲）於修辭爲佳，今從之。

> 美其服，安其居，樂其俗。鄰國相望，雞犬之聲相聞；民至老死，不相往來。〔註 76〕

此所述理想國度之人民，誠如老子自己所說的「無知無欲」〔註 77〕、「見素抱樸，少私寡欲」〔註 78〕、「知足知止」〔註 79〕，所以雖有器物而不用，因而亦無需遠徙以求之；既無需遠徙，故雖有舟車，也無所用之。總之，人民到老到死都不需要互相往來。這是一個淡泊知足、性情淳厚、生活儉樸、寧靜祥和的社會，每個人順其本性自生自長，自作自息，各得其所，各遂其生，而無待於外。眞淳的本性，知足的人心，形成敦厚的民風。在敦厚的民風裡，不需要提倡仁義，而仁義的根本——孝、慈——自在其中，故曰：「絕仁棄義，民復孝慈。」〔註 80〕只有當人心澆薄，淳風不再的時候，纔會覺得仁義的可貴而提倡它，這叫做「大道廢，有仁義」〔註 81〕。故老子主張要保住淳厚的大道；若不此之圖而一味提倡仁義，是謂「尚賢」；尚賢，則必爭，爭則亂。所以老子主張「不尚賢，使民不爭」〔註 82〕。故知老子說「絕仁棄義」不是反對仁義，而只是不主張用正面提倡的方式，因爲那會產生嚴重的副作用。

莊子承此，也認爲保住純眞的天性、維持敦厚的民風是「本」，暖暖姝姝於仁義之途是「末」，他在〈大宗師〉裡有一段深刻的比喻：

> 泉涸，魚相與處於陸，相呴以濕，相濡以沫，不如相忘於江湖。〔註 83〕

這是說，河流的源頭乾了，河床成了陸地，各種魚類在失水的危機下，彼此用力呼吸，以僅有的一點口沫互相沾濡，以維持生命。莊子用水來比喻大道，用「相呴以濕，相濡以沫」來比喻發揮仁義，互相扶持。意謂，當發覺仁義可貴時，已是瀕臨末日了。與其透過「相呴以濕，相濡以沫」而覺得仁義很好，那不如各自游在水勢盛大的大江大湖裡，我不認識你，你不認識我；甚

〔註 76〕晉・王弼注，《老子・八十章》，（台北市：學海出版社 1994 年 5 月再版），頁 91。

〔註 77〕《老子・三章》・學海出版社，頁 4。

〔註 78〕《老子・十九章》・學海出版社，頁 20。

〔註 79〕《老子・三三、四四、四六章》，學海出版社，頁 38、52、54。

〔註 80〕《老子・十九章》，學海出版社，頁 20。此章《竹簡老子》作「絕爲棄作，民復孝慈」。

〔註 81〕《老子・十八章》，學海出版社，頁 19。

〔註 82〕《老子・三章》，學海出版社，頁 3。

〔註 83〕《集釋・大宗師》，頁 242。

至我不覺你的存在，你也不覺我的存在，各遂其生，各得其所。故曰「相呴以濕，相濡以沫，不如相忘於江湖」。

上述的比喻，魚，只是「喻依」；人，纔是「喻體」。「魚，相忘乎江湖」；人呢？「人相忘乎道術」〔註84〕。莊子云：

> 魚相造乎水，人相造乎道。相造乎水者，穿池而養給；相造乎道者，無事而生（性）定〔註85〕。故曰：魚相忘乎江湖，人相忘乎道術〔註86〕。

造，詣也，至也。意謂，魚之所欲至，至於水；人之所欲至，至於道。欲至於水者，往來穿梭於池中而資養已夠；欲至於道者，無事無爲順性自然而自足。所以，魚類在大江大湖中，互忘彼此的存在，而各自逍遙自得；人們在大道涵煦之下，彼此相忘，無需往來，而各得其所，各遂其生。所以莊子心目中理想的社會，是一個人民天性純眞、風俗敦厚的社會；也是一個「相忘」的社會。但社會由群體所組成，所以社會所需的大道，需由群體維護之，這便要靠居政治要津者發揮「無爲而治」的精神來助成。

〔註84〕《集釋・大宗師》，頁272。

〔註85〕「生定」之「定」，俞樾疑爲「足」字之誤，其言曰：「穿池而養給，無事而生足，兩句一律。給，亦足也，足與定，字形相似而誤。」其說可從。《集釋・大宗師》，頁272。

〔註86〕《集釋・大宗師》，頁272。

第五章　致忘之方

前章論「忘」之意義及其境界，從知莊子所說的「忘」與生理退化之健忘症迥別。其實際意義乃是修養之工夫義，同時又是終極之境界義。工夫達於極致，即顯極致之境界。既是工夫義，便有下手處。「忘」既是涵養之工夫，便有致忘之方。前已言之，莊子之所謂忘，乃對事物之超越而不執著；與之和諧共處而至於無物無我之境。換言之，即面對事物之差別相，而不起差別心。此一工夫，不涉神秘。莊子以爲，透過理智的思辨，可使人改變觀念。倘使人理智上能理解，所謂的「得」，未必是眞得，而所謂的「失」，未必是眞失，自然在觀念上不再在乎得失。此其方法，在於「齊物」。茲依〈齊物論〉所言，而歸納爲「齊小大」(「齊一切相對概念」)、「齊是非」、「齊物我」、「齊死生」四端論述之。

第一節　齊小大

齊小大，代表齊一切相對概念，包括壽夭、美惡、貴賤等。

齊小大，就是小和大看成一樣，泯除兩者的差異。莊子說：

> 天下莫大於秋毫之末，而泰山爲小。〔註1〕
>
> 以差觀之，因其所大而大之，則萬物莫不大；因其所小而小之，則萬物莫不小。知天地之爲稊米也，知毫末之爲丘山也，則差數睹矣。〔註2〕

〔註 1〕《集釋・齊物論》，頁 79。
〔註 2〕《集釋・秋水》，頁 577。

萬物各有比它大的，也有比他小的。與比他大的相比，就顯得小；與比他小的相比，就顯得大。所以任何一物都可以同時說他大，也可以同時說他小。端視標準如何訂定。若秋毫與比它更小的東西相比，秋毫也算大；若太山與喜馬拉亞山相比，太山也算小。這分明是兩套標準。既然是有兩套標準，到底哪一套才是眞正的標準？也沒個定準。知此理，則大小、多少，本不必計較。

齊壽夭，就是把長壽和短命看成是一樣。莊子說：

> 天下莫壽乎殤子，而彭祖爲夭。〔註3〕

又說：

> 雖有壽夭，相去幾何？須臾之說也。〔註4〕

又說：

> 朝菌不知晦朔，蟪蛄不知春秋，此小年也。楚之南有冥靈者，以五百歲爲春，以五百歲爲秋。上古有大椿者，以八千歲爲春，以八千歲爲秋。而彭祖乃今以久特聞，眾人匹之，不亦悲乎？〔註5〕

以殤子爲長壽，以彭祖爲短命，道理與「天下莫大於秋毫之末，而泰山爲小。」相同，仍是標準的問題。以殤子和不知晦朔的朝菌與不知春秋的蟪蛄相比，不就顯得長壽了嗎？彭祖相傳活了八百年可是與那五百歲爲春，以五百歲爲秋的冥靈比起來，不就顯得短命了嗎？至於與那以八千歲爲春，以八千歲爲秋的大椿比起來，更是短命得可悲了。知此則活八百歲也不爲高壽，殤子也不算短命。世人最在乎壽命的長短，莫不多方以求長生不老；求之不得則惴惴不安，爲此莊子特以齊壽夭來解除世人的迷惑。此惑一除，就少了椿重大牽掛。

齊美惡，就是齊美醜。美與醜也是相對概念，可以超越它而統一。莊子說：

> 民濕寢，則腰疾偏死，鰍然乎哉？木處，則惴慄恂懼；蝯猴然乎哉？三者孰知正處？民食芻豢，麋鹿食薦，蝍且甘帶，鴟鴉耆鼠，四者孰知正味？蝯，猵狙以爲雌。麋與鹿交。鰍與魚游。毛嬙麗姬，人之所美也；魚見之深入，鳥見之高飛，麋鹿見之決驟，四者孰知天下知正色哉？〔註6〕

〔註 3〕見《集釋・齊物論》，頁 79。
〔註 4〕見《集釋・知北遊》，頁 744。
〔註 5〕見《集釋・逍遙遊》，頁 11。
〔註 6〕見《集釋・齊物論》，頁 93。

這是說，住的方面，人、鰍、蝯猴三者各有舒適的標準，不能以人的標準來抹殺鰍與蝯猴的標準。食的方面，人、麋鹿、蝍且、鴟鴉四者各有美味的標準，不能一概而論。審美方面，人、魚、鳥、麋鹿四者各有美醜的標準，不能以人的標準爲唯一的標準。此知，則不會固執一定的標準，而作繭自縛。

齊貴賤，就是把貴賤看成一樣。莊子說：

> 以道觀之，物無貴賤；以物觀之，自貴而相賤；以俗觀之，貴賤不在己。〔註7〕

這是說，貴賤出自人的主觀標準，而且是自己貴，別人賤。既然如此，則不必在乎別人所加於自己身上的貴賤，因爲那是出自於別人的主觀，並不表示自己本性因此而貴或因此而賤。何況，如果超越貴賤的對待關係，而從絕對的道看下來，本來就無所謂貴賤。知此，便不必在乎世俗的貴賤了。

第二節　齊是非

齊是非，就是徹悟是非沒有一定的標準。莊子說：

> 道惡乎隱而有眞僞？言惡乎隱而有是非？……道隱於小成，言隱於榮華，故有儒墨之是非，以是其所非而非其所是。欲是其所非而非其所是，則莫若以明。〔註8〕

又說：

> 因是因非，因非因是，是以聖人不由而照之於天，亦因是也。是亦彼也，彼亦是也。彼亦一是非，此亦一是非。果且有彼是乎哉？果且無彼是乎哉？彼是莫得其偶，謂之道樞，樞始得其環中，以應無窮，是亦一無窮，非亦一無窮，做曰莫若以明。〔註9〕

又說：

> 是以聖人和之以是非而修乎天鈞，是謂之兩行。〔註10〕

又說：

> 既使我與若辯矣，若勝我，我不若勝，若果是也，我果非也邪？我若勝，若不吾勝，我果是也，而果非也邪？其或是也，其或非也邪？

〔註 7〕見《集釋・秋水》，頁 577。
〔註 8〕見《集釋・齊物論》，頁 63。
〔註 9〕見《集釋・齊物論》，頁 66。
〔註10〕見《集釋・齊物論》，頁 70。

其俱是也，其俱非也邪？我與若不能相知也。則人因受其黮闇，吾誰使正之？使同乎若者正之？既與若同矣，惡能正之！使同乎我者正之？既同乎我矣，惡能正之！使異乎我與若者正之，既異乎我與若矣，惡能正之？使同乎我與若者正之，既同乎我與若矣，惡能正之？然則我與若、與人，俱不能相知也，而待彼也邪？〔註11〕

以上這幾段話，共通的意思是「彼亦一是非，此亦一是非」，儒家有一套是非，墨家也有一套是非；而到底誰家的是非才是眞是非，沒有任何一個第三者可以判斷，因爲第三者也有自己的一套是非標準。然則，當如何去判斷這無窮的是非？莊子提出「照之於天」的觀點。所謂「照之於天」，猶言「以道觀之」。道是萬物的總根源、總原理、總樞紐，所以叫「道樞」。「以道觀之」，萬物皆各得道之一體，因而承認彼此所持之是非，都各有道理，可以並行而不相悖，這樣叫做「和之以是非而休乎天鈞」，也叫做「兩行」。這樣的眼光叫做「明」。

一般人限於所學，莫不「隨其成心而師之」（齊物論），於是是非紛起，爭端不斷。若能放棄成見，而「照之於天」，便自然胸次曠達，不做無謂的爭執了。

第三節　齊物我

齊物我，就是洞見物我原是一體，而不再膨脹自己，鄙視萬物。莊子說：

昔者莊周夢爲蝴蝶，栩栩然蝴蝶也，自喻適志與！不知周也。俄然覺，則遽遽然周也。不知周之夢爲蝴蝶與？蝴蝶之夢爲周與？周與蝴蝶則必有分矣，此之謂物化。〔註12〕

一般人都認爲夢境是虛幻的，但這段文字告訴我們，夢境是眞實的，因爲當莊周夢爲一隻蝴蝶時，就栩栩然是一隻蝴蝶，而不知自己是莊周，所謂「方其夢也，不知其夢也」（齊物論）。醒來才知道原來是莊周。莊周夢爲蝴蝶，而自己覺得快意的關鍵，實際是在「不知周也」一語之上。若莊周夢爲蝴蝶而仍然知道自己本來是莊周，則必生計較、計議之心，便很難「自喻適志」。因爲「不知周」，所以當下的蝴蝶即是他的一切。別無可資計較、計議之心，

〔註11〕見《集釋・齊物論》，頁107。
〔註12〕見《集釋・齊物論》，頁112。

這便會使他「自喻適志」。〔註13〕只要不執著於我是什麼，而任其物化，則周與蝴蝶原是一體，何貴何賤？何尊何卑？明乎此理，人便不在乎自己在人生舞台上扮演什麼角色了，演什麼像什麼，恰如其分。莊子透過病重的子輿也表達了這個意思：

浸假而化予之左臂以爲雞，予因以求時夜；浸假而化予之右臂以爲彈，予因以求鴞炙；浸假而化予之尻以爲輪，以神爲馬，予因而乘之，豈更駕哉？〔註14〕

爲雞、爲彈、爲人、爲神，都坦然接受，爲什麼非要執著爲人纔高興呢？執著於爲人纔高興，不能順物變化，則徒增煩惱，是謂不祥。莊子說：

今大冶鑄金，金踴躍曰：「我且必爲鏌邪！」大冶必以爲不祥之金。今一犯人之形，而曰：「人耳人耳！」夫造化者必以爲不祥之人。〈大宗師〉〔註15〕

那麼我們應抱持甚麼態度呢？

今一以天地爲大爐，以造化爲大冶，惡乎往而不可哉！〔註16〕〈同上〉

拿煉鐵做比喻，天地是大爐，造化是大冶，我們置身爐中，與各種金屬熔爲一體，不管做成什麼器具都好。意思是不執著於特定身分，不在乎怎樣的遭遇，無入而不自得。這樣的境界，當然不再有任何的牽掛。

第四節　齊死生

齊死生，就是視生死爲一體，而不悅生惡死。

首先，莊子指出，生死只是自然變化的過程，好像晝夜一樣：

死生，命也。其有（吳汝綸曰：有，讀爲猶。）夜旦之常，天也。人之有所不得異，皆物之情也。〔註17〕

死生有如夜旦之常，是自然的規律，非人力所能改變。這個變化過程，前後本是一體，而非截然兩分。下面的故事表達了這個意思：

〔註13〕見徐復觀，《中國藝術精神》，台北：台灣學生書局，1992年十一版，頁97。

〔註14〕《集釋・大宗師》，頁260。

〔註15〕《集釋・大宗師》，頁262。

〔註16〕《集釋・大宗師》，頁262。

〔註17〕《集釋・大宗師》，頁241。

> 子祀、子輿、子犁、子來四人相與語，曰：「孰能以爲無首，以生爲脊，以死爲尻？孰知生死存亡之一體者，吾與之友矣。」四人相視而笑，莫逆於心，遂相與爲友。〔註18〕

此以「無」、「生」、「死」喻爲「首」、「脊」、「尻」，意即「生死存亡爲一體」。因此，我們若認爲生命値得歌頌，那麼死亡也一樣値得讚美。莊子說：

> 夫大塊載我以形，勞我以生，佚我以老，息我以死，故善吾生者，乃所以善吾死也。〔註19〕

可是，世人總是悅生而惡死，莊子不得不指出其迷惑：

> 予惡知說生之非惑邪？予惡知惡死之非弱喪而不知歸者邪？麗之姬，艾封人之子也，晉國之始得知也，泣涕沾襟。及其至於王所，與王同筐床，食芻豢，而後悔其泣也。予惡乎知夫死者之不悔其始之蘄生乎？〔註20〕

莊子一方面深致其悲憫之意，一方面啓示世人，對於生死，應抱「不悅、不惡；不忻、不拒」的態度：

> 古之眞人，不知說生，不知惡死；其出不訢，其入不距。翛然而往，翛然而來而已矣。〔註21〕

眞能像這樣生死都不牽掛，自然可以瀟灑走一回了。所謂「翛然而往，翛然而來」，正是逍遙的境界。

以上四端：齊小大、齊是非、齊物我、齊死生，只是莊子所提到的例子。其實，以類相推，則人間所有的對立概念，都應該以「照之於天」的洞見（所謂「明」），加以統一。因爲所有的對立概念，都是人類主觀的分別，沒有絕對性。分別原是爲了方便，可是世人卻認眞地賦與不同的價値，而有所選擇，進而爭取，於是便有患得患失之心，於是便有種種的牽掛，於是便快樂不起來。總之，人類自己創造了種種名相概念，卻終致作繭自縛。解救之道，唯有不斷提高見識，最後「照之於天」。亦即以「道」之「明」洞見自己的偏執，不爲對立概念的假相所惑，這就是「齊物」的工夫。此工夫到達純熟的境界，便能面對著誘惑，而不在乎他，這就是「忘」。忘而後無所牽掛，無所牽掛而

〔註18〕《集釋・大宗師》，頁258。
〔註19〕《集釋・大宗師》，頁262。
〔註20〕《集釋・齊物論》，頁103。
〔註21〕《集釋・大宗師》，頁229。

後能逍遙，故曰「忘年忘義，振於無竟，故寓諸無竟」〔註22〕〈齊物論〉。換言之，齊物是致忘之方，忘乃逍遙遊的前提。

〔註22〕《集釋・齊物論》，頁108。

第六章　遊方之外與遊方之內

第一節　遊方之外

所謂「遊方之外」，即遊於塵世之外。舉其人物，則子桑戶、孟子反、子琴張三人皆是也。〈大宗師〉云：

> 子桑户、孟子反、子琴張三人相與友，曰：「孰能相與於無相與，相爲與無相爲？孰能登天遊霧，撓挑無極；相忘以生，無所終窮？」三人相視而笑，莫逆於心，遂相與爲友。
>
> 莫然有間，而子桑户死，未葬。孔子聞之，使子貢往侍事焉。或編曲，或鼓琴，相和而歌曰：「嗟來桑户呼！嗟來桑户呼！而已反其眞，而我猶爲人猗！」子貢趨而進曰：「敢問臨尸而歌，禮乎？」二人相視而笑，曰：「是惡知禮意！」
>
> 子貢反，以告孔子，曰：「彼何人者邪？修行無有，而外其行骸，臨尸而歌，顏色不變，無以命之。彼何人者邪？」
>
> 孔子曰：「彼，遊方之外者也；而丘，遊方之内者也。外内不相及，而丘使女往弔之，丘則陋矣。彼方且與造物者爲人，而遊乎天地之一氣。彼以生爲附贅縣疣，以死爲決瘓潰癰，夫若然者，又惡知死生先後之所在！假於異物，託於同體；忘其肝膽，遺其耳目；反覆終始，不知端倪；芒然彷徨乎塵垢之外，逍遙乎無爲之業。彼又惡能憒憒然爲世俗之禮，以觀眾人之耳目哉！」〔註1〕

〔註 1〕《集釋・大宗師》，頁 265～268。

此藉孔子之口，指子桑戶、孟子反、子琴張三人爲「遊方之外者」，而自稱爲「遊方之內者」。何以子桑戶三人爲遊方之外者？其特徵約有五點：

壹、已反其眞（子桑戶爲代表）。

貳、超越生死：以生爲附贅縣疣，以死爲決𤴯潰癰，不知死生先後之所在。

參、超越世俗之禮：治理喪事而或編曲，或鼓琴，臨尸而歌。

肆、已達逍遙之境：登天遊霧，撓挑無極，與造物者爲人，而遊乎天地之一氣，芒然彷徨乎塵垢之外，逍遙乎無爲之業。

伍、忘其形體：以形體爲假於異物，託於同體，故能忘其肝膽，遺其耳目，外其形骸。

觀此五點，則知子桑戶三人實已符合第三章所論逍遙遊的境界，與第四章所論忘的境界。亦即已達到〈逍遙遊〉所說之至人、神人、聖人，以及〈大宗師〉所說之眞人的境界。

而莊子所說之逍遙遊，實際是指心靈之絕對自由，又稱之爲「遊心」，所謂「遊心於淡」(〈應帝王〉)、「乘物以遊心」(〈人間世〉)、「遊心乎德之和」(〈德充符〉)、「遊心於物之初」(〈田子方〉)、「遊心於无窮」(〈則陽〉)。因爲是遊心，所以才有下列種種形容：

遊乎四海之外〈逍遙遊〉

遊乎塵垢之外〈齊物論〉

登天遊霧〈大宗師〉

遊乎天地之一氣〈大宗師〉

遊夫遙蕩恣睢轉徙之塗乎〈大宗師〉

遊無何有之鄉〈應帝王〉

遊於無有者也〈應帝王〉

遊無朕〈應帝王〉

遊乎道德之間爲哉〈駢拇〉

遊無極之野〈在宥〉

遊無端〈在宥〉

遊逍遙之虛〈天運〉

遊乎萬物之所終始〈達生〉

游乎萬物之祖〈山木〉

遊於大莫之國〈山木〉

遊乎太虛〈知北遊〉

遊於六合之外〈徐無鬼〉

遊於天地〈徐無鬼〉

上與造物者遊〈天下〉

種種形容，都不外是心靈自由、精神自由的境界。此境界超脫世俗的眼光，超脫塵世的禮儀，超脫社會的習俗，總之，超脫塵網的羈絆。故謂之「遊方之外」。

這樣的涵養，衡之孔子，孔子當然也可以並列其中。孔子自稱「發憤忘食，樂以忘憂」〔註2〕，又嚮往於「暮春者，春服既成，童子五六人，成者六七人，浴乎沂，風乎舞雩，詠而歸」〔註3〕的生活，豈不也臻逍遙之境？但孔子卻自稱是「遊方之內」者，這是甚麼原因？原因在於「鳥獸不可與同群，吾非斯人之徒與，而誰與？」〔註4〕，也在於「己欲立而立人，己欲達而達人」〔註5〕，「隱居以求其志，行義以達其道」〔註6〕。畢竟，人是群居的萬物之靈，不能離群而索居。精神無論如何逍遙，而具體的生命，則必生活於人世之間。所以能夠「遊方之外」，同時還得「遊方之內」。

第二節　遊方之內

《莊子・大宗師》假借孔子的口吻，稱子桑戶、孟子反、子琴張三人爲「遊方之外者」，而自稱爲「遊方之內者」。何以稱子桑戶等三人爲「遊方之外者」？因爲他們「能登天遊霧，撓挑無極，相忘以生，無所終窮」，「方且與造物者爲人，而遊乎天地之一氣」，「芒然徬徨遊塵垢之外，逍遙乎無爲之

〔註 2〕語見清・阮元校刊，《十三經注疏・論語》〈台北：藝文印書館，2001 年 12 月初版 14 刷〉，頁 62。

〔註 3〕同上注，《論語・先進》，頁 100。

〔註 4〕同上注，《論語・微子》，頁 165。

〔註 5〕同注 154，《論語・雍也》，頁 55。

〔註 6〕同注 154，《論語・季氏》，頁 149～150。

業」。由此可見，能做逍遙遊的人，就是「遊方之外」的人。可是最高境界的聖人孔子，卻自稱是「遊方之內」的人。此意深值玩味。《莊子》之意，「遊方之外」雖是最高境界，但還未臻圓滿；要臻圓滿，還須「遊方之內」。換言之，修養雖達極至，卻仍要過世俗的生活，在人間世裡成就道德。而「遊方之內」所要注意的，是安全問題。以旅行為喻，出門之前，職務交代好了，家裡安頓好了，旅行用品準備齊全了，一切沒有牽掛了，可以開心地上路了。下一步所要注意的，就是旅途中的安全問題了。這個安全問題主要是如何避免危險和傷害。「遊方之內」也是一樣。莊子形容人生旅途的危險說：

> 遊於羿之彀中，中央者，中地也；然而不中者，命也。〔註 7〕
>
> 〈德充符〉

這是說，在人間世裡生活，而能不受傷害，那也是天意了。可見保全之難。為此，莊子提出兩項處世的智慧：

壹、虛己以遊世

〈山木〉云：

> 人能虛己以遊世，其孰能害之。〔註 8〕

「虛己」是一項原則，實際做法就是前文所說的「墮肢體，絀聰明；離形去智，同於大通」〔註 9〕（〈大宗師〉）的工夫。「虛己」這項原則，也叫做「緣督以為經」，〈養生主〉說：

> 為善無近名，為惡無近刑，緣督以為經。可以保身，可以全生，可以養親，可以盡年。〔註 10〕

王夫之說：

> 身後之中脈曰督，督者居靜，而不倚於左右，有脈之位而無形質者也。緣督者，清微纖妙之氣循虛而行，止於所不可行，而行自順以適得其中。〔註 11〕

「緣督以為經」，是說「循中虛而行，以為常法」。這是全性保身之道。他的實例就是「庖丁解牛」。〈養生主〉說：

〔註 7〕《集釋・德充符》，頁 199。
〔註 8〕參見《集釋・山木》，頁 675。
〔註 9〕參見《集釋・大宗師》，頁 284。
〔註 10〕參見《集釋・養生主》，頁 115。
〔註 11〕參見王夫之，《莊子解・莊子通》，〈台北：里仁書局，民國 73〉，頁 30～31。

庖丁爲文惠君解牛，手之所觸，肩之所倚，足之所履，膝之所踦，砉然嚮然，奏刀騞然。莫不中音，合於桑林之舞，乃中經首之會。文惠君曰：「譆！善哉！技蓋至此乎！」庖丁釋刀對曰：「臣之所好者，道也；進乎技矣。始臣之解牛之時，所見無非牛者；三年之後，未嘗見全牛也。方今之時，臣以神遇，而不以目視；官知止，而神欲行。依乎天理，批大郤，導大窾，因其固然。技經肯綮之未嘗，而況大軱乎？良庖歲更刀，割也；族庖月更刀，折也；今臣之刀，十九年矣，所解數千牛矣，而刀刃若新發於硎。彼節者有間，而刀刃者無厚；以無厚入有間，恢恢乎其於遊刃，必有餘地矣。是以十九年而刀刃若新發於硎。雖然；每至於族，吾見其難爲，怵然爲戒，視爲止，行爲遲，動刀甚微，謋然已解，如土委地；提刀而立，爲之四顧，爲之躊躇滿志，善刀而藏之。」文惠君曰：「善哉！吾聞庖丁之言，得養生焉。」〔註12〕

「吾聞庖丁之言，得養生焉」，這表示庖丁解牛的寓言，是一個比喻。即把社會的複雜，人心的險惡，比喻爲牛身的筋骨盤錯、筋絡糾結；處理複雜的世事，應付險惡的人心，猶如庖丁解牛。個人處在社會之中，就如刀刃伸進牛身裡。身處複雜的社會而不受傷害，就如刀刃伸進筋骨盤錯、筋絡糾結的牛身裡而不會受傷。這是一個高難度的動作，首先，莊子指出，這要提升到「道」的層次，而不純粹是技術的問題。道爲本，技術爲末。

這裡所謂道，即「循中虛而行」，也就是依乎天理，(成玄英曰：「依天然之湊理。」、「因其固然」、「批大郤，導大窾」)。這樣，刀刃伸進去，不僅不會碰到骨頭，而且連經絡都不會割傷，甚至刀刃還有很大空間活動。所以刀刃永遠不會受損傷。這道理，實本之於《老子》：

蓋聞善攝生者，陸行不欲兕虎，入軍不被甲兵。兕無所投其角，虎無所措其爪，兵無所容其刃。夫何故？以其無死地。〔註13〕

善於保護生命的人，主要不在練就一身高強的武藝，遇兕搏兕，遇虎打虎；而在運用智慧，一生都不遇到兕與虎。莊子也說：

（神人）……之人也，物莫之傷。大浸稽天而不溺；大旱，金石流土山焦，而不熱。〔註14〕

〔註12〕參見《集釋・養生主》，頁117～124。

〔註13〕《老子・五十章》，頁59。

〔註14〕《集釋・逍遙遊》，頁30～31。

> 至人神矣！大澤焚，而不能熱；河漢沍，而不能寒；疾雷破山，飄風振海，而不能驚。〔註 15〕

又說：

> 至德者，火弗能熱，水弗能溺，寒暑弗能害。非謂其薄之也；言察乎安危，寧於禍福，謹於去就，莫之能害也。〔註 16〕

原來，至人神人生命之不受傷害，不是指碰到危險而生命僥倖逃過一劫，而是根本遠離危險（老子所說的「無死地」）。庖丁的刀子刺進牛身裡，爲甚麼不會挫傷？因爲是「以無厚入有間」的關係。身處複雜多詐的社會，而要遠離危險，智慧就在「以無厚入有間」。人如何做到「無厚」？就是要「虛己」，也就是消除成見和私欲。成見和私欲既消，便不會與人對立；不與人對立，便不會成爲別人設計對付的目標。這樣的話，社會儘管複雜，人心儘管猛如兕虎，也終「陸行不欲兕虎」、「兕無所投其角，虎無所措其爪」，這樣，社會雖複雜，不是還有很大安全空間嗎？

當然，將「以無厚入有間」這個原則落實爲實際行動時，還要有兩個條件配合，一是「目無全牛」，一是「怵然爲戒」。「目無全牛」是比喻對人性、對社會、對天道有洞徹的了解，即前所謂「察乎安危，寧於禍福」〔註 17〕。「怵然爲戒」，即所謂「謹於去就」〔註 18〕。人能「虛己」，又能「察乎安危，寧於禍福，謹於去就」，當然就「莫之能害」了。所以莊子又說：

> 聖人處物不傷物。不傷物者，物亦不能傷也。惟無所傷者，爲能與人相將迎。〔註 19〕

所謂不傷物，是不傷人的意思。唯有「虛己」，才能不傷人；唯有不傷人，人才不會傷他。這樣才能在世上與人相處，而過得安全、自在。此之謂「虛己以遊世」。

貳、以和爲量

上面所說的「虛己以遊世」，偏重在內在的德行修養上；這裡所說的「以和爲量」，則偏重外在的社會生活上。莊子提到以和爲處世智慧的地方很多：

〔註 15〕《集釋・齊物論》，頁 96。
〔註 16〕《集釋・秋水》，頁 588。
〔註 17〕參見《集釋・秋水》，頁 588。
〔註 18〕同上注。
〔註 19〕參見《集釋・知北遊》，頁 765。

形莫若就，心莫若和。雖然，之二者有患，就不欲入，和不欲出。形就而入，且爲顛爲滅，爲崩爲蹶；心和而出，且爲聲爲名，爲妖爲孽。彼且爲嬰兒，亦與之爲嬰兒；彼且爲無町畦，亦與之爲無町畦；彼且爲無崖，亦與之爲無崖。達之入於無疵。〔註20〕

這是衛大夫蘧伯玉回答顏闔的話。顏闔將受命做衛靈公太子蒯聵的老師，而蒯聵是天生刻薄之人，若不好好教他，將危害國家；若嚴格教他，又危及自己，顏闔不知如何是好，於是去請教蘧伯玉，蘧伯玉便如此回答他。

這段話主旨在「形莫若就，心莫若和」、「就不欲入，和不欲出」。意思是，表面的行爲最好是遷就他，在心情上，最好表現是和睦投緣。但遷就他卻不要認同他，否則顛蹶隕越，同歸毀滅。表現和睦投緣，不要露出矯情的痕跡，否則嫌於矯俗干名，自己招來禍患。一定要「達之入於無疵」。

這種處世的智慧，莊子曾藉寓言故事表現之，其一爲：

匠石之齊，至乎曲轅，見櫟社樹，其大蔽牛，絜之百圍，其高臨山十仞而後有枝；其可以爲舟者，旁十數。觀者如市。匠伯不顧，遂行不輟。弟子厭觀之，走及匠石，曰：「自吾執斧斤以隨夫子，未嘗見材如此其美也。先生不肯視，行不輟，何邪？」曰：「已矣！勿言之矣！散木也。以爲舟，則沉；以爲棺槨，則速腐；以爲器，則速毀；以爲門戶，則液樠；以爲柱，則蠹。是不材之木也，無所可用，故能若是之壽。匠石歸，櫟社見夢曰：「女將惡乎比予哉？若將比予於文木邪？夫柤梨橘柚果蓏之屬，實熟則剝、剝則辱，大枝折，小枝泄。此以其能苦其生者也，故不終其天年而中道夭，自掊擊於世俗者也。物莫不若是。且予求無所可用久矣，幾死，乃今得之，爲予大用；使予也而有用，且得有此大也邪？且也若與予也皆物也，奈何哉其相物也？而幾死之散人，又惡知散木！」匠石覺而診其夢。弟子曰：「趣取無用，則爲社何邪？」曰：「密，若無言。彼亦直寄焉，以爲不知己者詬厲也。不爲社者，且幾有翦乎！且也彼其所保與眾異，而以義譽之，不亦遠乎！〔註21〕

這則寓言故事是說，一棵高大的櫟樹，生長在土地公廟邊，故稱櫟社樹。按照傳統習俗，土地公廟邊的樹木，是不可以被砍伐的。所以看到這棵樹的人，

〔註20〕《集釋・人間世》，頁165。

〔註21〕《集釋・人間世》，頁170～174。

都以爲它是因爲生長在土地公廟邊而獲得保護，不被砍伐，因而才會長得如此高大；殊不知，它其實是因表現得「無所可用」，才不被砍伐。它發現，唯有「無所可用」，才是眞正的大用——可以終其天年而不中道夭。可是它又擔心這層用意被人識破，於是又託身於土地公廟旁，以轉移別人的注意力，使人誤以爲它的高大，是因爲受到土地公的庇護，這就是「和不欲出」的實際表現。

其二，爲：

> 莊子行於山中，見大木，枝葉茂盛，伐木者止其旁而不取也，問其故，曰：「無所可用。」莊子曰：「此木以不材得終其天年夫！」〔註22〕子出於山，舍於故人之家。故人喜，命豎子殺雁而烹之。豎子請曰：「其一能鳴，其一不能鳴，請奚殺？」主人曰：「殺不能鳴者。」明日，弟子問於莊子曰：「昨日山中之木，以不材得其天年；今主人之雁，以不材死。先生將何處？」莊子笑曰：「周將處乎材與不材之間。似之而非也，故未免乎累。若夫乘道德而浮游，則不然。無譽無訾，一龍一蛇。與時俱化，而無肯專爲。一下一上，以和爲量。浮游乎萬物之祖，物物而不物於物，則胡可得而累邪？〔註23〕

莊子之意，那山中之木，自晦其能，表現爲「無所可用」，這是大智若愚、和光同塵的表現，這就是「和」。那主人之雁，也自晦其能，表現爲不材，以爲這就是「和」；殊不知這時表現爲不材，反而顯示出它的特殊，這是「和而出」，違反了「和不欲出」的原則，所以被殺了。這是學道而未學到家所致，所以莊子說它「似之而非也，故未免乎累。」

而所謂「處夫材與不材之間」，亦即該表現爲「材」的場合，便表現爲「材」；該表現爲「不材」的場合，便表現爲「不材」。而不是一味的執著於表現爲「不材」。

那麼究竟要依甚麼標準來判定要表現爲材或不材？答案就是「一下一上，以和爲量」意即不預設立場，不預設尺度，以保持機動性，而總以「和不欲出」爲度。譬如處在龍窟，便要「化」爲一條龍；處於蛇穴，便要「化」爲一條蛇。渾然無別，不顯特殊。這叫做「一龍一蛇」、「與時俱化」。

就以莊子的故事來說，山中之木，面對伐木者，便合當表現爲「不材」；

〔註22〕吳汝綸《莊子點勘》:「夫字屬上句。」王叔岷《莊子校釋》:「子字後人妄加。」
〔註23〕《集釋・山木》，頁667～668。

主人之雁，面對主人的喜好，便合當表現爲「材」。這叫做「處夫材與不材之間」。

總之，此一故事所要表達的道理，和櫟社樹一樣。即全生避害，要「以和爲量」；而「以和爲量」的「量」，就是「和不欲出」。櫟社樹由於做到「和不欲出」，所以獲得保全；主人之雁由於「和而出」，所以被殺。

在實際的人生當中，德行修養到家的人，它的談吐、風度、氣象，自然會與眾不同，但這是生命境界的不同，而不是言行詭異、獨樹一幟。他在人間世，「入其俗，從其俗」〔註24〕，與世人一樣。如果德行修養孤高離俗，反而顯得特殊，容易遭忌。這便表示修養還沒到家。所以聖人雖已到「遊方之外」的逍遙境界，但還是要「遊方之內」，過平凡的世俗生活。而且要平凡得與世俗一般無二。但這又不是故意裝出來的，而是自然而然，不知不覺的。所以，「以和爲量」、「和不欲出」，並無一絲計較或一絲勉強在其間。毋寧說，這是莊子所提出的修養最高境界。

〔註24〕《集釋・山木》，頁698。

第七章　結　論

本論文以「論莊子『遊』的人生哲學」爲題，旨在以「遊」的概念，透過「一以貫之」的方式，將莊子的人生哲學展現出來。

莊子所使用的重要概念很多，如「無爲」、「自然」、「待」、「忘」、「遊」等皆是。其中，「無爲」、「自然」是固有概念，《老子》書中已屢見不鮮。「待」、「忘」、「遊」等，則屬於莊子所使用的有特殊意義的新概念；而尤以「忘」與「遊」爲居於更核心的地位，且兩者在莊子思想中，其義理的關聯性，亦特爲深密。

從義理的關聯性而言，「忘」與「遊」處在同一水平的高度，也就是莊子人生哲學的最高境界。「忘」在莊子人生哲學裡，既是境界，又是工夫；工夫達到極致，即是境界的呈現。莊子稱之爲「逍遙遊」。是知能「忘」而後能「遊」，「忘」乃「遊」的先決條件。所以，終極而言，「遊」之概念，爲其最核心之概念。

本論文之認定「遊」爲其最核心之概念，除了量的統計以顯示其居多數外，又從質的分析以證明其居義理核心之地位。在數量上，「遊」字共出現 85 次，居第一名。在義理上，《莊子》全書以「逍遙遊」褎然冠首，宣示其宗旨，復以終篇〈天下〉之「上與造物者遊」爲莊子之終極境界，後先呼應，確然證明「遊」字之最核心地位。

而莊子之使用「遊」字，其實是一種文學手法，此即「比喻」是也。他將人生百年比喻爲一次旅遊。旅遊是自由快樂的，那麼，人生百年也合當過得自由快樂。由此又可看出，此一比喻，有其哲學的意義，即人生應當追求自由快樂。

出外旅遊是自由快樂的。可是百歲光陰的旅途中，又有幾人遊得自由快樂呢？原來，這是不容易的！因爲出外旅遊要遊得自由快樂，必須先做一番安排，以免在旅途中牽掛；一有牽掛就快樂不起來了。可是，在人生的旅途中，學業、事業、愛情、婚姻、家庭、健康、財富、權力、地位、名聲等，哪一樣不叫人牽掛？其中的得失，誰能放得下？而莊子將人生百年比喻爲一趟旅遊，正是教人不要有這些牽掛！然則，又當如何才能不有牽掛？那就要像我們旅遊出發前一樣，先做一番安排。這是要遊得自由快樂的先決條件。究竟這個先決條件是什麼？就是「忘」！忘掉那種種牽掛，忘掉那種種得失，如陶淵明之「忘懷得失，以此自終」。得失既忘，百年之人生旅遊，方能遊得自由快樂，此之謂「逍遙遊」。

而莊子之所謂「忘」，不是因生理退化而來的健忘症，而是一種面對差別相不起差別心的涵養功夫。具體言之，就如腳上穿著鞋子而不覺鞋子的存在；腰間係著帶子而不覺衣帶存在。因爲腳與鞋子、腰與衣帶處在非常和諧舒適的狀態。所以，當面對人生旅途中的種種不幸或不如意事時，也要和它共處得和諧舒適以致物我兩忘的境地。這就是「忘」的功夫，也是「忘」的境界。

「忘」的最高境界，莊子稱之爲「坐忘」。所謂「坐忘」，即「墮肢體，黜聰明，離形去知，同於大通」。可見要忘的是「肢體」、「聰明」，約而言之，即「形」。

「形」與「德」相對而互爲消長，故曰「德有所長，形有所忘」。「形」之既忘，則「德」通於「道」而爲一體。是謂「上與造物者遊」、「浮游乎萬物之祖」、「獨與天地精神往來」。

「忘」的工夫，既非由生理退化而致，實可由理智之思辨而獲得佐助。所謂可由理智之思辨而獲得佐助者，齊物論之觀念是矣。齊物論之觀念，可用以齊小大，齊壽夭，齊善惡，齊貴賤，齊是非，齊物我，齊死生。凡一切差別相，皆可因之而泯。如是則使人清楚的理解，世俗所謂的得，未必眞得；失，未必眞失。則得失之間，只如朝三暮四，暮四朝三，名實未虧。若像眾狙之惑於表相而喜怒爲用，實無謂也。明乎此，則不復執著於得失矣。如此則可面對得失而忘懷得失。

能忘，而後能遊。能忘懷得失，而後能作逍遙遊。逍遙遊即內心之絕對自由也。莊子以「乘天地之正，御六氣之辯（變），以遊無窮」形容之，亦可謂之「遊乎塵垢之外」、「遊心乎德之和」，難以縷舉，而總謂之「遊方之外」。

但現實之生命，必須「遊方之內」，不能脫離人間世，於是又必須謹愼於處世。猶之乎旅遊之戒懼於路上之安全也。

莊子之視人生旅途，十分危險，有「遊於羿之彀中」之喻。然則行於人生旅途將奈何？莊子提出兩種處世之方，一曰「虛己以遊世」，一曰：「一下一上，以和爲量」。

所謂「虛己以遊世」，即如庖丁之解牛。牛身之筋骨盤錯，即社會複雜之寫照；個人之投身於社會，猶如刀刃之刺入於牛身。刀刃刺入牛身而不缺傷，有四個條件，一要刀刃無厚，二要目無全牛，三要依乎天理，因其固然，四要戒懼謹愼。移之處世，則一要虛己，二要透徹了解社會，三要順任自然，四要處處謹愼。

所謂「一下一上，以和爲量」，即老子「和其光，同其塵」之意，意謂隨機調適，勿顯自己之特殊。切勿如主人之雁，以不能鳴而被殺。所謂「周將處乎材與不材之間」者，視時機場合而定，當表現爲材，則爲材；當表現爲不材，則不材。今主人之雁，既豢養於主人之家，則當知主人之好惡，是亦「目無全牛」之比也。乃於此而無所知，一味表現爲不材，反顯其特殊，其被殺宜矣。莊子稱其「似之而非也」誠然矣。

果能知此兩種處世之方，便可安然行於人生旅途之上。誠如是，則既可快樂遊方之外，又可安全遊方之內。百年人生之旅，忘懷得失，無所牽掛，無日不自由，無日不快樂，斯謂之逍遙遊；斯謂之遊的人生哲學。

參考文獻

壹、莊子相關文獻

一、專書（以作者年代爲序）

1.（晉）郭　象，《莊子注》，台灣中華書局，民國 58 年 3 月 3 版。
2.（唐）成玄英，《莊子疏》，台灣中華書局，民國 58 年 3 月 3 版。
3.（唐）陸德明，《莊子音義》，台灣中華書局，民國 58 年 3 月 3 版。
4.（宋）林希逸，《莊子口義》，台北：弘道文化事業有限公司，民國 60 年 9 月初版。
5.（明）歸有光，《莊子南華經批點》，宏業書局，民國 58 年 6 月初版。
6.（明）焦　竑，《莊子翼》，廣文書局，民國 59 年 3 月再版。
7.（明）釋德清，《莊子內篇注》，廣文書局，民國 62 年 6 月初版。
8.（明）釋德清，《觀老莊影響論》，廣文書局，台北市，民國 63 年 3 月初版。
9.（明）周拱辰，《南華眞經影史》，廣文書局，民國 67 年 7 月初版。
10.（明）陸西星，《莊子南華眞經副墨》，台北：自由出版社，民國 82 年 6 月初版。
11.（清）王夫之，《莊子解》，河洛圖書出版社，民國 63 年 10 月台影印初版。
12.（清）宣　穎，《莊子南華經解》，台北：宏業書局，民國 58 年 6 月初版。
13.（清）林雲銘，《莊子因》，台北：廣文書局，民國 57 年 1 月初版。
14. 郭慶藩，《莊子集釋》，台北：華正書局，民國 69 年 10 月初版。
15. 王先謙，《莊子集解》，台北：華正書局，民國 64 年 3 月台 1 版。
16. 林　紓，《莊子淺說》，台北：華正書局，民國 64 年 4 月台 1 版。

17. 嚴　復，《評點莊子》，以集虛草堂莊子故爲本。
18. 馬其昶，《莊子故》，集虛草堂本。
19. 錢基博，《讀莊子天下篇疏記》，台北：台灣商務印書館人人文庫本。
20. 顧　實，《莊子天下篇講疏》，台北：台灣商務印書館，民國 65 年 6 月 1 版。
21. 胡遠濬，《莊子詮詁》，台北：台灣商務印書館，民國 64 年 12 月初版。
22. 阮毓崧，《莊子集注》，台北：廣文書局，民國 61 年 7 月初版。
23. 陳壽昌，《莊子正義》，台北：新天地書局，民國 61 年 11 月初版。
24. 高　亨，《莊子今箋》，台北：台灣中華書局，民國 62 年 4 月台 2 版。
25. 郎擎霄，《莊子學案》，台北：河洛出版社，民國 63 年初版。
26. 馬敘倫，《莊子義證》，台北：弘道文化事業有限公司，民國 59 年 10 月初版。
27. 曹受坤，《莊子哲學》，台北：文景出版社，民國 59 年 11 月初版。
28. 錢　穆，《莊子纂箋》，台北：三民書局，正文印刷公司，民國 58 年 6 月初版。
29. 朱桂曜，《莊子內篇證補》，台北：學人雜誌社，民國 60 年 1 月初版。
30. 張默生，《莊子新釋》，台北：洪氏出版社，民國 73 年 10 月 6 版。
31. 李　勉，《莊子總論及分篇評注》，台北：台灣商務印書館，民國 79 年 8 月修訂 1 版。
32. 王叔岷，《莊學管窺》，台北：藝文印書館，民國 67 年 3 月初版。
33. 王叔岷，《莊子校詮》，台北：中研院史語所，民國 88 年 6 月 3 版。
34. 何敬羣，《莊子義繹》，台北：正生書局，民國 60 年 4 月初版。
35. 陳啓天，《莊子淺說》，台北：台灣中華書局，民國 60 年 7 月初版。
36. 陸鐵乘，《莊子齊物論斠詁並語譯》，自印本，民國 60 年 7 月初版。
37. 劉光義，《莊子內七篇類析語釋》，台北：學生書局，民國 64 年 10 月初版。
38. 曹础基，《莊子淺注》，北京：中華書局，民國 71 年 10 月 1 版。
39. 黃錦鋐，《莊子讀本》，台北：三民書局，民國 63 年 1 月初版 1 刷。
40. 歐陽超，《莊子釋譯》，台北：里仁書局，民國 81 年 9 月台 1 版。
41. 陳鼓應，《莊子今注今譯》，台北：台灣商務印書館，民國 64 年 12 月初版。
42. 陳鼓應，《莊子哲學》，台北：台灣商務印書館，民國 88 年 6 月 5 版。
43. 吳　怡，《逍遙的莊子》，台北：東大圖書公司，民國 90 年 2 月初版。

44. 吳　怡，《新譯莊子內篇解譯》，台北：三民書局，民國 93 年 1 月初版。
45. 王邦雄，《莊子道》，台北：漢藝色研文化事業有限公司，民國 82 年 8 月初版。
46. 朱師榮智，《莊子的美學與文學》，台北：明文書局，民國 81 年 3 月初版。
47. 趙衛民，《莊子的道》，台北：文史哲出版社，民國 87 年 1 月初版。
48. 談宇權，《莊子哲學評論》，台北：文津出版社，民國 87 年 6 月初版。
49. 高柏園，《莊子內七篇思想研究》，台北：文津出版社，民國 89 年 5 月初版。
50. 葉海煙，《莊子的生命哲學》，台北：東大圖書公司，民國 92 年 6 月初版。
51. 劉榮賢，《莊子外雜篇研究》，台北：聯經出版公司，民國 93 年 4 月初版。

二、論文

（一）期刊論文

1. 傅師武光，〈莊子遊的哲學〉，中國學術年刊 17 期，民國 85 年 3 月。
2. 李治華，〈莊子之聖人、眞人、至人、神人及天人的層次新論〉，人文及社會學科教學通訊，民國 86 年 2 月。
3. 王邦雄，〈算命算死了，看命看活了——「莊子・應帝王」「用心若鏡」的現代詮釋——上、中、下——〉，國文天地，民國 86 年 5～7 月。
4. 賴錫三，〈莊子工夫實踐的歷程與超形上學的證悟——以〈齊物論〉爲核心而展開〉，國立編譯館館刊，民國 87 年 6 月。
5. 王邦雄，〈道家思想的倫理空間——論莊子「命」與「義」理念，現代化研究〉，民國 86 年 7 月。
6. 曹智頻，〈遊的哲學——莊大陸近五十年來的莊子研究〉，鵝湖月刊，民國 87 年 10 月。
7. 楊自平，〈「莊子」「逍遙」概念義涵的探討〉，哲學與文化，民國 88 年 9 月。
8. 袁長瑞，〈莊子「人間世」研究〉，哲學與文化，民國 89 年 2 月。
9. 陳德和，〈論莊子哲學的道心理境〉，鵝湖學誌，民國 89 年 6 月。
10. 王金凌，〈莊子〈齊物論〉釋義〉，輔仁國文學報，民國 89 年 7 月。
11. 黃憶佳，〈由「逍遙遊」看莊子的逍遙境界〉，輔大中研所學刊，民國 89 年 10 月。
12. 江淑君，〈死生無變於己——「莊子」生死觀析論〉，中文學報，民國 89 年 12 月。
13. 莊耀郎，〈「庖丁解牛」——論「莊子」的養生觀〉，國文天地，民國 90 年 1 月。

14. 蔡壁名，〈莊子「乘天地之正而禦六氣之辯」新詮（上）〉，大陸雜誌，民國 90 年 4 月。
15. 蔡壁名，〈莊子「乘天地之正而禦六氣之辯」新詮（下）〉，大陸雜誌，民國 90 年 5 月。
16. 趙衛民，〈莊子的風神——「逍遙遊」新探〉，鵝湖月刊，民國 90 年 9 月。
17. 陳德和，〈莊子寓言中的逍遙思想〉，國立歷史博物館館刊：歷史文物，民國 90 年 9 月；鵝湖月刊，民國 90 年 10 月。
18. 牟宗三，〈莊子〈齊物論〉演講錄〉，鵝湖月刊，民國 91 年 1 月～民國 92 年 2 月。
19. 高瑞惠，〈莊子「見獨」說〉，輔大中研所學刊，民國 91 年 10 月。
20. 謝易眞，〈「莊子」「心齋」「坐忘」「朝徹」「見獨」與「大乘起信論」「止觀」門之研究與對觀〉，慈濟技術學院學報，民國 92 年 9 月。
21. 李若鶯，〈論莊子處世哲學的基本功——「忘」〉，高雄師大學報，民國 92 年 12 月。
22. 王櫻芬，〈「忘」如何作爲指向於境界的通路——《莊子》書中「忘」概念的探討〉，中華人文社會學報，民國 94 年 9 月。
23. 傅師武光，〈莊子說忘〉，國文天地 22 卷 7 期民國 95 年 12 月。
24. 傅師武光，〈怎樣讀〈逍遙遊〉〉，國文天地 23 卷 1 期，民國 96 年 6 月。
25. 王邦雄，〈怎樣讀莊子〈通論篇〉〉，國文天地 23 卷 1 期，民國 96 年 6 月。

（二）學位論文

博士論文

1. 蕭裕民，〈遊心於「道」和「世」之間——以「樂」爲起點之莊子思想研究〉清華中文系 93 博士。

碩士論文

1. 莊萬壽，〈莊子學述〉，台師大國文系 57 碩士。
2. 黎惟東，〈莊子逍遙思想之研究〉，文化哲研所 68 碩士。
3. 曾明泉，〈莊子人生哲學之研究〉，文化哲研所 74 碩士。
4. 葉海煙，〈莊子生命哲學研究〉，輔仁哲研所 77 碩士。
5. 李玫芳，〈莊子人生哲學研究〉，輔仁哲研所 80 碩士。
6. 金在成，〈莊子哲學中「吾喪我」之研究〉，台大哲學所 82 碩士。
7. 呂基華，〈莊子內七篇修養研究〉，中央中文系 85 碩士。
8. 王小滕，〈試論莊子逍遙的心靈及其意境〉，台大中文 86 碩士。
9. 張修文，〈莊子內七篇的義理析論〉，文化哲研所 86 碩士。

10. 王櫻芬，〈莊子〈逍遙遊〉研究〉，中正中文系 87 碩士。
11. 吳建明，〈莊子哲學中「莊子安命哲學之探究」〉，南華哲學所 87 碩士。
12. 柳桂粉，〈莊子〈逍遙遊〉境界中「絕對精神自由」的研究〉，輔仁哲研所 87 碩士。
13. 徐千洲，〈莊子哲學中的生命體證〉，東海哲學系 88 碩士。
14. 王寶惠，〈「遊」的美學意涵〉，文化哲研所 88 碩士。
15. 張妙兒，〈莊子的逍遙境界觀〉，東海哲學系 91 碩士。
16. 施依吾，〈莊子修養論工夫次第〉，中央中研 92 碩士。
17. 楊子翎，〈論莊子「自我」與「自由」概念〉，東吳哲學系 92 碩士。
18. 曾紫萍，〈莊子的處世哲學〉，中興中文 93 碩士。
19. 劉香蓉，〈莊子坐忘工夫論研究〉，華梵哲學系 94 碩士。
20. 李寶龍，〈莊子遊世觀〉，華梵東方人文所 94 碩士。

貳、其他文獻

1.（魏）王弼注·（唐）孔穎達正義，《周易正義》，收入《十三經注疏》，台北：藝文印書館，民國 90 年 12 月初版 14 刷。
2.（漢）鄭元箋·（唐）孔穎達疏，《毛詩注疏》，收入《十三經注疏》，台北：藝文印書館，民國 90 年 12 月初版 14 刷。
3.（魏）何晏注·（宋）邢昺疏，《論語注疏》，收入《十三經注疏》，台北：藝文印書館，民國 90 年 12 月初版 14 刷。
4.（漢）趙岐注·（宋）孫奭疏，《孟子注疏》，收入《十三經注疏》，台北：藝文印書館，民國 90 年 12 月初版 14 刷。
5.（晉）杜預注·（唐）孔穎達正義，《春秋左傳注疏》，收入《十三經注疏》，台北：藝文印書館，民國 90 年 12 月初版 14 刷。
6.（東漢）許慎撰，（清）段玉裁，《說文解字注》，台北：天工書局，民國 85 年 9 月再版。
7.（宋）朱熹，《四書章句集注》，台北：鵝湖出版社，民國 73 年 9 月初版。
8. 王先謙，《荀子集解》，台北：華正書局，民國 77 年 8 月初版。
9. 梁啓超，《中國近三百年學術史》，台北：中華書局，民國 58 年 5 月台 5 版。
10. 馮友蘭，《中國哲學史》，台北：商務印書館，民國 82 年增訂台 1 版。
11. 錢　穆，《先秦諸子繫年》，香港大學出版社，民國 45 年 6 月增訂初版。
12. 錢　穆，《中國思想通俗講話》，台北：東大圖書公司，民國 79 年 1 月增訂初版。

13. 錢　穆，《莊老通辨》，台北：東大圖書公司，民國 80 年 12 月。
14. 錢　穆，《學術思想遺稿》，台北：素書樓文教基金會，民國 89 年 12 月。
15. 錢　穆，《中國學術通義》，台北：素書樓文教基金會，民國 89 年 12 月。
16. 張豈之，《中國思想史（上、下）》，台北：水牛出版社，民國 81 年 6 月初版。
17. 李澤厚，《中國古代思想史論》，台北：三民書局，民國 89 年 8 月 2 刷。
18. 李澤厚，《美的歷程》，台北：三民書局，民國 91 年 6 月初版 3 刷。
19. 牟宗三，《才性與玄理》，台灣學生書局，民國 63 年 10 月台 1 版。
20. 牟宗三，《中國哲學十九講》，台灣學生書局，民國 91 年 8 月 9 刷。
21. 徐復觀，《中國人性論史》，台灣商務印書館，民國 64 年 1 月 2 版。
22. 徐復觀，《中國藝術精神》，台灣學生書局，民國 81 年 7 月 11 刷。
23. 勞思光，《新編中國哲學史（上、中、下冊）》，台北：三民書局，民國 75 年 12 月增訂再版。
24. 傅樂成，《中國通史》，大中國圖書公司，民國 58 年再版。
25. 傅偉勳，《從西方哲學到禪佛教》，台北：東大圖書公司，民國 75 年 6 月初版。
26. 余英時，《中國知識階層史論（古代篇）》，聯經出版事業公司，民國 69 年 8 月初版。
27. 王熙元，《論語精隨》，台北：黎明文化事業股份有限公司，民國 83 年 8 月初版。
28. 吳　怡，《生命的轉化》，台北：東大圖書公司，民國 85 年 10 月初版。
29. 王邦雄等編著：《中國哲學史》，空大用書，民國 91 年 10 月初版 5 刷。
30. 傅師武光：《中國思想史論集》，台北：文津出版社，民國 79 年 9 月初版 1 刷。
31. 林安梧，《中國哲學的特質》，台灣學生書局，民國 76 年 10 月 6 版。
32. 林安梧，《王船山人性史哲學之研究》，台北：東大圖書公司，民國 80 年 2 月再版。
33. 林安梧，《論語——走向生活世界的儒學》，台北：明文書局，民國 84 年 5 月初版。
34. 林安梧，《中國近現代思想觀念史論》，台北：台灣學生書局，民國 84 年 9 月初版。
35. 韋伯（Max Weber）著・簡惠美譯，《中國的宗教（The Religion of C hina）——儒教與道教》，台北：遠流出版公司，民國 91 年 1 月 2 版 4 刷。

附錄　莊子學碩博士論文之著述流別

論文篇名	姓　名	指導教授	校　系	學位	學年
壹、各篇研究					
一、逍遙遊					
莊子〈逍遙遊〉研究	黎惟東	王邦雄	文化哲研	碩	68
莊子逍遙思想之研究	王櫻芬	謝大寧	中正中研	碩	87
二、齊物論					
莊子齊物論抉微	徐紹萍	吳康	文化哲研	碩	58
論莊子齊物論思想之詮釋與建構	李玉柱	楊祖漢	文化哲研	碩	76
莊子齊物思想的探討	楊寶綢	魏元珪	東海哲研	碩	83
莊子齊物論的詮釋與建構	洪文興	杜保瑞	華梵東人所	碩	84
莊子齊物論研究	汪逸楓	陳榮波	東海哲研	碩	88
莊子齊物論研究	蕭世楓	謝大寧	中正中研	碩	92
三、養生主					
莊子養生主研究	謝靜惠	黎惟東	文化哲研	碩	81
莊子養生主研究	林育慶	謝大寧	中正中研	碩	88
莊子養生主思想之研究	鍾倍祺	陳德和	南華哲研	碩	92
四、人間世					
試由〈人間世〉、〈德充符〉二篇探討莊子對孔子的理解	葉俊傑	袁保新	中央哲研	碩	83

論文篇名	姓　名	指導教授	校　系	學位	學年
莊子人間世研究	許明珠	莊雅州	中正中研	碩	89
莊子人間世之研究	許貴勝	黎惟東	文化哲研	碩	90
五、德充符					
試由〈人間世〉、〈德充符〉二篇探討莊子對孔子的理解	葉俊傑	袁保新	中央哲研	碩	83
莊子德充符研究	陳奕孜	黎惟東	文化哲研	碩	87
六、天下篇					
莊子天下篇研究	楊日出	林耀曾	高師大中研	碩	68
貳、語言文字研究					
莊子語法研究	魏培泉	戴璉璋	政大中研	碩	71
《經典釋文》《莊子音義》異音異義考	李正芬	林炯陽	東吳中研	碩	80
莊子語法新探	吳宏仁	竺家寧	淡江中研	碩	84
莊子內篇修辭探賾	林文淑	蔡宗陽	台師大國研	碩	89
《莊子》通假字研究	王素嬌	葉鍵得	北教大語研	碩	94
參、思維理則研究					
莊子弔詭語言之研究	林永崇	曾昭旭 袁保新	東海哲研	碩	74
論莊子創造性思維的形成	蘇佩萱	范光棣	成功藝研	碩	84
莊子思維方式的教育功能研究	張月娥	黎惟東	文化哲研	碩	86
莊子三言的創用及其後設意義	徐聖心	林麗眞	台大中研	博	86
莊子語言觀點之探討	洪景潭	林麗眞	台大中研	碩	86
莊子的語言思想探析	魏家豪	陳鼓應 劉福增	台大哲研	碩	89
心知與氣化——莊子思維語言說方式之審查	蕭美齡	袁保新 蕭振邦	中央哲研	碩	90
《莊子》內七篇重言之研究	陳文科	周益忠	彰師大國研	碩	91

論文篇名	姓　名	指導教授	校　系	學位	學年
莊子語言法式探析 ——以重合語、流轉語、雙遣語的考察爲主	王小滕	林麗眞	台大中研	博	92
《莊子》語言思維研究	劉原池	康義勇	高師大國研	博	94
肆、莊子學研究史					
莊子學述	莊萬壽	林景伊	台師大國研	碩	57
王先謙莊子集解義例	賴仁宇	黃錦鋐	台師大國研	碩	63
王船山莊子解研究	林文彬	胡自逢	台師大國研	碩	74
莊子與郭象思想之比較研究 ——以逍遙義爲中心	鍾竹連	何淑眞	高師大國研	碩	75
林希逸莊子口義研究	簡光明	黃錦鋐	逢甲中研	碩	79
莊子內篇與外雜篇比較研究	黃漢青	王邦雄	文化哲研	博	80
焦竑《莊子翼》研究	施錫美	黃錦鋐	逢甲中研	碩	83
莊子與郭象《莊子注》 人生哲學之比較	張碧芬	王邦雄	中央中研	碩	83
郭象莊子注「自然」思想之研究	涂釋仁	劉貴傑	華梵東人所	碩	86
讀者對莊子的哲學理解與幽默欣賞	石坤玉	何慧玲	台師大英研	碩	86
蘇軾的莊子學	江聲調	黃錦鋐	台師大國研	博	87
明遺民的莊子定位論題	謝明陽	何澤恒	台大中研	博	88
成玄英與郭象對〈莊子・逍遙遊〉詮釋之比較研究	蔣淑珍	黎惟東	文化哲研	碩	89
成玄英《莊子疏》思想研究	蕭麗芬	呂凱	政大中研	碩	90
錢穆先生《莊子纂箋》及其莊子學研究	鄭柏彰	劉文起	中正中研	碩	91
林雲銘《莊子因》「以文解莊」研究	錢奕華	周虎林	高師大國研	博	92
憨山大師莊子內篇註之生死觀研究	王玲月	何淑眞	玄奘中研	碩	93

論文篇名	姓　名	指導教授	校　系	學位	學年
伍、內容分類研究					
一、哲學思想					
〈一〉總論					
莊子思想中道之可道與不可道	何保中	鄔昆如	台大哲研	碩	69
莊子哲學中「天人之際」研究	白金鉉	嚴靈峰	輔大哲研	博	74
莊子價值思想研究	林麗星	黃錦鋐	台師大國研	碩	78
莊子的價值系統從批判到重建	張福政	葉程義	政大中研	碩	78
莊子思想詮釋的分際	李春蕙	黃錦鋐	台師大國研	碩	81
莊子的人學與超個人心理學	劉固秋	黎建球	輔大哲研	博	83
莊子的生命哲學	楊文良	袁保新	中央哲研	碩	84
莊子內七篇的義理析論	張修文	王邦雄	文化哲研	碩	86
莊子思想中人與物之存在實況及應有關係	韓京	何保中	台大哲研	碩	87
《莊子》中人之研究生命的自由與無傷	黃玉麟	張家焌	輔大哲研	碩	88
解構的中國知識理論分析——超越後現代主義的《莊子》文本重述	歐崇敬	江明允	文化哲研	博	88
《莊子》哲學思想分類研究	潘寧馨	丁原植	輔大哲研	碩	89
莊子「無待」思想之生命教育蘊義	田若屏	崔光宙	東華教研	碩	91
莊子天人思想探究	張云瑛	陳德和	南華哲研	碩	91
莊子主體觀探究——復性與氣化爲核心的存有論詮釋	白宛仙	蕭振邦	中央哲研	碩	92
遊心於「道」和「世」之間——以樂爲起點之莊子思想研究	蕭裕民	楊儒賓	清大中研	博	93
莊子的終極關懷	鄭安鳳	陳廖安	佛光宗研	碩	93

論文篇名	姓　名	指導教授	校　系	學位	學年
〈二〉分論					
莊子哲學中「眞知」問題研究	金白鉉	鄔昆如	台大哲研	碩	69
莊子哲學中「眞知」問題研究	金白鉉	鄔昆如	台大哲研	碩	69
莊子天道思想之研究	張安東	高懷明	文化哲研	碩	74
莊子天道思想之研究	張安東	高懷明	文化哲研	碩	74
莊子氣論探微	婁世麗	林麗眞	台大中研	碩	75
莊子氣論探微	婁世麗	林麗眞	台大中研	碩	75
莊子內篇夢字義蘊試詮	徐聖心	金嘉錫	台大中研	碩	79
莊子形而上思想研究	金貞姬	金嘉錫	台大中研	碩	79
莊子「眞人」思想研究	黃耀漢	袁保新	文化哲研	碩	79
莊子內篇夢字義蘊試詮	徐聖心	金嘉錫	台大中研	碩	79
莊子氣化論	鄭世根	嚴靈峰 張永	台大哲研	博	80
莊子之審一氣以觀化	林文樹	黃錦鋐	台師大國研	碩	80
莊子內篇「兩行」思想研究	孟濟水	張家焌	輔大哲研	碩	80
死亡的意義與《莊子》哲學的回應	余靜惠	袁保新	中央哲研	碩	82
死亡的意義與《莊子》哲學的回應	余靜惠	袁保新	文化哲研	碩	82
莊子生死觀對教育的啓示	蘇雅慧	歐陽教	台師大教研	碩	84
莊子的遊戲三昧	林維君	張家焌	輔大哲研	碩	84
莊子氣論思想研究	王忠民	李振英	輔大哲研	博	85
莊子「氣」概念之研究	鄭杏玉	王邦雄	中央中研	碩	85
莊子哲學「物」概念研究	陳莉玲	李震	輔大哲研	博	85
莊子一書中「眞人」研究	張昭佩	羅光	輔大哲研	博	85
試論莊子逍遙的心靈及其意境	王小滕	金嘉錫	台大中研	碩	86

論文篇名	姓　名	指導教授	校　系	學位	學年
莊子「化」思想之研究	李俊男	黎惟東 高懷民 李志勇	文化哲研	碩	86
莊子內七篇氣的思想研究	董錦燕	趙衛民	彰師大國研	碩	87
莊子「眞」的思想探析	林明照	陳鼓應	台大哲研	碩	88
莊子哲學中「遊」的美學意涵	王寶惠	周林靜	文化哲研	碩	88
莊子生死觀研究	李宗蓓	王金凌	輔大哲研	碩	88
莊子「用」思想之研究	沈雅惠	黎惟東	文化哲研	碩	89
莊子無用之用思想研究	朱玉玲	莊萬壽	台師院應語所	碩	91
莊子的逍遙境界觀	張妙兒	魏元珪	東海哲研	碩	91
論莊子「自我」與「自由」概念	楊子翎	葉海煙	東吳哲研	碩	92
莊子聖人觀之研究	陳盈慧	陳鼓應	台師大國研	碩	92
莊子無情論	陳達昌	李霖生	玄奘中研	碩	92
論莊子哲學中的生與死	郭冠麟	張家焌	輔大哲研	碩	93
莊子生死觀研究	鄭鈞瑋	陳鼓應	台大哲研	碩	93
論《莊子》的人物系譜	高君和	陳鼓應 李日章	台大哲研	碩	93
莊子神人論	李忠一	李霖生	玄奘中研	碩	94
莊子樂論之系統研究	曾家麒	潘麗珠	台師大國研	碩	94
莊子遊世觀	李寶龍	周春塘	華梵東人研	碩	94
二、人生哲學					
〈一〉總論					
莊子人生哲學之研究	曾明泉	高懷民	文化哲研	碩	74
莊子道德人格之標準	郭明記	高懷民	文大哲研	碩	74
莊子生命思想之研究	張明月	程兆熊	文大哲研	碩	75
莊子哲學中人格世界之分析	方俊源	袁保新	文大哲研	碩	77
莊子生命哲學研究	葉海煙	羅光	輔大哲研	碩	77

論文篇名	姓　名	指導教授	校　系	學位	學年
莊子心性思想之研究	張森富	董金裕	政治中研	碩	79
莊子人生哲學研究	李玫芳	嚴靈峰	輔大哲研	碩	80
莊子存在悲情之研究	楊雪蘭	王邦雄	中央中研	碩	81
莊子的觀照思想研究	聶雅婷	張家焌	輔大哲研	碩	84
莊子的德性論	歐陽惠雯	張家焌	輔大哲研	碩	85
莊子哲學中的生命體證	徐千洲	魏元珪	東海哲研	碩	88
人生的困境及其解決之道——以莊子哲學爲中心的考察	莊鎮宇	陳德和	南華生死所	碩	89
莊子的生命體驗與倫理實踐	孫吉志	林朝成	成功中研	碩	89
莊子人生哲學的現代運用	呂秀垣	徐漢昌	中山中研	碩	93
莊子思想對生命教育的啓發	蘇閔微	徐漢昌	中山中研	碩	93
試析莊子「爲道」之路	沈佳靜	張家焌	輔大哲研	碩	94
〈二〉修養論					
莊子修養論及其理論根據之研究	安泳周	鄔昆如	台大哲研	碩	74
莊子成心問題研究	趙藹祥	謝仲明	東海哲研	碩	79
莊子去智的意義研究	林文琪	吳光明	中央哲研	碩	79
莊子之體道與功夫論問題研究	張子昂	黎建球	淡江哲研	碩	80
莊子轉化成心而見獨的人生境界	謝易眞	王靜芝	輔大中研	碩	80
莊子哲學中「吾喪我」之研究	金在成	鄔昆如	台大哲研	碩	82
莊子內七篇修養研究	呂基華	王邦雄	中央中研	碩	85
莊子道德觀之研究以解構與重建爲核心	徐舜彥	葉海煙	輔大哲研	碩	87
莊子內篇與外雜篇修養論之比較研究	邱惠聆	高柏園	淡江中研	碩	89
莊子的功夫修養論及其教育意涵	黃俊峰	歐陽教	台師大教研	碩	91

論文篇名	姓　名	指導教授	校　系	學位	學年
莊子治療學義蘊之分析與展開	張瑋儀	袁保新 顧史考	淡江中研	碩	91
莊子修養論功夫次第研究	施依吾	王邦雄	中央中研	碩	92
莊子心性探賾	倪淑娟	伍至學	華梵哲研	碩	94
莊子坐忘功夫論研究	劉香容	伍至學	華梵哲研	碩	94
〈三〉養生論					
莊子養生思想研究	盧建潤	張家焌	輔大哲研	碩	84
由養生主看莊子的養生觀	黃憶佳	黃湘陽	輔大中研	碩	90
莊子養生思想	紀毓玲	蔡崇名	高師大國研	碩	93
〈四〉處世論					
莊子的處世哲學	曾紫萍	林文彬	中興中研	碩	93
三、政治思想					
莊子明王之治思想	郭應哲	孫廣德	台大政研	碩	79
莊子政治觀一個思想典範的詮釋	林俊宏	孫廣德	政大政研	碩	79
莊子政治思想中個人與國家關係之研究	陳順德	徐漢昌	中山政研	碩	86
莊子之治道觀	黃源典	袁保新	南華哲研	碩	88
《老子》與《莊子》的天道政治思想	洪巳軒	蔡明田	政大政研	碩	89
莊子的政治思想	金登懋	詹文雄	文化政研	碩	89
莊子淑世思想之研究	林鈺清	晨德和	南華哲研	碩	91
四、教育思想					
莊子教育思想研究	姚榮華	程運	政大教研	碩	76
莊子哲學及其教育蘊義	謝麗卿	俞懿嫻	東海哲研	碩	85
莊子內七篇教育意涵研究	陳琇敏	陳光憲	北教大應研所	碩	94
五、社會思想					
莊子思想對個人與組織創造力之分析	吳岳軒	蕭武桐	政大公行所	碩	92
莊子社會思想研究	羅信枝	林文彬	中興中研	碩	93

論文篇名	姓　名	指導教授	校　系	學位	學年
六、藝術思想					
〈一〉藝術					
莊子思想藝術化	黃志盛	黃錦鋐	東吳中研	碩	71
莊子藝術精神之研究	顏崑陽	黃錦鋐	台師大國研	博	73
中國繪畫藝術之哲學基礎——莊子與山水畫	黃翥青	謝仲明	東海哲研	碩	76
莊子的生命理境及其藝術精神	李軒旬	王邦雄	文化中研	博	78
從莊子解衣般礴談藝術創作美學	廖文蕙	黃光南	台師大美研	碩	88
莊子思想在繪畫上的應用	黃金枝	林仁傑	台師大美研	碩	91
莊子審美精神與國畫創作探討	連經韜	黃瑞枝	屏師院國研	碩	91
《莊子》內七篇之生態審美觀	黃巧惠	盧福壽 陳德和	高師大美研	碩	94
〈二〉美學					
莊子書中的美學	蔡嘉雄	王邦雄	文化哲研	碩	69
莊子美學之先決問題與其審美範疇剖析	鄭世根	嚴靈峰	台大哲研	碩	75
莊子「技進於道」美學意義之探究	林翠雲	顏崑陽	中央中研	碩	80
莊子思想之美學意義	董小蕙	王邦雄	台師大美研	碩	80
莊子美學思想研究	林世奇	高柏園	淡江中研	碩	87
莊子哲學中「遊」的美學意涵	王寶惠	周林靜	文化哲研	碩	88
莊子美學思想在成人審美教育上之實踐	詹皓宇	何淑貞	高師大成教所	碩	89
莊子美學原理初探	林淑文	葉海煙	東吳哲研	碩	90
七、莊子與現代科學					
莊子之管理哲學	張偉雯	吳瓊恩	政大公行所	碩	84

論文篇名	姓　名	指導教授	校　系	學位	學年
莊子學與心理諮商學——理論與應用的結合	陳小雯	朱建民	中央哲研	碩	85
莊子的環境倫理學	謝煥良	馮滬祥	中央哲研	碩	87
由環境倫理學的角度探討《莊子》人與自然環境的關係	林芳珍	朱建民	中央哲研	碩	92
由莊子內七篇省察管理哲學之內涵	康志崇	林峰立	中山傳研	碩	93
八、莊子與他家的比較					
易傳與莊子的現實世界觀與理想世界觀	張彬村	區萬里	台大中研	碩	63
孟子與莊子修養論之比較研究	李志勇	王邦雄	文化哲研	博	78
孟子與莊子論文之比較研究	張昌虎	黃錦鋐	文化中研	博	81
莊子內篇思想與佛法之比較	鄭玉鵬	熊琬	華梵東人所	碩	85
《孟子》與《莊子》的情感昇華論研究	周旻秋	莊耀郎	輔大中研	碩	87
莊子思想與楚人精神——從原始宗教情感到哲理思想	林學儀	陳啓雲	清大史語所	碩	88
《老子》與《莊子》的天道政治思想	洪已軒	蔡明田	政大政研	碩	89
孟子與莊子「內聖外王」研究	陳政揚	陳榮波	東海哲研	博	91
九、莊子與西洋學者比較					
商克拉與莊子哲學思想之比較研究	吳美惠	李志夫	文化印文所	碩	74
自然與靈性梭羅《湖濱散際》與《莊子》內篇之比較研究	吳素眞	傅杰思	淡江西語所	碩	89
權力結構及其運作莊子與傅柯之比較	周志豪	蔡明田	正大政研	碩	91
莊子與馬丁布伯的相遇——從對話哲學看莊子思想中的關係及相遇	賴麗玉	徐聖心	靜宜中研	碩	92

論文篇名	姓　名	指導教授	校　系	學位	學年
莊子與施賓諾莎對人的極致之看法	蔡專安	譚家哲	東海哲研	碩	92
論資本主義的消費自由與莊子的自由	陳忠源	謝劍	佛光社研	碩	93
從「默觀」看東西文交流與對話——十字若望與莊子的對談	聶雅婷	關永中	輔大哲研	博	94
十、莊子對後世之影響					
莊子藝術精神之研究	顏崑陽	黃錦鋐	台師大中研	博	73
蘇軾與莊子——東坡文學作品中的莊子思想	劉智濬	史次耘	輔大中研	碩	74
《莊子》與六朝文論之研究	林國旭	許端容	文化中研	碩	88
六朝詩歌中所呈現《莊子》思想之考察	陳雅眞	李時銘	逢甲中研	碩	90
十一、文學					
莊子神行神遇說與中國文學之關係	簡翠貞	林尹	台師大國研	碩	59
莊子之文學	蔡宗陽	黃錦鋐	台師大國研	碩	71
莊子思想轉化為文學理論之研究	王中文	黃錦鋐	東吳中研	碩	80
十二、寓言					
莊子寓言及其功用研究	金世煥	王靜芝	輔大中研	碩	69
莊子寓言研究	連清吉	黃錦鋐	東海中研	碩	69
莊子寓言中的生命哲學	周景勳	羅光 嚴靈峰	輔大哲研	博	78
《莊子》寓言之義理研究	陳瑞琪	王邦雄	中央中研	碩	81
莊子書寓言故事研究	羅賢淑	陳妙如	文化中研	碩	83
《莊子》寓言及其美學意涵研究	林秀香	林文欽	高師大國研	碩	89
《莊子》兒童版寓言研究	廖杞燕	林文寶	台東兒文所	碩	92

論文篇名	姓　名	指導教授	校　系	學位	學年
《莊子》寓言之生命價值觀研究	陳玉玲	羅宗濤	玄奘中研	碩	93

游在魏晉士人中的情意顯現

吳沂澐　著

作者簡介

吳沂澐，臺灣臺南人，臺灣成功大學中國文學研究所碩士畢業，現爲中國北京大學中國語言文學系博士生。主要從事中國古代文學研究，發表〈臥以遊之：論宗炳〈畫山水序〉對「遊」的藝術實踐〉、〈魏晉「達」之意蘊抉微——以竹林七賢與元康八達爲考察對象〉、〈魏晉「癡」之多元面向解讀——以《世說新語》爲例〉、〈魏晉時期「游」之文化意蘊——以《世說新語》爲例〉等文章。

提　要

動盪的魏晉時期，死亡的威脅與生命自全的慾望，交織成士人矛盾的情緒。濟世理想的破滅，是將生命與情感的自由視爲唯一可靠的眞實。「游」遂成爲時人生命的出口，釋放眞情的手段。本論以《游在魏晉士人中的情意顯現》爲題，企圖通過「游」以觀照魏晉士人對自由追求與情感轉化的展現，主要從思想、實踐、文化三個方向進行探討。

於思想部分，著重於魏晉「游」之精神內涵解讀，主要分爲承襲與轉化兩大部分，前者以莊學「游」精神爲主，析論其境界層遞與實踐進程；後者以嵇康阮籍「自然」之論、郭象「適性逍遙」之論、支遁「至性逍遙」之論、陶潛「稱情足意」之論爲魏晉「游」精神之立論代表，探討其人以「游」作爲一種自由精神的象徵，如何把握莊周實義並開創當代時義。藉由比較二類之異同，透過意境層次之殊別，見其承襲與裂變處。

於實踐部分，以魏晉士人具體之「游行」作爲考察對象，根據所「游」的對象、目的、方式之各異，分作「因物化情——自然酒鄉游」、「我輩恣情——競才誇誕游」、「會意忘情——方外浮游」和「觀畫暢情——澄懷臥游」四個面向。繼以「游」之情意態度作爲別類依則，又分爲山林漫游、河海傲游、七賢醉游、名士宴游、八達冶游、僧團行游、仙眞隱游。釐清「游」之行爲所反映的個人心理，進而耙梳「游」與名士、高士、高僧、文士之間的關係，貞定「游」與士人情感的互動表現。

誌　謝

很多人問我爲什麼會走魏晉，其實眞的是因緣際會，大學時參與國科會計畫，從此踏入魏晉，矢志相伴。一次次跨越時空的對話，透過文本感受他們雋刻入骨的執著，體會理想從不因現實的摧折而默然歸土，勢必如煙火般全然綻放，剎那一瞬，即是生命的永恆。擇其所愛，愛其所擇，如斯堅定，衝擊並沸騰我的心，使我不可自拔地愛上這群「頑固」的老天眞，並哀傷的孺慕著。染上這種近乎偏執的思維，荏苒歲月，我努力邁開步伐，尋找並走向屬於自己的「道」。幸運如我，在尋道、逐道的過程中，獲得江建俊老師的指引，帶領我走進那遙深的學術殿堂。我如初識蒼穹的井蛙，懦於學術之浩瀚，惟嘆己之懵懂。三年裡，偶爾踟躕，也許徬徨，但身邊總是有太多太多親愛的師長朋友，援以幫助的手。如果沒有你們，學術之路豈止寂寞，似是漫漫黑夜，恐懼、未知必然交織成茫然如我。因爲有你們，我才能堅定我的道路，深愛我的研究，一點一滴，一字一句，無所顧忌地張揚我的信念。一路走來，更加明白單憑自己純然的執著，並不足以完成論文，更多是源自於你們的包容與照護。謝謝你們，親愛的師長，親愛的朋友。

而我最深最深的感謝，要獻給最愛的家人。謝謝你們的支持與陪伴，總是寬容地原諒任性的我，尤是我皓首窮經、埋首箸書而草木皆兵的時刻，極力容忍我的不耐、煩躁、焦慮，給予我莫大的安定力量，撫緩我緊繃的神經。你們給予我太多太多的愛、太好太好的保護，讓我無後顧之憂地執著我的選擇。謝謝你們的愛，謝謝我最愛的吉吉、秀秀和達達。

過往的記憶，終將模糊的一幕幕，卻清晰成就現在的我，幸而有你們，使我的生命更加動人閃耀。感謝所有愛我以及我所愛的人，最誠摯深刻的感激，請容我化作一句，發自底心的，謝謝。

目次

第一章　緒　論

第一節　研究動機與目的

良由世路顚危，海宇揚塵，精神信仰與政局瀕臨崩毀的魏晉時期，正統儒學強調的忠恕仁義，猶大廈之將傾，已無法承擔人民日漸膨脹，卻無法宣洩的抑鬱苦悶。儒學失去統攝人心的力量，徒留繁文縟節的形式，權力的傾軋，道德教化竟成爲貪權圖利的工具，名教之治已走向「自我毀滅的絕境」〔註1〕。當生命常處於朝不保夕的威脅中，士人立功、立言、立德的濟世理想漸趨式微，取而代之的是內在的自我覺醒。揚棄束縛人心的倫理教條，擯落禮法之羈累及對情感的禁錮，回歸個人的本性生活〔註2〕，誠若鍾仕倫所言：

> 魏晉時期特殊的政治、經濟、文化構成一個強大的否定性的異己力量，迫使人從外部現實退回精神中反思自我、確立自我意識、肯定個體意識的片面覺醒，或者說是沉淪中的覺醒，因而人強烈要求表達自我、表達個性，實現人的自由本質。〔註3〕

〔註 1〕王曉毅：《王弼評傳》（南京：南京大學出版社，1996 年），頁 5。

〔註 2〕劉大杰引用赫胥黎（Huxley）說法，指出「人類的生活有兩方面。一方面是自然的，一方面是倫理的。自然的是個人的本性生活，倫理的是社會的道德生活。」見氏作《魏晉思想論》，收錄於《魏晉思想》（臺北：里仁書局，1995 年），頁 113。

〔註 3〕鍾仕輪：《魏晉南北朝美育思想》（北京：中國社會科學出版社，2006 年），頁 11。

生命自由之價值意義乃繫於「情」，人脫略情便爲行屍走肉，故欲突破現實之困境，將人性從禮教尙峻之路解放，回歸個體本質之初，保有生命之眞情，勢必得採取一種異於常態的手段，即有限度地擺脫日常中習以爲常的模式。因此，莊子超越固有界域之「游」，乃成爲士人追求自由、稱情直往的寄託。其慧思所凝注的「逍遙游」，乃是通過精神性的轉化昇華而成爲自由之契想。然而，「逍遙」與「游」並非割裂的二者，乃同歸於心之自由性、超脫性，如同鄭開所云：

> 《莊子》中的「逍遙」與「游」的概念並沒有本質的區別，實際上「游」就是「逍遙」的另一種說法；如果非要說它們之間有什麼區別的話，也許可以說，「逍遙」重在闡明精神境界，「游」偏於描摹生活狀態。〔註 4〕

人生在世，必不能自免於世網之下，且囿於環境，必有不可言說的煩鬱苦悶。複雜的情緒如何發洩？壓力如何釋放？尤以魏晉時期，死亡的威脅與生命自全的慾望，交織成士人矛盾的情緒，「游」可謂是其人生命的出口，乃是釋放眞情的一種手段。士人將「游」落實爲具體的生活型態，作爲一種遣情、賞情的方式，或苦悶、或快樂、或逃避、或共賞。透過自然發現造化賦予萬物之美，從寄情到嬉戲，「游」標舉士人「寧作我」的精神自由。然而，一但過度強調個體自由與享樂，「游」變質成爲狎褻作態，流於誕妄，遂陷於輕薄，甚至是追風逐迹的行爲複製，脫失主體超越性與批判性，無法將社群和時代導入更高的精神境界，社會的腐化墮落，致使後世評論者將「游」歸罪爲魏晉虛浮相扇、政教淪喪之禍因。

基於此，本論著乃企圖論證上列說法的答案：「游」可謂是吾人在長期接受馴化、規範下，潛藏於內心的一種叛逆性，體現了魏晉士人勇於悖理逆俗，張揚個人意識的生命風采；同時標誌並引領整個社群、國家，乃至於整個時代的自由精神。而「游」精神如何由莊學到魏晉之玄學化？其間之承襲與轉化爲何？而魏晉士人在橫向的發展上，又是如何把握「游」之精神，並落實於生活型態上？通過精神承繼與行爲實踐兩大脈絡，以此探求「游」之背後，蘊眞情於其中的深刻意涵，並結合「玄理」與「玄風」，以凸顯魏晉士人追求自我、自由的時代精神。

〔註 4〕鄭開：《道家形而上學研究》（北京：宗教文化出版社，2003 年），頁 225。

第二節　文獻回顧

綜觀前輩學者對於魏晉「游」之研究，多以山水詩賦爲研究對象，或將游浪山水與休閒美學結合，較難蠡測士人行爲與情意之間的關聯。故筆者以「游」之精神、實踐與文化，作爲本論之三項研究範疇，期欲能立足於前人研究，補其偏闕，以完善魏晉「游」精神之研究。

以「游」、「自然」、「山水」爲主之相關著作，數量頗豐，其以「游」文化爲主題者，如：洪瓊〈中國「游」文化之精神〉〔註5〕、張玉清〈七賢之游與魏晉隱士及其他〉〔註6〕、魏航〈莊子之「游」的方式與境界〉〔註7〕等。以山水、自然爲審美範疇者，如：曾春海〈魏晉山水審美之哲學探究〉〔註8〕、楊儒賓〈「山水」是怎麼發現的——「玄化山水」析論〉〔註9〕等。另以上述爲題之學位論文有蕭淑貞《魏晉山水紀遊詩文之研究》〔註10〕，作者從魏晉山水紀游詩文興盛之原因起始，取材範圍包括山水、園林、思隱、慕仙，並依其抒懷述理之內容，將之分類爲優游閒賞之樂、臨景憂嗟之戚、澄懷悟理之暢、征行羈旅之思、隱逸歸棲之詠與遠引游仙之想等六個面向，繼以探究其表現技巧，並綜論魏晉山水紀游詩文於整個紀游詩文史中的價值與影響。然而，作者以情感作爲劃分依據，容易使同一游宴集會出現在多個分類中，如金谷游同時見於優游閑賞之樂與隱逸歸棲之詠，較難見出「游」中的情感轉折。筆者鑒於此，乃主要以集游活動爲分類依據，如蘭亭游、金谷游、洛水游等，以細述其人情意的演變。又如王敘云《魏晉士人遊憩觀與身心治療關係》〔註11〕，作者從先秦兩漢遊憩觀之脈絡探討魏晉士人尚「游」之源流，並從思想與文學角度，分別論述遊憩觀的演變。透過遊憩活動的闡述，說明

〔註5〕洪瓊：〈中國「游」文化之精神〉，《理論界》，2009年11月，頁158～160。

〔註6〕張玉清：〈七賢之游與魏晉隱士及其他〉，《河南理工大學學報》（社會科學版），第11卷第2期，2010年4月，頁257～264。

〔註7〕魏航：〈莊子之「游」的方式與境界〉，《現代哲學》，第3期，2009年5月，頁125～128。

〔註8〕曾春海：〈魏晉山水審美之哲學探究〉，《哲學與文化》第35卷第7期，2008年7月，頁101～120。

〔註9〕楊儒賓：〈「山水」是怎麼發現的——「玄化山水」析論〉，《臺大中文學報》，第30期，2009年6月，頁209～254。

〔註10〕蕭淑貞：《魏晉山水紀遊詩之內容》（臺北：臺灣學生書局，2009年）。

〔註11〕王敘云：《魏晉士人遊憩觀與身心治療關係》，國立成功大學中國文學研究所碩士論文，2009年。

魏晉士人遊憩觀與身心治療的關係。其中關於遊憩活動的分類，作者以時間、空間作爲兩大軸線，然又以遊憩形式及觀念，分爲形遊、神遊、仙遊、玄遊、釋遊、民俗遊，而與前二項分類或有重疊，而顯冗踏。再如鄭雪花《非常的行旅——〈逍遙遊〉在變世情境中的詮釋景觀》〔註 12〕，以經典詮釋作爲研究架構，首先探討《莊子・逍遙遊》中的意象結構與內蘊，詮釋「游」的哲思、行動與言說和「道」的關係。繼以通過阮籍、郭象、船山的逍遙義，說明其人如何詮釋與理解關於自由之「游」的存在追問，串聯四種「智慧觀景」以系聯「游」之詮釋轉化，得見「道游」之意趣。

至於本論文之重要參考書目，從研究內容言，可簡分作思想義理、文化美學與文本分析三方向，概述前人研究成果。於思想義理方面，有江建俊《于有非有，于無非無——魏晉思想文化綜論》〔註 13〕，作者首先從莊子「游」之二理路——「心游」與「形游」切入，揭示從「人游」到「天游」的工夫進境。繼而通過魏晉「達莊」影響放浪山水之風，追蹤莊義在魏晉內化的狀況。又如王博《莊子哲學》〔註 14〕，作者透過《莊子》內七篇說明莊子對於「寓」的苦心孤詣，從中見出其對生命安頓的哲學。對於「游」的論述，作者乃分爲心之逍遙與形之委蛇，認爲莊子藉由心與形無可奈何的相互牽制，以心之焦慮而點出平靜心之可貴，於是透過「心齋」、「坐忘」之工夫，分裂心與形。即如文中所言「心的逍遙游中並沒有形體的位置，而形的世界也不會成爲桎梏心的場所」〔註 15〕，此實是莊子在崎嶇、不得已的境況中的一種安頓生命的方法。再如劉笑敢《莊子哲學及其演變》〔註 16〕，作者考察《莊子》一書中道德、性命、精神等概念的多重含意，分別從文獻疏證、莊子哲學和莊學演變三大方向釐清莊周思想脈絡，認爲莊子哲學乃以安命論爲起點，逍遙論爲歸宿，而連接二者的關鍵乃在於「無心無情」的態度。是以「安時而處順」及「哀樂不能入」兩方面理解「逍遙遊」，置之於現實世界中，莊子精神自由的實現必須以「隨順」爲必然前提。隨順方能避免與現實的摩擦，

〔註 12〕鄭雪花：《非常的行旅——〈逍遙遊〉在變世情境豬的詮釋景觀》，國立成功大學中國文學研究所博士班，2005 年。

〔註 13〕江建俊：《于有非有，于無非無——魏晉思想文化綜論》（臺北：新文豐出版社，2009 年）。

〔註 14〕王博：《莊子哲學》（北京：北京大學出版社，2004 年）。

〔註 15〕王博：《莊子哲學》（北京：北京大學出版社，2004 年），頁 207。

〔註 16〕劉笑敢：《莊子哲學及其演變》（北京：中國人民大學出版社，2010 年）。

才能保證精神不受外物的干擾。於文化美學方面，除徐復觀《中國藝術精神》〔註 17〕、吳功正《六朝美學史》〔註 18〕、林朝成《魏晉玄學的自然觀與自然美學研究》〔註 19〕外，如鍾世倫《魏晉南北朝美育思想研究》〔註 20〕，從美育思想發展史的視域看魏晉人格、氣韻、文藝理論之發展，特別提出「游」作爲旅行之美育意義。首先從「游」與魏晉哲學思潮來談，從地域遷徙到自覺遊歷，進而以忘懷時事、治療憂鬱爲目的，特別是通過遊歷過程，突顯自然風光、地方風俗民情、歷史背景，見出「游」主體的變化。此書爲本論文之重要參考文獻，不僅從旅遊行爲切入，同時嵌合文學和思想，雖只將「游」略分爲玄游、釋游、仙游與文人漫遊四部分，各項細部中的情感異質考察未能詳盡，然其通史式的脈絡考察，使筆者更易於深入研究「游」與哲思、文化、美學之關係。再如鄭笠《莊子美學與中國古代畫論》〔註 21〕，作者透過還原莊子思想，同時對照古代畫論中的境界論、神韻論、透視論、格調論、性情論、墨戲論，探討士人對莊子思想的接受，以及如何形構繪畫理論的美學意義與價值。同時重視文本的歷史語境和發展源流，非牽強的附會，而是透過異同的比較，試圖釐清莊子思想與古代畫論千絲萬縷、錯綜複雜的關係。

於文本分析方面，如傅剛《魏晉南北朝詩歌史論》〔註 22〕一書，指出魏晉時期是中國文學的自覺時期，詩歌發展更是燦然勃發，不僅體現詩人之精神自覺，也表現於格律的把握，意即五言與七言詩的發展。因此，作者以「流動」照查魏晉詩歌發展的動態過程，此特色與本論欲探討游與情感之間的狀態不謀而合。因此，筆者欲借鑑此研究方法，從文學創作和歷史背景雙向切入，管窺士人因「游」而展現之情感變化。又如王國瓔《中國山水詩研究》〔註 23〕，分別從山水詩的發展與特色兩大主軸展開，首先從文學脈絡切入，由《詩經》、《楚辭》及漢賦，以探山水詩的發展淵源，魏晉時期則兼述詩與老莊玄風之關係，以求仙、慕隱、遊覽作爲探討面向。筆者運用此研究基礎，試圖從個人自覺開展魏晉士人對山水的嚮往，其內在緣由、情感的轉化，從游仙

〔註 17〕徐復觀：《中國藝術精神》（臺北：臺灣學生書局，1976 年）。

〔註 18〕吳功正：《六朝美學史》（南京：江蘇美術出版社，1996 年）。

〔註 19〕林朝成：《魏晉玄學的自然觀與自然美學研究》（臺北：花木蘭出版社，2009 年）。

〔註 20〕鍾仕倫：《魏晉南北朝美育思想研究》（北京：中國社會科學出版社，2006 年）。

〔註 21〕鄭笠：《莊子美學與中國古代畫論》（北京：商務印書館，2012 年）。

〔註 22〕傅剛：《魏晉南北朝詩歌史論》（長春：吉林教育出版社，1995 年）。

〔註 23〕王國瓔：《中國山水詩研究》（臺北：聯經出版事業公司，1986 年）。

詩、玄言詩到山水詩，以見山水如何逐漸脫去道德的比附、玄義的載體，逐漸成爲獨立之審美對象。

奠基於上列研究成果之概述，本論參酌相關文獻，欲作全面性的梳理與掘發。然本論以「游」之精神作爲研究脈絡，使山水紀游詩文或難全盤據引，率是有疏漏之處。但期能使讀者清楚見出魏晉「游」精神之意蘊及演變歷程，以呈現完整的「游」之面貌，從而折射魏晉士人之雅操。

第三節　研究思路與結構之綜述

由於魏晉士人因應不同時期之境況，心態及表達企圖的方式各異，故形構成各式「游」的型態，或悲游放哭、或醉游慢形、或奢游誇富、或雅游嬉戲、或臥游暢神；或泛海興壯情、或覽物致玄情、或採藥擬仙情。士人各行其是，各從其好，鮮明的個人色彩，乃是在亂世中求異，在變態與常態中尋求一種自我態度。是故社會上充滿各種「活生生、血肉豐滿的個體的人」〔註24〕，張揚的表現時代之喜、怒、哀、樂、怨、嗔、癡，展現自由本質之風神、氣度。整體揆之，皆不約而同採取一種「偏離常軌」〔註25〕的手段——「游」；透過有限度地擺脫習以爲常的生活形式，使耳目獲得與日常截然不同的刺激享受，從感官經驗提升到心靈探索，藉而暢化情感。故此，筆者以「游」觀照魏晉士人對自由的追求，與情感的轉化，綜合相關文獻，透過史學、哲學、文學、美學、宗教學、民俗學等多元視域，參酌相關專著及論文，以剔抉「游」於魏晉士人中的情意顯現。

本文第二章乃著重於魏晉「游」之精神內涵解讀，主要分爲承襲與轉化兩大部分。首先從詞源學脈絡切入，以「游」字之起源考察作爲前引，釐清「游」所描摹的狀態爲何？而儒家對「游」的表述又是爲何？而「游」可謂

〔註24〕成復旺指出：「魏晉以後，我們看到許多人都各有自己的秉性、愛好，都在過自己的與眾不同的日常生活，以至於我們可能不大知道他們的社會角色和社會活動，卻清楚他們的儀容風度，個性特徵。就是說，在這個時期我們才看到了許許多多活生生的、血肉豐滿的個體的人。」見氏作《中國古代的人學與美學》，(北京：中國人民大學出版社，1992年)，頁184～185。

〔註25〕John Urry 指出：「觀光行爲涉及到偏離常軌（departure）這觀念：一種有限度地擺脫那些日常生活習以爲常的慣例與行事風格，好讓我們的感官投入一連串與生活上的『平凡無奇』形成強烈對比的刺激。」見 John Urry 著；葉浩譯：《觀光客的凝視》(臺北：書林出版有限公司，2007年)，頁21。

是莊學之核心，莊子又是如何闡釋「游」之精神？其境界殊別與工夫進程又是爲何？而魏晉士人受莊周之影響，以「游」作爲一種自由精神的象徵，如何開出其時代新意？從嵇康阮籍「自然」之論、郭象「適性逍遙」之論、支遁「至性逍遙」之論，到陶潛「稱心足意」之論，除共同指出「游」的自由性、超越性外，較之莊學，乃更標舉「游」之在世性。因此，本章藉由分述莊子「游」精神與魏晉「游」精神，比較二者之異同，透過意境層次之殊別，以見其承襲與轉化處。

作爲「內化」莊學「游」精神的時代，魏晉士人將原本屬於理想境界之「游」，加入「在世性」，結合玄思，行之於生活。因此，本論第三章乃以魏晉士人具體之游行作爲考察對象，首先乃透過關鍵字——「游」之搜索，從史料原典與詩文選集中，全面羅列相關資料。史料方面，以《三國志》、《晉書》、《世說新語》爲主要參考文本，輔以《全三國文》、《全晉文》、《先秦漢魏晉六朝詩》、《文心雕龍》、《昭明文選》、《嵇康集》、《阮籍集》及魏晉諸子，尤其對郭象《莊子注》、張湛《列子注》等文獻，參稽互証，綜合歸納，發現游於自然山林與游於人工亭園之間，除了空間結構上的不同，亦存在著政治性的因素。二者雖皆爲名士間的交往雅集，但前者著重個人與他物間的感興暢懷，所游的對象乃是自然、酒鄉；後者雖亦是散懷遣憂之游，但名士間卻有強烈的政治權力連結，藉由交游以聯繫、鞏固士族間關係。而對於釋徒或道者而言，自然乃是淨土、仙鄉，其人見山非山、見物非物，乃是佛理、乃是仙蹤。故筆者根據所游的對象、目的、方式之各異，分作「因物化情——自然酒鄉游」、「我輩恣情——競才誇誕游」、「會意忘情——方外浮游」和「觀畫暢情——澄懷臥游」四個面向。再於各細目中，擴大研究範圍，以其游之情意態度作爲別類之依據，分爲山林嬉游、河海傲游、七賢醉游、名士宴游、八達冶遊、僧團行游、仙眞隱遊。蓋人囿於生存環境，往往以各種理由掩飾自己眞正的追求與渴望，所以其「迹」大多是經過潤飾或故意爲之。然而，有時內在的本質眞我總是會不經意地流露，遂有「窮途而哭」之行。本論據引遊覽、山水、玄言等詩文，將其行爲與創作文本、歷史評述進行交叉考證，從中釐清「游」之行爲所反映的個人心理，進而耙梳「游」與名士、高士、僧徒之間的關係。貞定「游」與士人情感的互動關係，以釐清何爲表象？何爲本質？在「迹」與「所以迹」中，剝開層層僞裝，探究表象背後的眞實意蘊。

第四章乃與玄理玄風扣合，將「游」納入整個文化困境的生活焦慮來談，論述士人如何藉「游」在變亂中，具體實踐其安身立命的可能，而「游」又是如何影響社會價値觀與文化流行。又魏晉士人同藉反俗之游行，作爲遣情的手段，是否有同類之集體心態，在有意無意之間，透過「游」表現集體心理？其行爲背後，是否已預設特定立場或目的？而訴求性爲何？士人又是如何以安全而異於世道的「游」，在逆俗與道德平衡間，張揚並傳達自己的固持？其人挾帶從自然中重新注入的力量，如何以「清心」對待「俗世」？即「游」後的回歸性批判爲何？另外，「游」既然有正面的表述企圖，必有負面性的展演。於是筆者透過魏晉士人狎褻浪游，窺見其時之放縱論乃是基於偶像崇拜而進行複製再現，於是空有逆行而無思想底蘊，蓋是「彼無玄心，徒利其縱恣」爾。而此現象又對社會造成何種影響？時人對此是否有所評議與檢討行爲，此均爲本章所欲探討的重點。因此本章乃透過「游」與政治、處世和藝術三個面向，開展「游」與魏晉政治、文化合同離異之關係。

綜上所述，本論期能開出魏晉「游」精神的完整性與豐富性，並就「游」以觀士人之情意展現，以折射魏晉之文化精神。

第二章　魏晉「游」之精神內涵解讀

秦漢四百年間所建立的社會秩序，於漢末魏晉間宣告崩壞，社會紊亂動盪，戰爭頻仍，士人苦悶的靈魂極欲從現實社會中尋找超脫的出口，使老莊優游自然，「法天貴眞」的思想重新崛起，並迅速獲得落實。加之政治詭譎變化，濟世無望，士人轉以清談爲樂，放達爲尚，以遊山玩水、回歸自然的方式體現老莊的人生理想，故開出談玄論道——縱游山水——舞文弄墨三位一體的精神生活模式〔註1〕。蓋魏晉南北朝可謂是「游」意識充分覺醒的時期〔註2〕。而吾人欲探究魏晉時期「游」之精神，則必不能不溯其原意。按《說文解字》釋「游」爲「旌旗之流也。」段玉裁注曰：「旗之游如水之流，故得偁流也。」〔註3〕是以旗幟隨風飄揚、無所拘執之貌，如若水之潺流。又游从汓聲，汓乃浮行水上之意，指與水上活動相關的行爲，即列子謂「習於水，勇於泅」。故段注又言「游」亦可引申爲出游、嬉游，俗作遊，正如《廣雅・釋詁》之謂「游，戲也」。然而，魏晉之「游」，並非單純指向「行旅」之活動，乃更強調其精神的主動性、能動性、自由性與超越性，故欲溯其精神原貌，則必求之於先秦儒、道思想中，對「游」所指涉的深刻意涵。

孔子談「游」甚少，對「游」最明顯的指稱，乃將之附著於六藝活動中，子曰：

〔註1〕薛富興：《山水精神——中國美學史文集》（天津：南開大學出版社，2009年），頁70。

〔註2〕鍾仕倫：《魏晉南北朝美育思想研究》（北京：中國社會科學出版社，2006年），頁230。

〔註3〕〔清〕段玉裁注：《說文解字注》（臺北：藝文印書館，2005年），頁314。

志於道，據於德，依於仁，游於藝。〔註 4〕

孔子以「仁心」為依歸，企圖活潑僵化之周禮，透過內在的道德修養，以完成自我之建構，進而落實於行為。故透過從志道→據德→依仁→游藝的徑路，完成內在人格之養成。由內推外，實踐於對禮樂內容的嫻熟掌握，終能自由地游刃於禮樂制度內，踐仁而不踰矩。禮樂之目的乃在於踐仁，然「人而不仁，如禮何？人而不仁，如樂何？」故孔子屢言「成己」之重要性，「修己以敬，修己以安人，修己以安百姓」〔註 5〕，以修己為起點，以安人為目標，修己即是一種內省、慎獨式的嚴格道德自律〔註 6〕，將人設定為一個「道德存在」；「天生德於予」，誠如《中庸》所謂「天命之謂性」，彼「德」等同於此「性」，努力修養自身本有之道德，依尋道德本性而為之，則為吾人所欲從之「道」〔註 7〕。蓋道德為人所固有，涵養道德之載體，便是「仁心」。人需透過由內而外的修養，承保並持續闡發本性仁心，故孔子言：「克己復禮為仁，一日克己復禮，天下歸仁焉。」〔註 8〕以「仁」作為最高的道德圓成境界。因此，吾人須行之工夫，乃是不斷的涵養化育「仁」，使之顯揚，不可恃其本有而忽略操持，故「仁」實是一個必須不斷活動、流行的「意識」。而如何使此意識活動之範圍，合於限度，又不脫失主體心的自由性，孔子乃以「游於藝」以規範屬性，使心無流蕩。

基於仁心之固持，「游」乃是表現仁性、德性，實踐六藝，成才進德，最終以成全人性的圓滿狀態。「仁者，人也」，人之所以為人的意義之追究，乃在於仁心之內在流露且將付之實現的過程。又「仁」為人所固有，一切活動必定回歸於心之宰制，然此心並非一抽象的道德實體，而是一個具有主動而能動的「活動心」，此種具活動性、自由性的狀態，乃是以「游」作為基礎。

〔註 4〕〔宋〕朱熹：《點校四書章句集注．論語集注．述而》（北京：中華書局，1983年），頁 94。（以下引文同，故不另列出處，僅以頁數別。）

〔註 5〕〔宋〕朱熹：《點校四書章句集注．論語集注．憲問》，頁 159。

〔註 6〕戴明璽：〈先秦儒家內聖外王的悖論與困局〉，《聊城大學學報》（哲學社會科學版），第 3 期，2002 年 6 月，頁 50。

〔註 7〕陳滿銘指出：「孔子說：『天生德於予』可知『德』之天所賦的，雖然對他的內容，孔子沒作解釋，但由《禮記．中庸》『成己，仁也；成物，知（智）也；性之德也，合外內之道也』的近一步說明看來，它該有『仁之德』與『智（知）之德』兩種，這是人無限向上進德修業的原動力。」見氏作〈《論語》「天生德於予」辨析〉，《師大學報》（人文與社會類），47 卷第 2 期，2002 年 10 月，頁 90。

〔註 8〕〔宋〕朱熹：《點校四書章句集注．論語集注．顏淵》，頁 131。

誠如洪瓊所述：

> 「游於藝」即是說，君子在「志道」、「據德」、「依仁」之外，對於與物質技能有關的一切訓練要有熟練的掌握，包含了對於自然和規律性的了解和運用，是產生自由感的基礎，強調的不是莊子的游於無的「逍遙之游」，而是在「藝」中從心所欲不逾矩的「游」。〔註9〕

蓋「游於藝」並非要求士人學習「儒學」，而是「學儒」，非再困執於技能、制度，而是理解其中所指涉的精神意義，並實踐之。即道德因以仁心爲體，而具有無所不在的普遍性，但道德的必然性必須相對應地服從於道德自由。易言之，自由若是一種力量，必有主動與能動性，主動即吾人以仁心爲本，發而有相對應的行爲；能動則指吾人的道德抉擇。而在主動與能動之間的可行之範圍，即在理解與實踐之間的自由選擇，孔子乃藉「游」以繫之。

孔子雖指出「游」的自由性，但仍限於禮樂範疇之內，對於「游自然」之內涵，亦歸於仁義之比附〔註10〕，未見「游」的超越意識。眞正將「游」的層次提升至與天地精神相往來的境界，超越空間與時間限制，當推於莊子。諸如劉須溪之謂「莊子宗旨，專在一游」；鍾泰言「《莊子》之書，一『游』字足以盡之」〔註11〕，咸指出莊子精神乃統於「游」。且觀魏晉士人普遍以「游」彰顯其主體的自覺性與超越性，實是襲自莊子以「游」象徵精神的自由解放。肇因於此，本章首先闡釋莊子「游」之精神內涵，析論「游」的層次境界與實踐過程，繼以推論魏晉「游」精神乃對莊學的承繼與演譯，從嵇康阮籍「自然」之游、郭象「適性逍遙」之游、支遁「至性逍遙」之游，及陶潛「稱心足意」之游等四個面向，以涵攝魏晉「游」精神之脈絡及其演變。

第一節　莊學「游」義之揚舉

良由世道乖舛，價値觀念淆亂顚倒，先秦諸子透過生命意識之重建，期以提供亂世之寄託。如老莊以爲動亂時代之苦痛，除是昏上亂下的政治惡源，

〔註9〕洪瓊：〈中國「游」文化之精神〉，《理論界》，2009年11月，頁158。

〔註10〕〔宋〕朱熹：《點校四書章句集注．論語集注．雍也》：「知者樂水，仁者樂山；知者動，仁者靜；知者樂，仁者壽。」朱子注曰：「知者達於事理而周流無滯，有似於水，故樂水；仁者安於義理而厚重不遷，有似於山，故樂山。動靜以體言，樂壽以效言也。動而不括故樂，靜而有常故壽。」頁90。

〔註11〕鍾泰：《莊子發微》（上海：上海古籍出版社，2002年），頁4。

終歸其實，乃肇因於人類追逐慾望而生的惡果。蓋強烈的執著慾念，使人頻用機心，若卑身而伏，中於機弩，死於網罟的野獸。因現實而生的痛苦，必不能從現世中尋求解脫，又生而爲人，不可自免於人間世。欲追求自由，唯有回歸於「道」，使「道」成爲一種意識形態，進而落實於現實社會，使「至人無己，神人無功，聖人無名」〔註12〕，不致成爲虛構式的廉價妄想〔註13〕，而是眞正能使心排除異化，破除桎梏，達至「精神四達並流，無所不極，上際於天，下蟠於地，化育萬物，不可爲象」〔註14〕的理想人格。於此，莊子乃將超塵絕俗的內在精神，與淡然素樸的外在行爲結合，建立一種隨時隨事地俯仰，且精神絕對自由解放的「游」之境界〔註15〕，既與現實環境融爲一體，同時精神亦獨立於世俗之上，旨在從心上求，乘物游心。是故莊子之「游」，既非難以追尋的純然形上思維，亦非僅止於身體的游歷，乃立基現實生活，藉由形體之身游，使意識的自我從苦悶的現世逸出、離位，轉換固有的認知方式，以「心」的視角，重新理解生命與世界。誠如徐復觀所言：

> 莊子雖有取於「遊」，所指的並非是具體的遊戲，而是有取於具體遊戲中所呈現出的自由活動，因而把它昇華上去，以作爲精神狀態得到自由解放的象徵。〔註16〕

「游」並非離世的工具，而是一種生命的安養之道，是對現實不完滿的補償，更是將「道」落實於生命的一種途徑，提供生命更臻自由的新契機。再者，如何使意識平齊物我差別，精神能與自然冥合同游，則必須藉由精神性的修養鍛鍊，關鍵遂在「轉化」。因此，「游」又可謂是一種流動的意識狀態，其意識的深淺，便取決於個人對現實制約的齊平工夫，遂有「游」之境界及層次之殊別。

〔註12〕〔清〕郭慶藩撰；王孝漁點校：《莊子集釋・逍遙遊》（北京：中華書局，1995年），頁17。（以下引文同，故不另列出處，僅以頁數別。）

〔註13〕崔大華指出：「莊子認爲人的現實存在制約著人的自由，其理想人格就是企圖克服、擺脫人在現實中受到的必然性的一種努力，這種理想人格的精神境界既有眞實的因素，也有理想的和幻想的成分。」見氏作《莊學研究》（北京：人民出版社，1992年），頁156。

〔註14〕〔清〕郭慶藩撰；王孝漁點校：《莊子集釋・刻意》，頁544。

〔註15〕涂光社指出：「莊子常以『遊』喻指一種無拘束、無負擔、無干擾的精神生活和思維運作，是思維中時空的自由延展，物我的自由往復，意象的自由組合、併接，從而自如地實現對已有範圍、觀念、關係、秩序和規則的超越。」見氏作：《莊子範疇心解》（北京：中國社會科學出版社，2003年），頁33。

〔註16〕徐復觀：《中國藝術精神》（臺北：臺灣學生書局，1976年），頁64。

壹、何謂游：「游」的境界層遞

戰國時期，殺人盈野，爭地以戰。動亂催化人口流動，加以懷鄉懷居觀念普遍薄弱，人肆其游，不恒居所，「游」遂成爲當世普遍的活動方式〔註 17〕。然而，此種地域間的游鄉行爲，僅只是遷徙式的「游」，屬於形體之游歷。當長期面對茫茫亂象，謬悠之說、荒唐之言盡瀰社會，人們需要一種「解放性的改變」，使精神獲暫時性的超越解脫，得保眞性。於是，飄渺若神人之自由奔放的姿態，成爲普遍的孺慕對象，期欲如神般暢遊，誠若日人白川靜所言：

> 游，乃謂神之應有狀態之語。畢竟能夠暢遊者，本就唯有神而已。神雖不顯其姿，然能隨處地、自由地冶遊。〔註 18〕

莊子之游亦以神人逍遙於廣漠之野的境界爲標，目的乃在「游心」，弭除物我差別，強調心靈自由的狀態。沒有目的之限，甚至欲超越地域之別，故言「以出六極之外，游無何有之鄉」〔註 19〕。藉「游」提供生命一種理性的防禦機制，透過心靈的修養，脫略社會屬性之箝制以游世。蓋莊子之「游」既非傷遊子、悲漂泊的慨歎，亦非純粹的尋幽訪勝，乃是一種「道」的狀態，昇華入冥，遐涉八荒，同時彌補現實之殘陋，而游心騁懷於悅佚。

一、乘物順化

逍遙之「游」何也？是若鯤魚潛游北冥？抑或如鵬鳥翔往南冥？〈逍遙遊〉開篇即揭示：

> 北冥有魚，其名爲鯤。鯤之大，不知其幾千里也。化而爲鳥，其名爲鵬，鵬之背，不知其幾千里也；怒而飛，其翼若垂天之雲。是鳥也，海運則將徙於南冥。南冥者，天池也。〔註 20〕

首先莊子強調鯤之大，超越現實想像。但並非純是空間內的誇大式幻想，或唯直指形體之巨，此「大」乃是爲破除界限、地位之「化」而做準備，一如

〔註 17〕孔子曰：「士而懷居，不足以爲士矣」、「君子懷德、小人懷土」，龔鵬程認爲孔子之意乃指士人若以君子自期，便不可懷居懷土。雖則孔子亦言「父母在，不遠遊，遊必有方」，但對「游」之基本態度仍是肯定的，孔子本人更曾周遊天下，其所帶領的弟子本身即爲一游士集團。詳文見氏作《游的精神文化史論》（石家莊：河北教育出版社，2001 年），頁 240。

〔註 18〕〔日〕白川靜著；加地伸行、范月嬌合譯：《中國古代文化》（臺北：文津出版社，1983 年），頁 162。

〔註 19〕〔清〕郭慶藩撰；王孝漁點校：《莊子集釋・應帝王》，頁 293。

〔註 20〕〔清〕郭慶藩撰；王孝漁點校：《莊子集釋・逍遙遊》，頁 1。

淺水無法負載大船，微風無法承荷巨翼，必須透過長時間的積累、力量的內蘊，以成其大。蓋鯤之大，端賴北海之育；鵬之遠舉，仰憑大風培負鼓送，將其借助之「所待」融入生命之內，不因自身的有限性（社會屬性、自我情欲、死生禍福）而受制糾纏，乃積澱轉化的力量，倚伏相繫，進以怒發生命超越之機，以游自由之極，故謂「大而化之」〔註 21〕。成就生命的開放性，不拘於形相之固定，藉由不斷的超升，自現生命最大之自由——逍遙游。然而，適近者不能知遠，暮死之蟲何能知年歲之始終，蜩與學鳩又豈知鵬九萬里南徙之舉？故言：

> 蜩與學鳩笑之曰：我決起而飛，搶榆枋，時則不至而控於地而已矣，奚以之九萬里而南爲？〔註 22〕

因其所適不同，其聚也不同，對於蜩鳩而言，「騰躍」於蓬蒿之間，即是最大限度的「翱翔」，依其量而度大鵬，九萬里之飛實是「無用」之舉。此實爲物物間必然之差別，因其本無所知，亦無遠舉之志，遂而譏笑高飛之志，正如朝菌不知晦朔，蟪蛄不知春秋，此正是大知與小知之別。然而，莊子於此以學鳩和大鵬對舉，非衹呈現存在型態的小大差異，乃進而引出二者因外在殊別而產生的理解困難，而此又是如何影響其看待與把握生命之問題，即喻指其心境之不動與能動性，亦是生命之有限與無限性。囿於小知者，自鳴得意於名利世界中，他們「安住在常識層面的價值與規範之世界，將這一角世界當作世界之全，而埋沒其中。」〔註 23〕誠如學鳩因有限而有待，而使生命「自困」於現象之中，牠們並非全然脫離或與逍遙之游隔絕，而是因爲各自的差異性，制約其對逍遙之境的理解與設定。

蓋因小知、大知有別，故「游」的境界亦有所不同，遂有莊子所謂「游」的四種境界，〈逍遙遊〉云：

> 夫知效一官，行比一鄉，德合一君而徵一國者，其自視也亦若此矣。而宋榮子猶然笑之。且舉世而譽之而不加勸，舉世而非之而不加沮，定乎內外之分，辯乎榮辱之境，斯已矣。彼其於世未數數然也。雖

〔註 21〕王博指出：「高舉或者上升是鯤所不能實現的，因此它需要化爲異類。但惟有大，才可以化，所謂的『大而化之』，在這裡適可以獲得一種正解。反過來說，小是不能化的。小的東西只能固守自己的界限，生活在自己的世界裡面。」見氏作《莊子哲學》（北京：北京大學出版社，2004 年），頁 114。

〔註 22〕〔清〕郭慶藩撰；王孝漁點校：《莊子集釋．逍遙遊》，頁 8。

〔註 23〕〔日〕福永光司著；陳冠學譯：《莊子》（臺北：三民書局，1968 年），頁 83。

然，猶有未樹也。夫列子御風而行，泠然善也，旬有五日而後反。彼於致福者，未數數然也。此雖免乎行，猶有所待者也。〔註24〕

莊子以「一曲之士」喻指自鳴得意於一官、一鄉、一君、一國者，屬於禮樂型態的「我」，滯於爵祿而爲名所役使，其功譽皆賴外在社會評價（倫理、政治導向）。一切成就取決於他人，匍匐於議論觀感之下；一言一行均小心翼翼，自縛於規範框架。此類人樂壽而哀夭，榮通而醜窮，流轉於人與人之間的比勘，在習性與惰性間擺盪，庸碌汲營而不知小我以外的大世界，不明道之無窮。正如蜩與學鳩，以小自矜，此爲最低限度之「游」，游於物限之牢而沾沾自喜。而宋榮子之「游」境乃更進一層，雖不在意於外在評譽，切斷他者對個體的限制掌控，但仍執泥於「界限」之分：能認定內外、榮辱之分際，卻無法消融認知對立而溺於偏滯，直以內在自我爲依歸，而排斥外在輿論評介。雖是「自足」於內，不運智役心、推求虛名，卻拘執於內我而肅拒於外物，榮己而辱人，其視域內本身即蘊含著強烈的界限之別〔註25〕。雖能忘有，卻未能遣無，故莊子言其「猶有未樹」是也。第三種境界之「游」乃若列子御風而行，虛懷任運，淨除智慮，跳脫役情取捨之困，不滯於內外分際，輕巧悠游如奮起之大鵬，瀟灑自在若仙人之姿。御風之關鍵，乃在明道，而其要首在忘心，即不運役機心，此非輕易可致者，惜列子雖能飄渺輕舉，卻非風不得行，猶是有待之屬。

自一曲之士，以至宋榮子、列御寇，是知之有別，游之境界亦趨不同，然均未能洞忘，故咸歸有待。是以物物之間自有其應實現之生命情境與理境，但若因其「有待」而落入生命層級之劃定，便只能停留在相對意義的辯證，無法消弭知、欲的構限與造作，在有限之內做無限纏鬥，物物不得自然，終未能游於無端。莊子藉鯤化爲鵬以寓逍遙之游，乃是直指境界之可變性，即能「化」之要。是故鯤的長期積累並非只爲成就形體之大，而是爲「化」做準備，蘊而不化，不能成其大用。又其「化」之始因，取決於物之「自知」，

〔註24〕〔清〕郭慶藩撰；王孝漁點校：《莊子集釋・逍遙遊》，頁16。

〔註25〕楊國榮指出：「『內外之分』意味著以自我的價值取向爲『內』，以外在的評價、輿論爲『外』，亦即其行爲僅僅出於自己的內在的意願，而不受制於外在的評價。執著於內、拒斥外在的影響，固然有別於依存於外，但內外之分、榮辱之別本身蘊含著界限，在執著於界限的前提下，顯然很難眞正達到逍遙自在的存在狀態。」見氏作《莊子的思想世界》（上海：華東師範大學出版社，2009年），頁247。

即了解個人小生命之於他者間的相對性；此種對比性之差別並非源於他物，而是來源於自我設限。故巨若千里之鯤，顯然不滿於沉潛水中的濁重，以及從下望天的囿限視角，乃更「化」而爲鳥，以大鵬之姿翱翔空中之輕快奔放。從「知」而「不滿」進而欲「化」，是鵬摶扶搖直上的關鍵，更是一種消解滯礙、使生命超升而進入互動系統的轉捩點。誠如葉海煙所言：

> 他（莊子）讓各種生命處在一互動系統中，交互出現，彼此影響，形成一「無秩序的秩序」。同時他意圖破解個生命體間的界限，將各種生命形相、各種生命境遇及各種生命存活的本事，繁衍成一有機的系統，此一有機的系統由生命的變化而來，並以道爲根本之法則。……故莊子並非以片面的認知，或專斷的意志，試圖取消或消滅生命的相對性及有限性。而是予以包容，讓他們自由出入於無窮的生命系統之中。〔註26〕

此「有機系統」並非意味形相的改變即「游」的必要條件，而是更意重於「心」之能動、能變。莊子透過物物之形變，跳脫主客對立的價値判斷，使心不再受形體限制之糾纏，視角進而發生轉變。此種變化，不僅只是形體的改變，更是一種心態流動。蓋「乘物」乃順物、隨物，安之、任之，入其脈絡，處於「順」而不相牴觸，使好惡不傷其身，因任自然，入而不入，形就心和，誠如老子所謂「和光同塵」，懷抱調和之心，挫銳解紛，與世共處而不受拘牽。進以達到「乘天地之正，御六氣之辯，以游無窮」的「游」之終極境界。

二、游心無極

如何才能點化對立、消解桎梏，游於道之常？莊子言：

> 若夫乘天地之正，而與六氣之辯，以游無窮者，彼且惡乎待哉！故曰，至人無己，神人無功，聖人無名。〔註27〕

「正」乃指自然之性，「辯」意即「變」，指順應天地萬物之自然本性，把握六氣的變化，以游無窮之境域，即爲無待之游。前三類之「游」境，之所以無法化解「生有涯」，即是因無法消除自我設限（知的干預及形體的限制），一切以主觀意識出發，依循內我爲準以行之，遂生發是非、喜惡種種二元對立的情感。因此，莊子藉至人、神人、聖人三種理想人格境界，明指人應排除其所待——欲求（名）、名利（功）與我執（己）。此三者雖呈顯之迹各有

〔註26〕葉海煙：《莊子的生命哲學》（臺北：東大圖書公司，1990年），頁189。
〔註27〕〔清〕郭慶藩撰；王孝漁點校：《莊子集釋・逍遙遊》，頁17。

不同，均指向莊子至極之「游」——「無待」之游。

所謂「無功」、「無名」，乃針對人文及功利試煉而言，即若一曲之士，從其所知、所欲，只能在有限之中盡其本分。正因其無法平衡生命、物質與慾望的拉扯，使人「一受其成形，不亡以待盡，與物相刃相靡，其行盡如馳，而莫之能止」〔註 28〕，形、性生而相依相待，生命之存在賴於形體之存在，形體之存在則依賴於外物之給養〔註 29〕，人為養形而汲營於物境之馳逐，庸碌而不知其本，精神無以涵養，只能隨著身體耗損，最終梏失。再者，認知的障蔽，使人易被巧言令色掩蓋了事實，衍生自傲與我慢。物我、主客對立，乃在於心與形的呼應之下，釀致認知的謬誤，而其中最嚴重的問題，莫過於人人師心自用而不自覺〔註 30〕。因個人以主觀意識之構作，預設單一價值立場而衍生社會輿論亂象，往往陷入外在牽引中受累自苦。故莊子反對人為的經式儀度，而言「剖斗析衡」，藉由「藐姑射山之神人」建立一有別於世俗之人所生活的經驗世界，並透過「神人」闡明一種絕對自由的狀態，其言：

> 藐姑射之山，有神人居焉。肌膚若冰雪，綽約若處子，不食五穀，吸風飲露，乘雲氣，御飛龍，而游乎四海之外；其神凝，使物不疵癘而年穀熟。〔註 31〕

這是一種生命不假外物的絕對獨立，神人稟自然之妙氣，挺淳粹之精靈，為無為，事無事，不以人為而泯滅自然，無執無用，人物、物物之間相通氣但不相干預，四時不能變，塵事不足役。其順物之資待，廣被萬物而無分別，正如「魚相造乎水，人相忘乎道術」〔註 32〕，在水中悠遊的魚，並無對象之分，無依無待，自適於己而足性閑然；離開水中的魚，因囿死亡之懼，遂與

〔註 28〕魏航認為：「游心其實也就是游社會、游人間，它可以歸為功利境界。在功利境界，人的自我意識覺醒，主體意識突出，同時有知有欲、做事目的明確，希望有所作為。但是，莊子於此是持反面看法，認為社會的種種醜惡衰敗就是人為的結果。」見氏作〈莊子之「游」的方式與境界〉，《現代哲學》第 3 期，2009 年 5 月，頁 127。

〔註 29〕韓林合認為：「所謂『養形必先之以物』、『有生必先無離形』。但是，如果馳逐物境，厚養其形，那麼其形必速亡；即使其形暫時能夠存在下去，其生命實際上也已經不復存在了。因此，許多養形之舉不足以存生。既然如此，為了厚養其形而做的那些世事完全不值得去做。」見氏作《虛己以游世——《莊子》哲學研究》（北京：北京大學出版社，2006 年），頁 234。

〔註 30〕葉海煙：《老莊哲學新論》（臺北：文津出版社，1997 年），頁 129。

〔註 31〕〔清〕郭慶藩撰；王孝漁點校：《莊子集釋．逍遙遊》，頁 28。

〔註 32〕〔清〕郭慶藩撰；王孝漁點校：《莊子集釋．大宗師》，頁 272。

他者相濡以沫，因有所執而有所作爲，豈可與水中各自相分的自由相比？然此並非代表吾人必須與現實世界完全割裂，或必乃「就藪澤，處閒曠，釣魚閑處」。實則，自由乃在於「心」的無挂安適，只要掌握道樞，便是「無江海而閑」，無不忘也，無不有也。恰如魚、水之相合相契，不求而得，不爲而成，自由往來於舊世界中，不被環境拘束〔註 33〕，同於聖人「自埋於民，自藏於畔」的處世態度。莊子又言：

聖人不從事於務，不就利，不違害，不喜求，不緣道，無謂有謂，有謂無謂，而游乎塵垢之外。〔註 34〕

自自然然地存在於世界人群之中，非是刻意拒絕或有意追求，反是一種「無意」的狀態。因其本無意，得失分際均爲無意之屬，故能處物而不傷物，能游於世而不僻，順人而不失己。但凡心中雜染一物一思，便因此受限而生苦惱，即便是有欲「游」之念，亦受此想此念之羈絆，而不得游之逍遙眞義〔註 35〕。蓋「游」乃是一種無心之游，即是忘游，即是逍遙游。

無論是去功、化名，蓋人之無法自由其精神，以臻逍遙遊，關鍵乃在於自我（己）之理解問題。是故欲與物冥合無逆，必先「無己」，無有我執，方能與物宛轉、隨物而化，即謂「彼且爲嬰兒，亦與之爲嬰兒；彼且爲無町畦，亦與之爲無町畦；彼且爲無崖，亦與之爲無崖。達之，入於無疵。」（〈人間世〉）〔註 36〕；欲達「無己」，則必須捨棄外在形體，使精神從形骸中脫出，擺脫有用無用的相對性對立，不再受其支配，所有活動便都是順自然之性而不受干擾。因此，莊子提出「至人無己」，總結「游」的最終境界，其言：

至人神矣，大澤焚而不能熱，河漢沍而不能寒，疾雷破山風振海而不能驚。若然者，乘雲氣，騎日月，而游乎四海之外，死生無變於

〔註 33〕吳光明指出：「成爲眞己卻不外乎游歷於舊世界之中，而致超其世界，不被環境拘束，在其中自由來往。」見氏作《莊子》（臺北：東大圖書公司，1988 年），頁 156。

〔註 34〕〔清〕郭慶藩撰；王孝漁點校：《莊子集釋・齊物論》，頁 97。

〔註 35〕吳言箴指出：「人心中著了一物便不逍遙，不逍遙非必限定是憂患苦惱，只如有了愛緣，帶了喜相，萌了意見，清境中生出障礙，此心便不得遊行，便不逍遙自在，要逍遙需是胸中不掛一件堯舜事業，孔孟談論也都不留，就是要逍遙的念頭也沒有，就是沒有逍遙的念頭也沒有，方是逍遙游。」見潘基慶：《南華經集注》，《無求備齋莊子集成初編》（臺北：藝文印書館，1972 年），頁 59。

〔註 36〕〔清〕郭慶藩撰；王孝漁點校：《莊子集釋・人間世》，頁 165。

己，而況利害之端乎！〔註37〕（〈齊物論〉）

至人之用心若鏡，不將不迎，應而不藏，故能勝物而不傷。〔註38〕（〈應帝王〉）

得至美而游乎至樂，謂之至人。〔註39〕（〈田子方〉）

捨棄形骸並非等同於對身體的肆意妄爲，或完全的超離萬物、隔絕現世，而是強調一無所執的「心」，使心能朗照萬物，卻不沾染世塵而落入囹圄，一切生死利害均無可擾動。誠是如南郭子綦謂之「吾喪我」，〈齊物論〉云：

南郭子綦隱機而坐，仰天而噓，嗒焉似喪其耦。顏成子游立侍乎前，曰：「何居乎？形固可使如槁木，而心固可使如死灰乎？今隱機者非昔之隱機者也？」子綦曰：「偃，不亦善乎，而問之也。今者吾喪我，汝知之乎？汝聞人籟，未聞地籟，汝聞地籟，而未聞天籟夫！」〔註40〕

莊子以「吾」、「我」對舉，前者即體道之我，後者乃世俗應接之我，即偏執之我。體道我擺脫偏執我，使生命主體從知之限定中解脫。肇因吾人服從於文明之普遍德性，以仁義易性，使合乎天性之「吾」產生異化，成爲受禮儀馴化的社會「我」，認爲一切際遇操之在己，而不明「其來不可圉，其去不可止」的道理，誠是「喪己於物，失性於俗」〔註41〕，本如明鏡朗照萬物的虛靜心，生出成心，產生我見，進而滋衍眾多衝突、對立於世界，世界被無數個「我」割裂，紛爭便不斷地生發持現。

莊子言「喪我」，實即「忘我」，並非否定作爲個體之「人」，而是欲摒棄偏執的我，去除知的造作、欲的佔有、利的渴求，要超越一切理智、認識，「端正而不知以爲義，相愛而不知以爲仁」〔註42〕，使人各得其所，得到合理的安排。莊子標舉「忘」的重要性，乃因世人之內外、物我、彼此等種種對立，皆源於我見〔註43〕，視同乎己者爲是，異乎己者爲非，絕斥他者而顯諸多隔

〔註37〕〔清〕郭慶藩撰；王孝漁點校：《莊子集釋・齊物論》，頁96。
〔註38〕〔清〕郭慶藩撰；王孝漁點校：《莊子集釋・應帝王》，頁307。
〔註39〕〔清〕郭慶藩撰；王孝漁點校：《莊子集釋・田子方》，頁714。
〔註40〕〔清〕郭慶藩撰；王孝漁點校：《莊子集釋・齊物論》，頁43。
〔註41〕〔清〕郭慶藩撰；王孝漁點校：《莊子集釋・繕性》，頁558。
〔註42〕〔清〕郭慶藩撰；王孝漁點校：《莊子集釋・天地》，頁445。
〔註43〕〔清〕郭慶藩撰；王孝漁點校：《莊子集釋・齊物論》云：「未成乎心而有是非，是今日適越而昔至也。是以無有爲有，以無有爲有，雖有神禹，且不能知，吾獨且奈何哉？」頁56。

閡，此均爲人心造作而化生之異別。故欲淬礪吾性吾心，關鍵即在「忘」——使身如槁木，心如死灰。前者乃捨棄形體的罣礙，後者則是停止一切心的活動，心的運作既不再，外物便無可妨礙、沾染純元之心。是如徐克謙所言：

> 所謂「游」，就是要讓精神不受仁義是非的道德束縛，擺脱世俗功利目的之限制，超出社會制度的控制，突破人們的也包括自己的常識與習慣思維方式的侷限。〔註44〕

當使心實在如不在，不即不離，卻又若即若離。由於人生而於世網之中，無可避免或逃避，故謂「若即」；然而世間有太多苦痛而自於知的構陷，必須超越方能以游，故言「若離」。離用以脫世困，終以反性而達逍遙，似是存在於世界，卻又超越於世界，資是「無爲名尸，無爲謀府，無爲事任，無爲知主。體盡無窮，而游無朕」，達到「萬物一府、死生同求」之逍遙游境。

貳、何以游：「游」的實踐進程

承上述「游」之四境，可知莊子之游乃依「出有」、「入無」、「超有無」、「無待」之次第循序漸進，此爲修養功夫的層進，更是「心」的境界之別。從一曲之士到至人，從「無功」、「無名」到「無己」，莊子在在揭舉心之無法逍遙以致流於困苦，皆歸因於形與知。若人人皆「隨其成心而師之」，執一家之偏見，隨順封執之心爲標準，天下又何人沒有標準？人人各異的標準又何爲天下之準？正因心各自取，有是之者，必有非之者，道由是有眞僞，言論遂有是非，物物而有彼我，此便是「成心」之禍。莊子屢以寓言重申消解成心的重要性，其云：

> 夫愛馬者，以筐盛矢，以蜄盛溺，適有蚊虻僕緣，而拊之不時，則缺銜毀首碎胸。意有所至而愛有所亡，不可不慎邪。〔註45〕

愛馬之至者，用精美別緻的器皿承接其污穢，見有蚊虻叮咬其身，便伸手輕拍驅趕。然而愛惜馬身之善意，卻被馬認爲是攻擊，受驚而咬毀口勒絡轡，踣踏其人。本是美好用心，卻因對象的理解歧異，無端增加苦痛。愛馬者本己是之見，以揣測馬的想法、心意。然而，子非馬，焉知馬之樂？馬非子，豈知子之意？相互猜想對方的行爲意圖，二者心意必相背馳而無法合「一」。

〔註44〕徐克謙：《莊子哲學新探——道．言．自由與美》（北京：中華書局，2005年），頁148。

〔註45〕〔清〕郭慶藩撰；王孝漁點校：《莊子集釋．人間世》，頁168。

於是，莊子拒絕此種無法「同是之愛」〔註46〕，將關注目光回歸於本我，強調個體精神之昇華超越。因此，莊子之游是孤獨的，本自一種超越性的完善人格目的。吾人因「有心」，而端生是非認知，既是無法齊同，唯有超越一途。如何達到「無己」而「游心於無窮」，莊子乃言「心齋」之工夫，其謂：

> 若一志，無聽之以耳而聽之以心，無聽之以心而聽之以氣！耳止於聽，心止於符。氣也者，虛而待物者也。唯道集虛。虛者，心齋也。〔註47〕

心齋乃心的齋戒，即虛心，意同老子之謂「虛靜心」。人與物接乃通過耳目以感知外界，物有物象，物象牽引物慾，而有種種逐欲行為。故言不以感官聽而以心聽，乃是擺脫自物象流轉物慾的競馳，使欲求不致得到知識的推波助瀾，故能從外在的求取之路，轉而回歸於內在自我，此亦即「離形」，將形骸置之於度外，不因將迎毀成而害情損心，誠如王焱所說：「這是一種個體遺忘感官活動之後所步入的通透本真、與道合一的生命境界」〔註48〕，亦如同上節所提南郭子綦之「喪其耦」之狀，使心虛靜彷彿死灰，非是「心死」〔註49〕。

然而，心有知的作用，其思之逐物無邊、無盡，在順心逆思中便有分別、執著等相對性價值，誠如〈繕性〉中所云：

> 古之行身者，不以辯飾知，不以知窮天下，不以知窮德，危然處其所而反其性已，又何為哉！道固不小行，德固不小識。小識傷德，小行傷道。〔註50〕

〔註46〕王博以為：「莊子從本質上是不相信『物之所同是』的存在，他也不相信人和人之間的相知。因此他對由此及彼的愛的拒絕就是合乎邏輯的和不可避免的。對莊子來說，如下的問題一直是揮之不去的：我愛某個人，可是這個人願意接受我的愛嗎？或者他會理解我的愛嗎？像是寓言中的馬，可能不會理解為他驅除蚊蠅之人的愛心和善意。」見氏作《莊子哲學》（北京：北京大學出版社，2004年），頁37。

〔註47〕〔清〕郭慶藩撰；王孝漁點校：《莊子集釋・人間世》，頁147。

〔註48〕王焱：《得道的幸福——莊子審美體驗研究》（廣州：暨南大學出版社，2012年），頁87。

〔註49〕陳少明認為「哀莫大於心死」與「心如死灰」間本質不同。前者乃是描述「生命還存在，而精神已經因長期『與物相刃相靡』而變得麻木，從而失去感受自然之美的活力那種現象。」見氏作《〈齊物論〉及其影響》（北京：北京大學出版社，2004年），頁83。

〔註50〕〔清〕郭慶藩撰；王孝漁點校：《莊子集釋・繕性》，頁556。

存身之道並非以言語智巧行世，而是反璞歸眞，仁義禮智、是非分別不能成其道，反而損其德。莊子並非全面否定知識的作用，乃是厭棄知識活動而產生的僞詐，強調知的目的乃在安頓生命，全其生，全其德，不求其終，不忘其始。去知，使知歸有涯，進而從有用、無用的束縛中脫離，回歸無用之用的自然虛靜，以實現自在自得的大用。故言不以心聽而聽之以氣，氣是大自然間流動之物，「芒芴之間，變而有氣，氣變而有形，形變而有生」，氣無定相、定形，爲萬物之本，變化無止。萬物既本爲一體，死生乃氣之聚散，猶如旦暮之常，是一種大化之流行。因此，吾人欲游世無逆，不當經由感官軀體，或是理智推論，而是秉「氣」純全，不窒無忮，是謂「游天地之一氣」。蓋氣是無心，是常心，使心無一物而能朗見萬物。至人之所以能達到不形而無所化之境，即在於「純氣之守」〔註 51〕。精神凝聚而含藏於自然之中，安處身心，不因外物紛繁而易其心，蓋心齋的大前提乃「一志也」，即用志不分，使精神專一靜篤。外則離析於形，不樂生惡死，翛然來往；內則除去機心，不以人爲私欲破壞大道。既離形去知，便是消解了用與無用之煩困，以無入有，使心知消融於生命之中，心虛靜而觀照萬物，進以實現萬物；又唯道集虛，透過虛的集成修養，方能體道而始游。

復此，莊子又進一步說明透過心齋功夫下，主體心的「坐忘」狀態，〈大宗師〉言：

> 顏回曰：「回益矣。」仲尼曰：「何謂也？」曰：「回忘禮樂矣。」曰：「可矣，猶未也。」他日，復見，曰：「回益矣。」曰：「何謂也？」曰：「回忘仁義矣。」曰：「可矣，猶未也。」他日，復見，曰：「回益矣。」曰：「何謂也？」曰：「回坐忘矣。」仲尼蹴然曰：「何謂坐忘？」顏回曰：「墮肢體，黜聰明，離形去知，同於大通，此謂坐忘。」〔註 52〕

忘記小行小識，成全自我之天性，只是不損傷道耳。如何達到坐忘之境，乃必戒除慾望執著，放下心念心意，去掉形神之累，使如木雞般精神凝寂〔註

〔註 51〕〔清〕郭慶藩撰；王孝漁點校：《莊子集釋・達生》：「則物之造乎不形而止乎無所化，夫得是而窮之者，物焉得而止焉！彼將處乎不淫之度，而藏乎無端之紀，游乎萬物之所終始，壹其性，養其氣，合其德，以通乎物之所造。」，頁 634。

〔註 52〕〔清〕郭慶藩撰；王孝漁點校：《莊子集釋・大宗師》，頁 284。

〔註 53〕〔清〕郭慶藩撰；王孝漁點校：《莊子集釋・達生》：「雞雖有鳴者，已無變矣，

53〕，不爲外物所動。莊子所謂「忘」，實是順和，誠若庖丁解牛，「官知止而神欲行」，將精神投入對象（牛／自然）之中，並非手持刀解牛，而是以神爲刀，順勢遊刃於對象脈絡之中，故能無所滯礙。空虛其心，脫卻主體性之成心，遂能虛心，主體精神不再受限，是能謂之超越，臻達逍遙。

蓋莊子乃是由「忘」至「游」，從外天下、外物，進而忘我，即心齋→坐忘→游心的體道逍遙之路。既已忘內外、分際、差別，故游於何處，實是一種無意識的來去，無特指地域，而是強調精神的絕對自由。因此於《莊子》中，常可見至人逍遙往來於世間、物外：或「含哺而熙，鼓腹而游」（〈馬蹄〉）、「體性抱神，以游世俗之間」（〈天地〉）、「虛己以游世」（〈山木〉）、「游於世而不僻」〈外物〉；或「游乎塵垢之外」（〈齊物論〉）、「游於無端」（〈在宥〉）、「游乎六合之外」（〈徐無鬼〉）。無論游於何處，乃共同結穴於「心之逍遙」，故言「乘物以游心」（〈人間世〉）、「游心乎德之和」（〈德充符〉）、「游心於淡，合氣於漠，順物自然而無容私焉」（〈應帝王〉）、「游心於無窮」〈則陽〉。以「游」歸結精神之自由屬性，象徵一種絕對自由的生命觀，即是「可以不受物質條件限制而獨立於天地之間自然往來的逍遙游」〔註 54〕，無營慮，無逐欲，因無待而不受其限，是能乘物順化而游心無窮。

第二節　魏晉士人對莊學「游」義之衍繹

政權更迭、頻逢動盪的魏晉之際，先秦以來所建立的儒學綱統已然崩解，信仰的摧毀，精神的頹喪，士人在一次次的政治漩渦中，強烈且深刻地體認到生命的倏忽短暫，生如附贅懸疣，生何嘗歡，死未必苦。漢代以來強調具有賞善罰惡意識之天，於魏晉時期遂轉爲「無意識」之天命觀，所謂生、死、厚、薄均是不可更動之天命，人無法以後天修德而與天爭勝，故言「死生自命也，貧弱自時也」〔註 55〕。雖此，他們並非厭輕生命，而是基於對倫理道德、權威的否定，形成一種對於死亡、福禍，乃至於人生的喟嘆典型，誠如李澤厚於〈魏晉風度〉所言：

望之似木雞矣，其德全矣，異雞無敢應者，反走矣。」頁 655。

〔註 54〕鍾仕倫：《魏晉南北朝美育思想研究》（北京：中國社會科學出版社，2006 年），頁 234。

〔註 55〕楊伯峻：《列子集釋・力命》（北京：中華書局，1979 年），頁 212。（以下引文同，故不另列出處，僅以頁數別。）

> 這個核心便是在懷疑論哲學思潮下對人生的執著。表面上看來似乎是如此頹廢、悲觀、消極的感嘆中，深藏著的恰恰是它的反面，是對人生、生命、命運、生活的強烈的欲求與留戀。〔註 56〕

「當死不懼，在窮不戚」〔註 57〕的天命觀，並未使士人抹去生命之趣味，乃是將生的欲求，展現爲生命自由解放之追求。他們以灑脫不羈的態度應世，以頹狂外放之迹，宣洩且撫慰苦悶的靈魂，瀟灑遨遊於天地，脫開世間枷鎖與煩悶，宅心玄遠，寄情希夷。不僅淡緩士人與政治的聯繫，避禍保身，同時全然揮灑片刻的生命風彩，縱情忘禮，進而對僵化禮教進行突破反動，故而進入一個性極度張揚解放的時代。

魏晉士人藉由「游」以抒憂，從遍覽自然之美中，滌淨俗慮，抒發自己抑鬱的情緒，將在現實中不可迸發之熱情，寄予天地。「游」是一種寄託、逃避、遊戲、能量的蘊積，它可以排憂遣懷、沉澱自我、轉化佛境，使身心跳脫現實的侷限，從山水中解放受束縛的靈魂，滌去心中垢累，以新視角重新省思生命，轉化固有的思維模式，以一種更開闊、更逍遙的心境面對紛擾的塵世，而不受束縛。本節分別以嵇康阮籍「自然」之論、郭象「適性逍遙」之論、支遁「至性逍遙」之論和陶潛「稱心足意」之論爲魏晉「游」精神之立論代表，探討其人以「游」作爲一種自由精神的象徵，以見其如何把握莊周實義並開創當代時義。

壹、嵇康阮籍「自然」之論

曹魏以降，慕尚通脫，竹林名士，任性縱情。七賢以放達之姿，出入六合，透過一種「反」於道德禮教的方式，「超越秩序」的途徑，體現逍遙自適之「游」：或不論外在形貌之毀立，縱酒裸袒，以此散懷、避禍、抗禮，嘲弄名教之虛假；或以恬淡悠遊爲達，從情、欲之正視，使本性復歸素樸純眞，娛心自然，游目騁懷。他們非以全然放肆的途徑顯之，乃更強調心靈的自由，只是身處亂世，爲突破自詡爲「正」之工具化名教，又不致捲入政治鬥爭而身家俱殞，於是時而桀驁、時而貞素的姿態，便成爲名士之處世面貌，因而呈現一種結合反抗精神、憂世情緒以及本人性情三位一體的特殊表現

〔註 56〕陳平原主編，湯一介、胡仲平編：《魏晉玄學研究》（武漢：湖北教育出版社，2008 年），頁 373。

〔註 57〕楊伯峻：《列子集釋・力命》，頁 212。

〔註 58〕——游。

嵇康透過身心的修養，以精神的自由飄逸，情感的中和恬淡，作爲「游」的至高追求。嵇康雖亦飲酒，但見薰然便止，飲之有度，不至困醉忘形，實是認爲酒色淫聲等欲望，均爲損神害性之因〔註 59〕。其與向秀共論養生問題，標舉人、情、欲之關係，承認人生而有情，在情與欲的分判卻各有歧出：向秀認爲欲望乃應情而發，人壓抑慾望便是悖情失性，非本天理，故倡言順欲，以外在規範引導情慾之健康發洩。嵇康則以爲愛憎喜怒之情動，乃精神擾攘的根源，精神日潰，則身體益損。二者關係，猶如君主之於國家，君主昏聵於上位，則國家混亂於下方，是謂精神躁動於形體之中，形體便喪亡於外。精神躁動乃受嗜欲牽引，苦求於名利而患得患失，致使形神憔悴不寧。人之不察，頻以智慧外接於物，觸發嗜欲使之旺盛，終爲生命之害。其〈六言詩〉便直指此陋：

> 位高勢重禍基，美色伐性不疑。厚味臘毒難治，如何貪人不思？〔註 60〕

人之智慧日用，騁智以求欲，不僅使精神疲憊耗竭，引禍傷身。所謂「法令滋章，盜賊多有」，天下日趨浮動不安，故其言「以大和爲至樂，則榮華不足顧也。以恬澹爲至味，則酒色不足欽也。」〔註 61〕嵇康藉由人、情、欲的關係，說明欲至逍遙之境，需通過修身養性，脫卻欲累而後神靜，神靜而後身泰，形神沖和即爲生命之自適自達。故修養之要，乃在恬與和。使智慧處於沖靜，性情滿足於平和，清虛靜泰，少私寡欲，視恬淡和諧爲最高的滋味，外在之酒色名利便不足欽慕。〈養生論〉言：

> 修性以保神，安心以全身，愛憎不棲于情，憂喜不留于意。泊然無感。而體氣和平。……知名位之傷德。故忽而不營。非欲而彊禁也。識厚味之害性。故棄而弗顧。非貪而後抑也。〔註 62〕

〔註 58〕徐斌：〈竹林名士對放達的把握〉，《浙江社會科學》第 5 期，2004 年 9 月，頁 158。

〔註 59〕〔晉〕嵇康撰；戴明揚校注：《嵇康集校注·養生論》云：「世人不察，惟五谷是見，聲色是耽。目惑玄黃，耳務淫哇，滋味煎其府藏，醴醪煮其腸胃，香芳腐其骨髓，喜怒悖其正氣，思慮銷其精神，哀樂殃其平粹。」（北京：人民文學出版社，1962 年），頁 150～151。（以下引文同，故不另列出處，僅以頁數別。）

〔註 60〕〔晉〕嵇康撰；戴明揚校注：《嵇康集校注·六言詩》其六，頁 43。

〔註 61〕〔晉〕嵇康撰；戴明揚校注：《嵇康集校注·答向子期難養生論》頁 190。

〔註 62〕〔晉〕嵇康撰；戴明揚校注：《嵇康集校注·養生論》，頁 156。

有別於向秀「順欲」之說，嵇康認為養生首重「節欲」，但並非強行以規範抑制慾念，而是明白嗜欲猶如樹之蝎蟲，雖與己身同源，然蛀蟲盛則樹木枯，縱嗜欲則人衰亡。故以「節和」的概念，透過內心修養，拋棄世間口腹耳目之欲，鄙棄外求，使情緒趨歸緩和平淡，正視道之主體，不受無常的智慧、情欲支配，以心靈之自適舒暢為務，恬淡意足為本，清靜安泰，無欲無慮，無惑無營，遂是進入自然無為的境界。

世之紜擾，常誘使慾望騷動，於是嵇康將生命的自適逍遙指向「隱」的道路〔註 63〕。他企羨「沈默自守」的隱士孫登，亟欲友仙、友隱，與自然和諧共鳴，游心玄默。然而嵇康卻因清峻的性格，剛腸疾惡，無法捨棄對社會的關懷，以及對矯俗的批判，遇事便發，率性直言。由於其人之情感逾越理智，難以溝通個人修養意志與群體社會責任，其文遂屢現因世道蹇頓而焦慮，足見其在理想與現實之間的徘徊、矛盾，〈卜疑〉曰：

> 寧如伯奮仲堪，二八為偶。排擯共鯀，令失所乎？將如箕山之夫，穎水之父，輕賤唐虞，而笑大禹乎？〔註 64〕

究竟是要仿效賢者，與同具高識的才子相友，顯節大義，斥逐不遵法度之人？或如隱者棲逸自然，高潔心志，輕笑矻矻治世的堯舜、大禹？文中一連串的疑問，在出處去就間不斷反思，誠如屈原於〈卜居〉中對自己的提問，看似徬徨無準，擺盪於松喬為鄰與進身競逐，實則藉占卜者之口，言明自己滌蕩情欲，不愧於心的處世原則。對於政風世俗之悖謬乖異深惡痛絕，理智強烈呼喚嵇康遯離，然其卻仍無法放棄懷抱萬物的情感。似欲求「隱」，實是基於現實的憤鬱、生命的孤獨，藉此象徵與俗世決裂的精神寄託，並非追求化仙。蓋其逍遙並非以隱為前提，而是透過養生論，為個性解放、人性自由的追求，揭示一條平和的道路〔註 65〕——道唯虛澹。他從莊學逍遙游之啓發，以恬淡的修養要求為基礎，另闢一條入世與出世的折衷之法——自然之「游」。透過短暫地超脫秩序的方式，因「游」而「忘」，體現其於修養方面所強調的恬和

〔註 63〕〔晉〕嵇康撰；戴明揚校注：《嵇康集校注・答二郭詩》其二：「昔蒙父兄祚，少得離負荷。因疏遂成懶，寢迹北山阿。但願養性命，終己靡有他。」頁 62～63。

〔註 64〕〔晉〕嵇康撰；戴明揚校注：《嵇康集校注・卜疑》，頁 139。

〔註 65〕徐斌指出：「通過思考養生問題，玄學家很好地反思和整理了自己的人生理想，為個性解放、人性自由的追求提供了更充實的理論依據和導向力量。」見氏作：《魏晉玄學新論》（上海：上海古籍出版社，2000 年），頁 187。

素樸之逍遙境。

首先，他乃標舉一游任自然的「君子」形象，如同〈卜疑〉中的「宏達先生」，披褐懷玉，以虛心無措的人格特質作爲理想寄託。強調濁世仍可浮游，無慮人間是非曲直，以自然浴身，從容閒適，與物無傷，爲「游」提供一個立基於現世的正面導向力量。〈釋私論〉云：

> 夫稱君子者，心無措乎是非，而行不違乎道者也。何以言之？夫氣靜神虛者，心不存於矜尚；體亮心達者，情不繫於所欲。矜尚不存乎心，故能越名教而任自然；情不繫於所欲，故能審貴賤而通物情。物情順通，故大道無違；越名任心，故是非無措也。是故言君子則以無措爲主，以通物爲美；言小人則以匿情爲非，以違道爲闕。〔註66〕

他認爲眞正「氣靜神虛、體亮心達」之君子，乃順應眞情本性而爲之，不陷溺於物欲者。擯棄學問智巧，超越「名」之約束，物情順通，不違逆大道，縱心無羈而游任自然。此任達遨游的君子，雖游心山林，但並非限囿於隱者，乃強調任自然的境界性，同時以越名任心的君子反襯小人之匿情矜吝。此之「君子」，並非只是一種虛幻式的理想人格寄託，他標舉柳下惠、東方朔等安處卑位者，作爲現實中游中求達的典範「達人」〔註67〕。崇慕其人依隱玩世之姿，在俗我之間，順時推移。既於現實中無法如高逸者之遁隱山林，妻梅子鶴，惟浮沉與世，游山澤，觀魚鳥，友任自然，忘卻非得已之苦，於林泉間獲得調和後的欣快，誠如〈酒會詩〉中所言：

> 淡淡流水，淪胥而逝。汎汎柏舟，載浮載滯。微嘯清風，鼓檝容裔。放櫂投竿，優游卒歲。
>
> 婉彼鴛鴦，戢翼而游。俯唼綠藻，托身洪流。朝翔素瀨，夕棲靈州。搖蕩青波，與之浮沉。〔註68〕

戡破機變屢起的世途，願與友朋知己同游江湖，長嘯訴衷，靜觀濁世。在「意足」的前提下，但求生活悠游自得、精神之適任滿足，遺忘形骸，將莊子返樸歸眞的精神境界轉置於人間自然〔註69〕，與阮籍、向秀諸友同游山陽竹林。

〔註66〕〔晉〕嵇康撰；戴明揚校注：《嵇康集校注・釋私論》，頁234。

〔註67〕〔唐〕房玄齡等撰；楊家駱主編：《晉書・嵇康傳》：「老子、莊周，吾之師也，親居賤職；柳下惠、東方朔，達人也，安乎卑位。吾豈敢短之哉！」（臺北：鼎文書局，1980年），頁1371。（以下引文同，故不另列出處，僅以頁數別。）

〔註68〕〔晉〕嵇康撰；戴明揚校注：《嵇康集校注・酒會詩》其二、其三，頁73～74。

〔註69〕羅宗強：《玄學與魏晉士人心態》（杭州：浙江出版社，1991年），頁99。

目的在「游心」，使心游任逍遙，流詠太素，俯贊玄虛。故嵇康自然之游，誠可謂以老莊虛靜爲精神底蘊，在因物自然的基礎上，以反動權利暴力作爲其行爲意義，掙脫名教的過分干預。因此，嵇康以恬和爲基底之「游」，實有二層涵義：在現實意義上，立身於社會，以自然批判名教之造作，抗俗同塵；在境界意義上，使人從感官誘惑、從一切虛假而短暫的強烈感受中釋放〔註70〕，得以保全天眞，體悟平淡的同時，亦能臻至澹然游境，以恬和平淡爲意識開啓基礎的瞬間，便能含納眾有，逍遙體道。

無論是上舉嵇康的詩文，或是〈與山巨源絕交書〉中言：「遊山澤、觀魚鳥，心甚樂之；一行作吏，此事便廢，安能捨其所樂，而從其所懼哉？」在在表明嵇康心所嚮往的是擺脫世俗的羈絆，不受現實禁錮，游心於天地，隨情適意。自然是乘載心的場域，「游」於自然乃是「游心」，而非執著於形體的「游」。相對於嵇康的滅亡結局，阮籍則選擇一條「瓦全」之路〔註71〕。本有「濟世之志」的阮籍，眼見權力的鬥爭下葬送了太多無辜且可貴的生命，特別是高平陵之變後，一日間天下名士減半，使得一位如此率性縱歌、放達任誕的文人，一生謹言愼行，口不臧否人物，詩文亦處處隱晦其旨；倖存於人間，卻只能處於「終身履薄冰，誰知我心焦」〔註72〕的龐大憂慮與無奈中。因此，阮籍常藉遨游四海，以排遣對於現實的不滿與苦悶。他曾游於蘇門山，遇見隱士孫登，回來便寫下〈大人先生傳〉。文中他創造一個與道冥合，與自然一體，不怕世人非怪，泯滅物我、是非的「大人」形象，以神仙之姿跳開塵世的紛擾，神游太虛。否定且諷刺那些利用禮教的僞君子，僞善求名、依附禮教以干祿求寵，猶如虱子，安於小環境的安逸，而忽略大環境中瞬息萬變的災害。一遇大禍，則必因自囿於褌襠中，引禍而不自知，困死其中。阮籍除了藉由大人形象，對於徒留虛名、而無賢明通達本質的禮教君子提出質疑，同時將逍遙人格寄於大人形象上。「飄颻於天地之外，與造化爲友，朝餐湯谷，夕飲西海，將變化遷易，

〔註70〕〔法〕余蓮著、卓立譯：《淡之頌——論中國思想與美學》（臺北：桂冠出版社，2006年），頁20。

〔註71〕王文進指出：「嵇阮同樣籠罩在正始名士迭遭殺戮的陰影中。而兩人分別展現出中國文人極欲潔身全名的不同典範。嵇康玉碎，其鏗然冷寂之美，至今猶皎若寒星掛懸歷史長夜；阮籍瓦全，而其以一生氣血挺受重鼓悶擊，亦自有一種難以言語的沉重悲涼迴盪天地不去。」見氏作《仕隱與中國文學——六朝篇》（臺北：臺灣書局，1999年），頁91。

〔註72〕〔晉〕阮籍撰；陳伯君校注：《阮籍集校注・詠懷詩》其三十三（北京：中華書局，1987年），頁312。（以下引文同，故不另列出處，僅以頁數別。）

與道周始」〔註73〕，此承襲自莊子的逍遙觀念，不執著於形式上的隱遁，乃強調精神上的超越，藉由「大人」使自己的心志與之同翱翔於自然中，排憂遣懷，化解心中鬱悶，以獲得精神上的自由解放。

嵇康從恬和悠遊中體會老莊逍遙之樂，將滿腔熱情託於自然，宣洩因時代而鬱積的苦悶，脫卻世俗掛累，回歸本眞天性；阮籍則藉「大人先生」之遨游，以擺落現實的苦悶，寄託亟欲追求自由的心境。二者思想底蘊皆是對莊子「游心於淡，合氣於漠」的再詮釋。蓋嵇、阮之「游」思，乃於自我存在之「理」上求，是一種擺脫世俗羈絆、逍遙自適的生命態度，非如老莊體道後方能游。以「游」作爲玄心基礎，外顯則爲溢出常態之行爲，或醉酒，或游山林，既有對逍遙生命之追求，亦是對政治之不合作與禮教之鄙視。

貳、郭象「適性逍遙」之論

莊子之「逍遙游」提供魏晉士人於不可超越之現實的超越契機，使其人得以從經典中尋求生命之所需，進而將精神寄託於至人般「恬於生而靜於死」的理想形態。他們可謂是「把對於經典的理解踐履於日常行爲之中，開顯出一個審美境界讓生命在其中自行顯示。」〔註74〕此種存身之道，將對於老莊思維之理解化入行事之視域，反映於生命的實踐、情感的宣洩，因而他們的行爲、創作，無一不透顯著玄風。誠如鍾仕倫所言：

> 「逍遙」人生是士人們追求的理想人生。「聖人」並不是一個外在的精神實體，他是逍遙人生境界的標誌。士人們努力成爲聖人，達到一種聖人人格，實際上就是對理想的逍遙人生的追求過程。對此，玄學名士向子期、郭子玄的解釋曾盛極一時。〔註75〕

郭象通過注《莊子》發展出一個有自己見解的哲學系統，他的《莊子注》既是理解《莊子》的一種途徑，也是玄學本身的重要創獲〔註76〕。他將經典回歸於社會存在之上，以經典與現實對照，尋找一種齊同之論。其於〈莊子注序〉中即言：

〔註73〕〔晉〕阮籍撰；陳伯君校注：《阮籍集校注．大人先生傳》，頁170～171。

〔註74〕臧要科：《三玄與詮釋——詮釋學視域下的魏晉玄學研究》（開封：河南大學出版社，2009年），頁183。

〔註75〕鍾仕倫：《魏晉南北朝美育思想研究》（北京：中國社會科學出版社，2006年），頁148。

〔註76〕陳少明：《齊物論及其影響》（北京：北京大學出版社，2004年），頁104。

> 夫莊子者，可謂知本矣，故未始藏其狂言，言雖無會而獨應者也。夫應而非會，則雖當無用；言非物事，則雖高不行；與夫寂然不動，不得已而後起者，故有間矣，斯可謂知無心者也。夫心無爲，則隨感而應，應隨其時，言唯謹爾。故與化爲體，流萬代而冥物，豈曾設對獨遘而游談乎方外哉！此其所以不經而爲百家之冠也。〔註77〕

郭象認爲莊子之哲學思維，雖應乎眞理，明事物之根本，卻不能與現實融合圓通。莊子謂之「游乎方外」，是在承認現實的既定不可逆的前提下，由內在精神求與道合一之境，是一種透過修養功夫而實現的精神境界。〔註78〕且其至極之境並無有層次之別，特指至人、神人等理想人格，立足於超驗世界，而非現實社會，因此郭象乃言「雖當無用、雖高不行」，無法溝通內聖外王、方內方外。因此，當郭象帶著莊子「知本」卻「未體之」的前見以詮釋其文時，便在有意無意之間形成「《莊子》注郭象」〔註79〕的情形。

首先，他從根本上否定「道」的獨立性，而言萬物的自生性。〈知北遊〉云：

> 有先天地生者物邪；物物者非物。物出不得先物也，猶其有物也。猶其有物也，無已。〔註80〕

莊子所謂「物物者」喻意使物之爲物者，即「道」，說明道乃創生、涵攝萬物，是一切之根本，是先於萬物的獨立性存在。且道「自本自根」，在未有天地之前便亙古固存，而言「泰初有無，無有無名；一之所起，有一而未形」〔註81〕，直指物乃得道而生，誠如老子所謂「有物混成，先天地生。寂兮寥兮，獨立而不改，周行而不殆，可以爲天下母。吾不知其名，強爲之名曰大，字之曰道」〔註82〕，言明道體之先在性、超越性、永恆性、循環性、創生性與絕對

〔註77〕〔清〕嚴可均校輯：《全上古三代秦漢三國六朝文・郭象・莊子序》（北京：中華書局，1991年），頁1894。（以下引文同，故不另列出處，僅以頁數別。）

〔註78〕劉笑敢指出：「莊子的逍遙比郭象的逍遙有明顯的主動向外、向上追求的取向，是在承認現實的『既定境遇』不可改變的前提下由『內在』（純精神的）向『超越』（與道唯一）的追求，……是少數至人、眞人潛心修養後所實現的精神境界。」見氏作〈兩種逍遙與兩種自由〉，《哲學與文化》第33卷第7期，2006年7月，頁32。

〔註79〕無著妙總禪師曾云：「曾見郭象注《莊子》，識者云：卻是《莊子》注郭象。」見普濟：《五燈會元》卷二十（北京：中華書局，1984年），頁1348。

〔註80〕〔清〕郭慶藩撰；王孝漁點校：《莊子集釋・知北遊》，頁763。

〔註81〕〔清〕郭慶藩撰；王孝漁點校：《莊子集釋・天地》，頁424。

〔註82〕朱謙之：《老子校釋》（北京：中華書局，1984年），頁100。（以下引文同，

性，是萬物之宗。而郭象註解「物物者」卻言：

> 明物物者無物，而物自物耳。物自物耳，故冥也。……物物者，竟無物也，際其安在乎！既明物物者無物，又明物之不能自物，則爲之者誰乎哉？皆忽然而自爾也。〔註 83〕

他將「物物者」解釋爲無物，是將無、有同視本體之邏輯概念，而非形而上的存在，無物物者，亦無生生者，從根本上取消了「無」作爲造物主的地位和作爲「有」存在的超越性的根據〔註 84〕。故言：

> 無既無矣，則不能生有，有之未生，又不能爲生。然則生生者誰哉？塊然而自生耳。〔註 85〕

郭象破除「有生於無」的觀念，認爲道不能生物，肇因無不能生有，既然無不能生有，有本未生，又何來有生萬物之說？蓋是萬物自生。因此，欲究竟萬物存在之眞相，必然回歸於個體本身，而非外求於因果關係。蓋道未能生物，則德、形、命、性之層次分疏便不復存在，四者乃同指物本然質性，只是稱謂各異。〔註 86〕道生物之系統既已破，郭象更進而言之物各有性，性各有極，物物只要順其本性，各當其分，便可自由自在，自滿自足，全然不受他物的牽繫干擾。放之現實社會之中，只要各當其分，是非差別皆相泯除，而同以自得。

如此，莊子所言大知與小知之別又如何解釋？郭象認爲〈逍遙游〉中的小大之辯，實是揭示萬物各當其分的自性逍遙，其注云：

> 夫莊子之大意，在乎逍遙游放，無爲而自得，故極小大之致以明性分之適。達觀之士，宜要其會歸而遺其所寄。不足事事曲與生說，自不害其宏旨，皆可略之耳。〔註 87〕

故不另列出處，僅以頁數別。）

〔註 83〕〔清〕郭慶藩撰；王孝漁點校：《莊子集釋・知北遊》，頁 752。

〔註 84〕湯一介：《郭象》（臺北：東大圖書公司，1999 年），頁 60。

〔註 85〕〔清〕郭慶藩撰；王孝漁點校：《莊子集釋・齊物論》，頁 50。

〔註 86〕《莊子集釋・天地》云：「物得以生，謂之德；未形者有分，且然無閒，謂之命；留動而生物，物成生理，謂之形；形體保神，各有儀則，謂之性。」盧桂珍認爲：「莊子層層分書德、形、性、命之意涵，表現出道生物的生成論架構，郭象則試圖取消此一架構，謂『夫德、形、性、命，因變立名，其於自爾一也。』認爲物乃是忽爾自生，德、形、性、命四者均是物本然質性的不同稱謂而已。」見氏作《境界・思維・語言——魏晉玄理研究》（臺北：臺大出版中心，2010 年），頁 30。

〔註 87〕〔清〕郭慶藩撰；王孝漁點校：《莊子集釋・逍遙遊》，頁 1。

莊子的蜩鳩與大鵬之喻，明顯地指出人因知識之限，使其游境有所殊別落差，故要透過修養工夫，以達無待。然而，郭象以爲莊子小大之喻，乃是言物之本性不同，所用所能遂各異。蜩鳩之決飛，乃各依其性足當分，自然而然地呈現至極之游。因此，所謂小大、壽夭、遠近之差別，如蘇新鋈之言乃是「以其所占時空體量之多寡做對比看」〔註 88〕，屬於物理性的差別，其主體心之自由程度，實無殊異，蓋言「小大雖殊，而放於自得之場，則物任其性，事稱其能，各當其分，逍遙一也。豈容勝負於其間哉！」〔註 89〕物物間之所以不能齊平，乃因人困於表象之差別。鵬鳥因有大翼，質大而無可小用，故能直上九萬里而徙於南冥；蜩鳩因其所資待小，只能決起榆枋。二者所稟之物性有別，不足相跂相效，大鵬既無自視高於蜩鳩，蜩鳩亦無須企羨大鵬至天池之遠舉，均乃量力而事，不貪營其所不能當，自足乎己之所爲、當爲、能爲，則心境之自由豈有小大之別！

若如郭象所言，只要足於天然，各宜本性，便可自得逍遙，豈非至人游於無朕，只是莊子之懸想？而有待、無待的境界之別，又爲何解？郭象解釋：

> 天地以萬物爲體，而萬物必以自然爲正，自然者，不爲而自然者也。故大鵬之能高，斥鴳之能下，椿木之能長，朝菌之能短，凡此皆自然之所能，非爲之所能也。不爲而自能，所以正也。故乘天地之正，即順萬物之性；御六氣之辯，即是游變化之塗也；如斯以往，則何往而有窮哉！所遇斯乘，又將惡乎待哉！此乃至德之人玄同彼我者之逍遙也。苟有待焉，則雖列子之輕妙，猶不能以無風而行，故必得其所待，然後逍遙耳，而況大鵬乎！〔註 90〕

莊子認爲凡庶因其有待，故無法達到最終的逍遙之游，需透過心齋、坐忘之功夫，從有待入無待，方能如至人般游世順和。郭象亦承認聖人（彼我玄同）和凡庶（得其所待）之逍遙內容有別，但與莊子不同的是，郭象藉「各適性以爲逍遙」之理，肯定凡庶於現世中逍遙的可能。他透過「自生獨化」觀照有待、無待，認爲二者之別乃因立場殊異，受表象執困所致。蓋「待」乃依恃於外，物既自生自化，又何須依恃。所謂有待與無待，只是一種相對性的辯證：對個體而言，萬物自生自化，其存在均無具差別性

〔註 88〕蘇新鋈：《郭象莊學平議》（臺北：臺灣學生書局，1980 年），頁 215。

〔註 89〕〔清〕郭慶藩撰；王孝漁點校：《莊子集釋・逍遙遊》，頁 1。

〔註 90〕〔清〕郭慶藩撰；王孝漁點校：《莊子集釋・逍遙遊》，頁 17。

和條件性，故爲無待；就物物間相對性而言，有待實是物物存在之必然限制。誠如列子御風，若看作一個主體內的行爲，列子只是順從其本性，是自然之所能，而不強求風之有無，故風並非其所待，其本無待；若從無風不行的角度觀看，將列子與風視爲兩個獨立的主體，風則爲列子行之必然，此便是有待。〔註91〕所以謂之「有待無待，吾所不能齊也」，如果不斷追溯主體存在之根據，則必然牽引另一個主體的存在，迴環反覆而無窮止。因此，郭象乃將二者統歸於自身獨化，破有待、無待之外因，進而取消莊子從有入無的逍遙進程。如此，凡庶如何能游？郭象認爲逍遙之游無需透過工夫而至，自足適性即是一種逍遙，只是和玄同彼我之逍遙的精神內容有別。故所謂「適性逍遙」，乃是以至人之心觀照下，萬物靜觀皆自得之逍遙，正如牟宗三所言：「『放於自得之場，逍遙一也』，此一普遍陳述，若就萬物言，則實是一觀照境界。即以至人之心爲根據而來之觀照，程明道所謂『萬物靜觀皆自得』者是也。並非萬物眞能客觀地至乎此『眞實之逍遙』。就萬物自身言，此是一藝術境界，並非一修養境界。」〔註92〕以觀照境界言之，只要主體心自適自由，便是逍遙。心動則落於有待，心止便能超越依待之限，蓋若莊子所言「唯止能止眾止」，只要心止息一切歉餒矯傲、物慾牽動，含生抱樸，性之所極，任其自動，便是逍遙而同於大通，故言「吾所不能殊也」。據此可知郭象判斷逍遙之憑藉，實在於是否「自足適性」，而非有待或無待，此即莊耀郎所言：

> 逍遙的內容可以因性之殊異而萬殊，其均於性分之自足則一，萬物同得於自性以爲逍遙，故「逍遙一也」之一是一於「足於性分」，而非說逍遙必有相同之內容。〔註93〕

莊子與郭象之「游」同具普遍性，無論萬物、凡人、至人皆能游，只是終極境界之逍遙游，莊子乃是專指至人、神人，指具超現實性的純粹精神自由，是謂「無待逍遙」；郭象乃是泛指一切得其所當之人，只要能謹守其分位，不

〔註91〕湯一介指出：「列子能御風而行，這是列子的本性，無論有風或無風都不影響他的御風而行的本性。因此，列子能御風而行的『本性』並不以『有風』爲條件。然從列子必待風而行方面看，那麼任何事不能『無待』，而都是『有待』的了。因此對『有待』和『無待』去分別它們，只是一種看法。」見氏作《郭象》（臺北：東大圖書公司，1999年），頁129。

〔註92〕牟宗三：《才性與玄理》（臺北：臺灣學生書局，1993年），頁182。

〔註93〕莊耀郎：《郭象玄學》（臺北：里仁書局，1998年），頁61。

造作營求、外騁逐馳，基於對生命的滿足，自足任情，唯以適性、安命，均可即於其存在之狀況而自得逍遙。蓋郭象於「逍遙游」之再解，實是爲凡庶指出一條「擬聖」之路，誠如林聰舜所言：

> 至人化境得以融於世間俗情之中，點化現實世間爲人間勝境。爲當時苦悶世人構築一方心靈中的山水田園，使其於政治壓力下，仍能保持心靈的逍遙。〔註 94〕

逍遙游不再僅是一種理想境界，而是可親可近、可行諸於人間，將身心全然投入的超越性活動。則一丘一壑，叢竹小園，遠眺近矚之所及，或現實生活中之所涉，無不欣於所遇矣。

參、支遁「至性逍遙」之論

在玄風影響下所展開的魏晉佛學思潮，多循老莊學說之理解方式，相互溝通、依附行之。釋子發現二學的共同處，藉玄學之本無、自然，符應佛理之性空、眞如，是以諸法本性空寂，以云本無，與玄學無爲本體契合；或以「空」統攝有、無，強調非有非無、不落兩邊之法。名士因好玄思而親近佛理，高僧也以鑽研玄理爲傳播佛教的必備條件，彼此交往密切，共辯同談。《世說新語》注引《高僧傳》載：

> 遁嘗在白馬寺，與劉系之等，談莊子逍遙篇云，各適性以爲逍遙。遁曰：不然。夫桀拓以殘害爲性，若適性爲得者，從亦逍遙矣。於是退而注逍遙篇。〔註 95〕

支遁認爲郭象以適性爲逍遙，則人性如水漫地，善者自善，惡者自惡。若其人性自乖張殘邪，順性而傷人害世，亦謂之逍遙，豈非荒唐！因此支遁乃標舉「至足」以代「自足」，其《逍遙論》云：

> 夫逍遙者，明至人之心也。莊生見言大道，而寄指鵬鷃。鵬以營生之路曠，故失適於體外；鷃以在近而笑遠，有矜伐於心內。至人乘天正而高興，遊無窮於放浪，物物不物於物，則遙然不我得；玄感不爲，不疾而速，則逍然靡不適。此所以爲逍遙一也。若夫有欲，當其所足，足於所足，快然有似天眞，猶饑者一飽，渴者一盈，豈

〔註 94〕林聰舜：《向郭莊學研究》（臺北：文史哲出版社，1981 年），頁 67。

〔註 95〕〔南朝宋〕劉義慶撰；余嘉錫箋疏：《世說新語箋疏・文學》32（臺北：華正書局，2003 年），頁 220。（以下引文同，故不另列出處，僅以頁數別。）

忘烝嘗於糗糧，絕觴爵於醪醴哉？苟非至足，豈所以逍遙乎？〔註96〕

「自足」只是一種「短暫的滿足」，猶如飢餓的人想吃食物，口渴的人想喝水，但當其人溫飽解渴後，當初所渴求的對象（食物與水）便被排除在依憑之列，不再是其牽繫對象。此時，原本的饑者或渴者便無所待，似乎成了自足者〔註97〕。但這種「滿足」的狀態是短暫的，匱乏的情形只會不斷的出現，週而復始。如此，豈能逍遙？緣此，支遁認爲唯有體明至人之心，才是眞正的逍遙，不能單純仰賴本能似的自然境界。何謂「至人之心」？實爲不失適於體外，不矜伐於心內，即謂「物物而不物於物」。此語乃出自於《莊子・山木》，是言：

周將處乎材與不材之間。材與不材之間，似之而非也，故未免乎累。若夫乘道德而浮游則不然。無譽無訾，一龍一蛇，與時俱化，而無肯專爲；一上一下，以和爲量，浮游乎萬物之祖；物物而不物於物，則胡可得而累邪！〔註98〕

山中大木因無所可用而見存，雁畜因不鳴而見殺，是則用與無用，二者皆非絕對的安身立命之處。故莊子乃處於材與不材之間，試圖在無奈的境況中，免於累患。然此並非眞正的安適之處，莊子直指唯有順自然以處世，忘記外在榮辱毀譽，順時變化而游於萬物之根源，如此方能主宰萬物而不爲萬物所役使。支遁藉莊子「物物不物於物」之說，強調順化之心。如何使心去除私心、慣性，而不偏滯於他物，主要仍是在於表象的超越。蓋表象之執困，乃因名言概念而生，故其言「夫色之性也，不自有色，色不自有，雖色而空」〔註99〕，從認識概念言「色」，色相非空，但色無自性故爲空，色空相即。然而，此謂「色之性空」，並非指「色」爲「無」，蓋有無、名理之相對性皆因人的認識而立，「無」乃相對於「有」而言，若言「色」爲「無」，便又落入言說的限制，故支遁於〈大小品對比要抄序〉言：

其爲經也，至無空豁，廓然無物者也。無物於物，故能齊於物；無智於智，故能運於智。……夫無也者，豈能無哉？無不能自無，理亦不能爲理。理不能爲理，則理非理也；無不能自無，則無非無矣。

〔註96〕〔清〕嚴可均校輯：《全上古三代秦漢三國六朝文・支遁・逍遙論》，頁2366。

〔註97〕劉梁劍：〈《逍遙游》向郭義與支遁義勘會〉，《華東師範大學學報》，第3期，2010年6月，頁27。

〔註98〕〔清〕郭慶藩撰；王孝漁點校：《莊子集釋・山木》，頁668。

〔註99〕〔清〕嚴可均校輯：《全上古三代秦漢三國六朝文・支遁・即色論》，頁2366。

妙由乎不妙，無生由乎生。〔註 100〕

吾人言「無」，只明「無」的概念，而不解其「所以無」的道理，遂將「無」視爲全然的虛無。支遁否定「絕無」，並非連其「假有」〔註 101〕亦無，是言「無不能自無，則無非無矣」。須體明「無」與「所以無」、「有」與「所以有」之差別，不可不知所謂的「忘無」，亦不可執著於「所以無」之上而淪爲「虛無」〔註 102〕。蓋「無」、「理」皆是人爲言說而立之「名」，無足以彰顯其內在蘊意，可道者已非「無」之本意，而「所以無」、「所以存」是在名言概念之外，乃超絕於認識活動。言說既不能等同於般若的實相，所以不應該想由言說中得到般若的實相，而是須在根本上忘卻企求於實相的語言運作。支遁透過非有非無的辯證，以泯除有無之相對性定見，最後達到「言」與「所以言」、「有」與「所以有」之二跡無寄、冥盡的本無境地〔註 103〕。故其「逍遙」乃是使主體的自由游於空與不空，處中莫二。明白表象與本性之異別，擺落造作的慾念企圖，使心順化而達超越，即色而游玄，終而體「寂」——是明萬法本性空寂，萬物有生之靈歸於本無，趣於無生之寂滅解脫〔註 104〕。郭象適性逍遙之游，乃是強調現世可親可游，萬物只要適其本性，當下便是逍遙；支遁所言至性逍遙之游，卻是立基於「萬物非眞，假號久矣」而言之。蓋郭象謂「物」，實是支遁之「色」，只是色法的現象存在，是無自性的現象存在，乃是「至無

〔註 100〕〔清〕嚴可均校輯：《全上古三代秦漢三國六朝文・支遁・大小品對比要抄序》，頁 2366。

〔註 101〕湯用彤以爲「色不自有色」意即「其色雖有，而自性無有。然色既不自有，則雖有色，而是假有。假有者『雖色而非色』，意即是空。」見氏作《魏晉玄學論稿》，《魏晉思想》（臺北：里仁書局，1995 年），頁 54～55。

〔註 102〕周大興指出：「萬法性空的本『無』，亦不是『無於所無』的純然虛無，『希乎無者，非其無也』；其『所以無』乃是即假有而非虛無。亦即不可『希無以忘無』，以爲萬法全然虛無，而不知所謂的『忘無』，只是否定其絕無，並非連其假有亦無。必須『遺』其所以無，才不會執著在『所以無』之上而淪於虛『無』。」見氏作〈即色與遊玄——支遁佛教玄學的詮釋〉，《中國文哲研究集刊》，第 24 期，2004 年 3 月，頁 203。

〔註 103〕蔡振豐：《魏晉佛學格義問題的考察——以道安爲中心的研究》，國立臺灣大學中國文學研究所博士論文，1998 年，頁 201。

〔註 104〕周大興指出：「支遁的即色而游玄，乃明『諸佛因波若之無始，明萬物之自然。眾生之喪道，溺精神乎欲淵。齊眾首於玄同，還群靈乎本無。』此中之『自然』乃說明萬物色法的自然空，緣起性空；是故支遁無有冥盡的游『玄』之道，乃是理解萬法本性（自然）空寂，萬物有生之靈歸於『本無』，趣於無生之寂滅解脫。」見氏作〈即色與遊玄——支遁佛教玄學的詮釋〉，《中國文哲研究集刊》，第 24 期，2004 年 3 月，頁 208～209。

空豁」，唯悟「即色」是「空」而游於「體寂」，是以即色意解的游玄解脫，方能達到最終之冥盡解脫。

肆、陶潛「稱心足意」之論

魏晉「游」之精神自嵇阮、郭象到支遁的建構，逐步將在世性揉入莊周「游」義，強調人與外界的和諧圓融。「游」並非斷絕七情六慾的出世哲思，而是時人為化解世俗情結的力量，從中獲得安頓身心的情感慰藉。無須再外求於神人之逍遙出塵，而是專情於人間世的怡然自得。自然可游，朝堂可游，誠如陶潛所言：「結廬在人境，而無車馬喧，問君何能爾，心遠地自偏」〔註 105〕，只要內心清靜，即使身在車馬喧嚷的人境，亦如超脫世俗般和諧寧靜。正若王邦雄所言：

> 心遠就是老莊的修養心境「致虛極，守敬篤，萬物並作，吾以觀復」，心能虛靜，就是心遠，在虛靜心觀照之下，物皆如其所如，雖並作，亦不生紛擾。物作而紛擾，起於吾心執著於有；吾心放開，物各付物，此即「萬物靜觀皆自得」之意。……不在人心的紛擾扭曲中，也就是自在自得的意思，此之謂「地自偏」。〔註 106〕

陶潛以虛靜心和自然交涉，在無窮理趣中品味純眞自然之意，欲言卻忘言，擺落言詮，此中眞意既無法以言語表達，亦無須以言語表達。是因忘言、忘俗、忘執、忘內外、忘得失，而與自然同歸，自在自得。此種「游心」之狀態，實是「與天地精神往來」的最佳實踐。溯其始源，乃是以眞情為依據，憑性而動。性愛其靜，寤寐交揮，依性而往，便是自然。然而，陶潛憑性而動，並非落入郭象「適性」而引發的性有善惡之疑議，其言「且極今朝樂，明日非所求」〔註 107〕，生命猶如迅雷乍現乍暝，世人卻自苦其身，自私吝情，庸碌勞苦，只為搏身後美名，所以陶潛倡言「貴身尙生」〔註 108〕。但此非意

〔註 105〕〔晉〕陶潛撰；龔斌校箋：《陶淵明集校箋‧飲酒詩》（上海：上海古籍出版社，1996 年），頁 219。（以下引文同，故不另列出處，僅以頁數別。）

〔註 106〕王邦雄：〈禪宗理趣與道家意境——陶淵明與王維田園詩境的比較〉，《鵝湖》，第 10 卷第 1 期，1984 年 7 月，頁 15。

〔註 107〕〔晉〕陶潛撰；龔斌校箋：《陶淵明集校箋‧遊斜川詩》，頁 84。

〔註 108〕〔晉〕陶潛撰；龔斌校箋：《陶淵明集校箋‧飲酒詩》：「道喪向千載，人人惜其情。有酒不肯飲，但願世間名。所以貴我身，豈不在一生。一生復能幾，倏如流電驚。鼎鼎百年內，持此欲何成。」頁 216。

指恣縱於聲色犬馬的耳目逐馳，乃言「稱心」〔註 109〕——合乎自然心意。其〈庚戌歲九月中於西田獲早稻〉言：

> 人生歸有道，衣食固其端。孰是都不營，而以求自安？……田家豈不苦？弗獲辭此難。四體誠乃疲，庶無異患干。〔註 110〕

人非神人可餐風飲露，不食人間煙火，衣食本是人維持生命之所需，但求無空乏，無須豪且奢。因此，即使躬耕田園而常感勞累體疲，卻能庶免於患，無須煩憂政治之險惡難測、仕宦之禍福無常，故陶潛直願處陋宅、常勞耕，而無所怨懟。蓋生命的存在意義本在生命的自適快樂，富貴功名並無法爲生活帶來幸福快樂，反是動輒得咎的惡藪。「稱心」方是生命逍遙游放之關鍵，只要符合心性所向，便能「意足」，擇其所愛，愛其所擇，陶然自樂，便是精神的自適圓滿。

緣此，即便陶潛曾因口腹自役，勉強克制本心，迎合俗世價値而逕自矯勵，出仕爲官，然「歸歟」之情不曾斷絕，肇因「質性自然」，非以繩墨自矯而可爲。蓋其〈歸去來辭〉即言：

> 已矣乎，寓形宇內復幾時！曷不委心任去留？胡爲乎惶惶欲何之？富貴非無愿，帝鄉不可期。懷良辰以孤往，或執杖而耘耔。登東皋以舒嘯，臨清流而賦詩。聊乘化以歸盡，樂夫天命復奚疑！〔註 111〕

生命有生必有死，飄忽湮滅，長壽成仙不過是虛妄的空想，且又「少無適俗韻，性本愛山丘」，富貴名利實非我願，寧以固窮以濟意，亦不願委屈自己抑累心性。或佳日獨游，或躬耕田園，是以自由爲最高追求，復返自然以保天眞，安時處順，任化無爲，成全生命的幸福快樂。然而，陶潛之「復返自然」，並非如伯夷、叔齊之餓死首陽，苦寒深山，絕俗離世，只是單純地指向物質界之自然。而是將老莊哲思中的「自然」——自然而然地從容狀態，落實到自己的田園居，從中領悟生活的眞諦和人生的歸宿〔註 112〕，誠如蔡瑜所言：

〔註 109〕〔晉〕陶潛撰；龔斌校箋：《陶淵明集校箋．時運詩》：「洋洋平津，乃漱乃濯。邈邈遐景，載欣載矚。人亦有言，稱心易足。揮茲一觴，陶然自樂。」頁 7。

〔註 110〕〔晉〕陶潛撰；龔斌校箋：《陶淵明集校箋．庚戌歲九月中於西田獲早稻》，頁 205。

〔註 111〕〔晉〕陶潛撰；龔斌校箋：《陶淵明集校箋．歸去來辭》，頁 391～392。

〔註 112〕張宏指出：「陶淵明之能抗拒神仙之說的誘惑，主要的原因在於他能夠將老莊玄學上的自然，落實到自己的園田居裡面，從中深切地體驗到耕讀的樂趣和與親人共享天倫之樂的情劇，領悟到了生活的眞諦和人生的歸宿，使自己的情感寄託牢牢地植根在現實的田園生活之中。」見氏作《秦漢魏晉游仙詩》

> 陶淵明所追求的自然不是抽象的自由主體，也不是與人間秩序撕裂的名士類型的自然，而是「人境的自然」，能夠在人間世實現的才是人的自然。〔註113〕

陶潛以恬淡之心順應自然變化，與嵇康之中和恬淡之游思略近，不同的是，自然之於嵇康乃是一種心靈的補償，甚至藉自然以對抗名教。而對於兩晉名士而言，自然雖非以對抗的形式存在，但物與人卻仍保持一定的距離，物只是被用以體玄「會心」的對象〔註114〕。但陶潛於自然而言，既非觀賞者，亦非佔有者，而是與自然爲一體，正如羅宗強所言：「山川田園不在他的筆尖，而活在他的生命，自然而然存在於他的喜怒哀樂」〔註115〕。他透過「游」之順物自然的思想特質應世，融精神於運化之中，是言：

> 老少同一死，賢愚無複數。日醉或能忘，將非促齡具！立善常所欣，誰當未汝譽？甚念傷吾生，正宜委運去。縱浪大化中，不喜亦不懼。應盡便須盡，無復獨多慮。〔註116〕

自由自在地游刃於造化之變，不必自苦於生死流轉，是因老少咸歸一死。既然生命必然消散，與其擔心身後之名，不如得意於今朝。多慮多思盡是無用，但凡保持神之純正，游任自然，生命便無可自困而能與之和諧同樂。

陶淵明之謂「縱浪大化」，並非單純的透過游山水以滌情，而是強調「化」之自然不可逆的狀態。蓋宇宙萬事萬物莫不處於「氣化」之中，既處於一氣之運行，生死猶如氣之聚散，生爲死之徒，死爲生之始，二者乃是相屬，猶如氣無終始而恆存。更替誠是必然，既不可抗逆，唯有「順化」。是如《莊子・知北遊》所言：「生非汝有，是天地之委和也；性命非汝有，是天地之委順也；子孫非汝有，是天地之委蛻也。故行不知所在，處不知所持；食不知所味。天地之強陽氣也，又胡可得而有邪！」〔註117〕汝身非汝有，而是天地委付的形體，是氣的運動，須以隨順的態度以應自然的規律，不樂生惡死，不拒斥事物的來去，不營求名譽權力，「不以心捐道，不以人助天」〔註118〕，不讓變

（北京：宗教文化出版社，2009年），頁355。

〔註113〕蔡瑜：〈陶淵明的懷古意識與典範形塑〉，《臺大文史哲學報》，第72期，2010年5月，頁17。

〔註114〕傅剛：《魏晉南北朝詩歌史論》（長春：吉林教育出版社，1995年），頁188。

〔註115〕羅宗強：《玄學與魏晉士人心態》（臺北：文史哲出版社，1992年），頁369。

〔註116〕〔晉〕陶潛撰；龔斌校箋：《陶淵明集校箋・形影神・神釋》，頁65。

〔註117〕〔清〕郭慶藩撰；王孝漁點校：《莊子集釋・知北遊》，頁739。

〔註118〕〔清〕郭慶藩撰；王孝漁點校：《莊子集釋・大宗師》，頁229。

化牽引自己，翛然來往，自由自在而不爲形、名所奴役。

陶潛以自然遷化破除時人對於形的執迷（長生永壽的企求），及對名利的戀慕。既然「化」是恆常規律，吾人唯有順之、任之，行跡憑化而遷，無以人滅天，無以故滅命。是能忘乎物、忘乎天，抱朴含眞，保養自然之本性，不受禮教的約束或名利的縈擾，獨立於汙濁的社會之外〔註 119〕。是故其詩屢言「聊且憑化遷，終返班生廬」（〈始作鎮軍參軍經曲阿作〉）、「聊乘化以歸盡，樂夫天命復奚疑」（〈歸去來兮辭〉），蓋「順化」與「質性自然」乃相互呼應，落實於生活型態（田園躬耕）與生命哲學（縱浪大化）之中。自然不只是山林海澤，亦是自適自在的生活態度，更是未受異化的天眞本性。

陶潛「稱心足意」之游，乃能眞正落實玄學人生觀中縱情自然、逍遙體道的生活方式，無須擬聖企仙，不必避世絕情，毋庸疾言批判，而是泰然順化，以「無疑、無慮、無求、無願、無悔、無恨、無言」〔註 120〕的態度游心應世，心安理得，臻至眞正的人間逍遙。

小　結

自我意識之覺醒，魏晉士人突破兩漢以來儒學的束縛，不再將生命價值困執於建功立業之上，轉於追求主體意識的強化，實現個體精神對有限的超越，發而爲外，即是任隨自然，與「道」冥合〔註 121〕。士人重新體會自然之美，在精神自由以及現實社會性的基礎上，對莊學「游」精神做出新的闡釋。承繼莊子「游心」之理路，使意識的自我從苦悶的現世逸出、離位，轉換固有的認知方式，以「心」的視角，重新理解生命與世界。然而，「至人」作爲一個「他者」，如何安頓現世之「我」？莊子透過「吾喪我」揭示「忘」的工夫，忘卻個體，擺落認知我、文明我、體制我，回歸冥合萬物之眞「吾」。而嵇康自然之論，乃以「節和」代替「忘」，透過不斷地回返自身，調節自我與外在情感的聯繫，消弭他物和自我的界限。以「游」作爲一正面導向力量，

〔註 119〕袁行霈指出：「『眞』與世俗禮法相對立，指的就是人類自然的本性。陶淵明所謂『抱朴含眞』的意思，即保持這種本性，使它免受禮教的約束或名利的縈擾。只要善於養眞，抱持眞想，就能獨立於汙濁的社會之外了。」見氏作《陶淵明研究》（北京：北京大學出版社，1997 年），頁 60。

〔註 120〕張宏：《秦漢魏晉游仙詩》（北京：宗教文化出版社，2009 年），頁 345。

〔註 121〕鄔錫鑫：《魏晉美學與玄學》（貴陽：貴州教育出版社，2006 年），頁 70。

具體落實於養生工夫之上，提升生命精神的密度，豐富情感的深度。郭象適性之論，更是將莊子游的精神「世俗化」，以「安適」代「忘」，從超越既定環境的心境，置換為安於既定環境之心境，使莊學「游」精神加入在世性，失卻原有的超世性。

整體揆之，魏晉之「游」乃以莊子「游」之自由解放意義作為精神核心，以回應生命安頓的問題。從工夫進程看，莊子之游，實是從「忘」而「游」，透過心齋、坐忘之工夫，忘記種種己見、他識，使身如槁木，心如死灰，游於道中而自由出入方內方外，無所拘執，對至人而言，最後的去向（方內、方外），實是無意識的來去，旨在游道，而非必是游仙或游世。魏晉諸游，卻是因「游」而「忘」，透過游以純化心靈，忘記世間種種紛擾、對立，乃於自我存在之「理」上求，是一種擺脫世俗羈絆、逍遙自適的生命態度，目的仍在於立足於現世的游心，非如老莊體道後方能游。

第三章　魏晉士人「游」行之表現

魏晉正處多故之際，士人既在政治高壓氛圍中，卻強烈嚮往精神之自由，亟欲從儒家思想的羈繫中解放，外在環境與內在渴望的矛盾交織，使道家優游自然，超脫本體禁錮的思想，成爲士人最佳的精神寄託。於是，沉浸於老莊玄風之追慕的文人將「游於方外」的理想加入「在世性」，藉由自然山水轉移現實中的苦悶情緒，以期達到「忘我」之境，故登覽山水便成爲文人雅士生活的一部分。他們將自我深情寄予自然，透過短暫逸出常軌的行爲模式——「游」，將內心無可忘卻的苦悶、生命的委全與高壓下的反抗，交織成往來於自我與現實間的「游心」活動。

外在的山水之美，與內在自我情感相互呼應、照察，由內而外，合而爲一的「移情」作用〔註 1〕，正如同錢鍾書於《談藝錄》中所言：「老莊爲意，山水爲色。」〔註 2〕以玄境對照山水之境，進而領會生命之自由，逍遙無待的心靈境界。在《世說新語》中即可窺見魏晉士人愛好山水的普遍情態，因大名士等之樂游不廢，帶動帝王、士流、高僧皆流連名山勝水間：

> 顧長康從會稽還，人問山川之美。顧云：「千巖競秀，萬壑爭流，草木朦朧其上，若雲興霞蔚。」〔註 3〕
>
> 許掾好游山水，而體便登陟。〔註 4〕

山川之美，不僅只有視覺享受，士人更著重於山川滌淨心靈、撫慰精神之作用，《世說新語・言語》中亦載：

〔註 1〕儀平策：《中國審美文化史》（濟南：山東畫報出版社，2000 年 1 月），頁 299。

〔註 2〕錢鍾書：《談藝錄》（北京：中華書局，1984 年），頁 286。

〔註 3〕〔南朝宋〕劉義慶撰；余嘉錫箋疏：《世說新語箋疏・言語》88，頁 143。

〔註 4〕〔南朝宋〕劉義慶撰；余嘉錫箋疏：《世說新語箋疏・棲逸》16，頁 662。

王司州至吳興印渚中看。嘆曰：「非惟使人情開滌，亦覺日月清朗。」〔註5〕

士人乘興以遨游，暢游林野亭榭、泉水河澤，因憂而游於山川，陶醉於自然之美，在登臨名山勝水間，濾其心智，拋卻塵俗汙濁與人間苦痛，且從生生不息、寧靜深遠的自然中，掬取不盡的生命力量〔註6〕。「游」不僅只是外放行爲，更是內需的必然。「游」，乃成爲「解我憂」之方式，既是一種現實的彌補，亦可解決人之精神生命安頓的問題。至於具體之游，則可據游之屬性，諸如所游之所、所懷之情思，及游的形式，而有多采多姿的面向，凡此，皆爲檢視魏晉士人文化生態的重要環節。

第一節　因物化情——自然酒鄉游

面對瞬息萬變的社會局勢，如何全生與護志，乃魏晉士人所深思的問題。於是，其人藉由回歸自然而遺落世事，放浪山水，以獲精神遨游之趣，在追求心舒神釋、與道冥合的過程中，身心便得以安頓，此如李玲珠所云：

自然山水是具有獨立意義的客體，進而被觀照、欣賞、師法的主體。魏晉哲學由正始、竹林、元康至東晉，逐步向大自然釋放轉化，由於玄遠的觀照，而使魏晉士人發覺自然的靈秀。〔註7〕

士人將外在游歷經驗，內化成逍遙無待之心，消弭現實與理想間的衝突矛盾，調和出社會與自然的平衡狀態。故親近自然、愛好山水便構成魏晉士人獨有的生命情態。而游弋山水實包含歌山、詠水爲自然游之兩種途徑，從中可窺見士人感物興情之殊異。

另一方面，自然並非「游」的唯一去向，酒鄉亦是可游之處。當清和靜澹的自然已無法乘載士人生命之重，遂藉張狂悖逆的醉酒之游，以解放自我，是以敘及竹林七賢之外形骸而內逍遙的醉游，可開展人與物游的另一種激烈途徑。

〔註5〕〔南朝宋〕劉義慶撰；余嘉錫箋疏：《世說新語箋疏‧言語》81，頁139。

〔註6〕胡曉明指出：「大自然生生不息、寧靜深遠的力量，是山水詩人們永遠掬取不盡的生命甘露。」見氏作《萬川之月：中國山水詩的心靈境界》（北京：三聯書店，1996年），頁21。

〔註7〕李玲珠：《自然思潮——魏晉新文化運動》（臺北：文津出版社，2004年），頁336。

壹、山林漫游

《詩經・邶風》言：「駕言出游，以寫我憂」〔註 8〕，業已說明「游」有擺脫苦悶心情的功能。且相對於現實之嘈雜擾嚷，自然之靜默平和更顯可親可愛，是以士人在遠離名利場後，深山野澤遂成爲其人寄身處之首選。無論是解憂功能，或是非仕即隱的心態，二者誠是揭示游於自然的可行性與必然性。肇因現實的苦悶，魏晉士人遂轉寄於「山林與，皋壤與，使我欣欣然而樂與」〔註 9〕之無窮野趣，以自然爲游歷對象，紓解積滯胸中之沉鬱。在自然中，無衝突對立、利益得失，亦無有經驗知識、名言概念等成見束縛，於是吾人乃能在「游」的過程中化情而「忘我」〔註 10〕，進而「復歸」於純樸本眞。

一、林色「憂」游

天地有大美，魏晉士人透過自然，發現造化賦予萬物不可名狀之意，在以物觀物、以我觀物之間，煥發出審美主體潛意識所蓄藏的豐富而細膩之情感〔註 11〕。然而，妙賞自然永恆，重山巖峻之餘，益覺人之渺小，若滄海之一粟。物有枯榮，猶人有生滅，生命倏忽即逝，強烈的遷流之感，使人油然生起傷時嗟亂之嘆。故士人於林間水泮漫游時，往往不自覺地迸發長期抑隱於內的情緒，臨景生情，心生喟嘆，景愈麗，哀愈深。張協之北芒山游，正是在遊覽的過程中，觀自然之無窮而感人命之短促，興發世亂命短之嘆，其〈登北芒賦〉曰：

> 陟巒丘之邐迤，升逶迤之修阪。迴余車於峻嶺，聊送目於四遠。靈嶽鬱以造天，連岡岧以蹇產。伊洛混而東流，帝居赫以崇顯。山川汩其常弓，萬物化而代轉。何天地之難窮，悼人生之危淺。嘆白日之西頹兮，哀世路之多蹇。於是徘徊絕嶺，踟躕步趾，前瞻狼山，卻闚大岯，東眺虎勞，西睨熊耳。邪亙天際，旁極萬里。〔註 12〕

〔註 8〕朱守亮：《詩經評釋》（臺北：臺灣學生書局，1984 年），頁 135。

〔註 9〕〔清〕郭慶藩撰、王孝魚點校：《莊子集解・知北遊》，頁 765。

〔註 10〕誠如王國維《人間詞話》所謂「無我之境」，指人與外物之間不存在利害關係，沒有對立的衝突，乃至物我之間達到一種冥合的狀態。詳見葉嘉瑩：《王國維及其文學批評》（香港：中華書局，1980 年），頁 230。

〔註 11〕曾春海：〈魏晉山水審美之哲學探究〉，《哲學與文化》第 35 卷第 7 期，2008 年 7 月，頁 101。

〔註 12〕〔清〕嚴可均校輯：《全上古三代秦漢三國六朝文・張協・登北芒賦》，頁

北芒山險峻巍峨，其高若淩天之勢，聳入天際；其廣如游龍盤據，綿延不絕。層巒疊嶂，江水環抱，飛瀑懸壁，山中曲徑迂迴而逶迤，岩石纍纍，高岡崔嵬。宏偉若此，傲然挺立於洛陽之側，更顯帝都之尊貴氣象。張協登北芒而見造化之精巧，時節之變化、景物之推移，依序遷易，終則復返。萬物雖在生滅間流轉，生機仍是蓬勃盎然，未曾歇止，是故天地不朽，宇宙恆常。反觀人之年歲有限，轉眼遲暮。且世路多舛，人微命賤，生命猶如薄冰般危淺而易碎，故只能在深林中躊躇徘徊，遠眺天際，寄心於無窮。此乃是張協覽物後引發情感的觸動，而「感興衰易變、生命無常之慨」〔註 13〕。

時值賈后亂政，西晉之初的平和景象已不復見，諸王爭競，動亂頻仍，士人欲得昇平之世的理想再度破滅，有志不遂，乃陷張皇之中。因此，當士人遠離塵囂紛擾，信步於自然的鬼斧神工時，見天地之悠悠，思及世道困蹇，權力的傾軋、名利的競馳，於現實中所承受、追求的種種欲念執著，在天地間只是情之負累，遂生發一股莫名的無力感，乃化作蹣跚步履，流連在林野之中，喟然長歎。蓋漫遊自然，不僅可體會山野樂趣，亦能暢懷抒憂，可傷景、可嘆息，更甚者，乃爲情而痛哭，如阮籍之率意出游，竟至窮途，痛哭而回，又如《世說新語・任誕》54 載：

> 王長史登茅山，大慟哭曰：「琅邪王伯輿，終當爲情死！」〔註 14〕

王廞爲王導之孫，琅邪王氏乃高貴門第，家學淵源，使其平生居於「軒冕之中」，且具「風流之表」。看似富貴平順的貴游子弟，何以於茅山中發出如此哀慟的宣言？蓋晉安帝太傅司馬道子寵信佞人，王恭乃以「清君側」爲由，發動兵諫。是時，王廞於吳郡守母喪，王恭以王廞爲建武將軍，藉吳郡兵馬，以增威勢。不出十日，佞人遭誅，兵亂已息，王恭遂罷王廞將軍之職，遣其返回吳郡守喪。本欲展志的伯輿，不意自己竟只是遭人利用的棋子，而於兵諫期間大肆誅殺異己，結怨樹敵。加上王恭呼之則來，揮之即去的欺凌感，使伯輿盛怒之下便據兵叛變。從〈長史變歌三首〉即可看出其內心的糾葛、

1951。

〔註 13〕蕭淑貞指出：「張協登北芒，縱目於當下景物，游心於曠遠時空，既起興衰易變、生命無常之慨，又在遠眺澄慮、瞻古思今中，會悟榮華不可待、富貴一場空之里，將抒情、嘲諷、感悟溶入登臨觀景中，引人同歎，亦發人深省。」見氏作《魏晉山水紀遊詩文之研究》（臺北：臺灣學生書局，2009 年），頁296。

〔註 14〕〔南朝宋〕劉義慶撰；余嘉錫箋疏：《世說新語箋疏・任誕》54，頁 764。

變化，其言：

> 出儂吳昌門，青水綠碧色。徘徊戎馬前，求罷不能得。口和狂風扇，心故清白節。朱門前世榮，千載表忠烈。朱桂結貞根，芬芳溢帝庭。凌霜不改色，枝葉永流榮。〔註 15〕

吳郡青山綠水，天晴花妍，伯輿卻因戎馬戰事，不得已離開如此風光明媚之處。期間欲求罷兵卻不能如願，身不由己地捲入政治漩渦。家門恩榮、氣節清白，猶如蘭草桂枝般高潔，即使受風霜摧殘，仍舊傲然挺立於世，不枯不凋。故登臨茅山，見自然之平淡和煦，純淨無染，思及自己一片純情，卻被如此辜負，無怪乎王廞發出如此哀慟欲絕的呼喊。

晉室南渡之初，北方士人目睹家園慘遭胡人鐵騎蹂躪，倉皇渡江之哀，令人形神慘悴。遙想故國美好，憶起當年談玄游戲之歡樂時光，而今忍辱含悲，暫居南方，江南美景之絢爛壯麗對比回首故國之難堪，不禁悲從中來，難以自持。於是，這些「憶昔傷今」的士人自成一群體，共游新亭，《世說新語・言語》31 載：

> 過江諸人，每至暇日，輒相邀新亭，藉卉飲宴。周侯中坐而嘆曰：「風景不殊，正自有山河之異！」皆相視流淚。唯王丞相愀然變色曰：「當共戮力王室，克復神州，何至作楚囚相對泣邪？」〔註 16〕

此時的「游」，實是緬懷悼往的「悲游」，是對於昔日美好之不可得的哀嘆，只能暗自垂淚而愁思無限。

當時登高遠望以悲嘆己之不遇及憶昔傷今者，非只王廞一人。潘岳亦曾游虎牢山，悽然道出濃厚的戀鄉懷土之歎，其〈登虎勞山賦〉云：

> 步玉趾以升降，淩汜水而登虎勞。覽河洛之二川，眺成平之雙皋。崇嶺巋以崔崒，幽谷豁以寥寥。路逶迤以迫隘，林廓落以蕭條。爾乃仰蔭嘉木，俯藉芳卉。青煙鬱其相望，棟宇懍以鱗萃。彼登山而臨水，固先哲之所哀。矧去鄉而離家，邈長辭而遠乖。望歸雲以嘆息，腸一日而九回。良勞者之詠事，爰寄言以表懷。〔註 17〕

潘岳總角辯惠，鄉邑號爲奇童，其詩文摛藻清艷，時與陸機並名，謝渾嘗云

〔註 15〕 逯欽立輯校：《先秦漢魏晉南北朝詩・長史變歌三首》（北京：中華書局，1983 年），頁 1054。（以下引文同，故不另列出處，僅以頁數別。）

〔註 16〕 〔南朝宋〕劉義慶撰；余嘉錫箋疏：《世説新語箋疏・言語》31，頁 92。

〔註 17〕 〔晉〕潘岳撰；董志廣校注：《潘岳集校注・登虎勞山賦》（天津：天津古籍出版社，2005 年），頁 67～68。

「潘詩爛若舒錦，無處不佳；陸文如披沙簡金，往往見寶」〔註 18〕。且其美姿容，好神情，每出行便被「擲果盈車」〔註 19〕。然其並未因而平步青雲，早年作《藉田賦》，聲震朝野，卻因「才名冠世，爲眾所嫉」〔註 20〕，滯官賦閒長達十年之久，後又與山濤政見不合，遭放河陽。復遷懷縣，雖曾幾度回任洛陽，卻屢遭免職。期間常與賈謐二十四友共游，企圖重入政治核心，仍未見重用。一位才名兼備的風流人物，卻受盛名所累，無法一展長才，以致仕途顛躓。故在離洛外任時，登虎牢而望鄉關，感懷興嘆而有此作。安仁一路舟車勞頓，東行匆至虎勞，回首黃河、洛水，雖欲窮目以觀鄉里，唯見洛都之邈遠。遠望平、成雙皋，感前途之茫然，且前方又是峻嶺僻立，幽壑清寥，人煙罕至，道路曲折綿延，如似羊腸之徑，益發狹窄壓迫之感。於林間息駕歇息，欲觀蒼木、賞群花，徒剩蕭條落葉相佐。登高臨水，終能體會先人離家去鄉之愁苦，故土不能歸，前方非吾鄉，漂泊過客如我，只能遙向浮雲嘆息，心無處棲息，而歸期渺茫，羈旅愁思，嬋媛縈迴，感慨萬千。潘安宦途遭斥，只能不停地輾轉流徙至他鄉爲客，故山林遠望，觸動其心中之慟，臨水逐流，眇不知所蹠，心絓結而不解。故虎牢山游乃其遭放的無奈之游，飽含懷鄉欲歸之志。

二、登高「樂」游

即使士人的生命因現實之摧折，而深染濃烈的哀傷與無際的憂怖，魏晉士人仍以「寧作我」之姿，勇於展現本性眞情，挺立人作爲主體的意義與價值，突出其卓群不凡的生命情態。在「樂生」的原則下，發展出對自然的一往深情，而縱意於山水游放。對士人而言，山水乃是「深情的寄託」，是內在情感的恣然紓放。人情之愛恨嗔癡，有喜樂、有怒悲，觀之感哀，遂生嗟戚之嘆，如茅山、北芒等傷景之游；賞之興樂，暢然娛心，如庾闡之石鼓山游，其〈觀石鼓詩〉云：

> 命駕觀奇逸，徑騖造靈山。朝濟清溪岸，夕憩五龍泉。鳴石含潛響，雷駭震九天。妙化非不有，莫知神自然。翔霄拂翠嶺，綠澗漱巖間。

〔註 18〕〔南朝梁〕鍾嶸撰；汪中注：《詩品注》（臺北：正中書局，1969 年），頁 99。

〔註 19〕〔南朝宋〕劉義慶撰；余嘉錫箋疏：《世說新語箋疏・容止》7 載：「潘岳妙有姿容，好神情。少時挾彈出洛陽道，婦人遇者，莫不連手共縈之。左太沖絕醜，亦復效岳遊遨，於是羣嫗齊 共亂唾之，委頓而返。」頁 608。

〔註 20〕〔唐〕房玄齡等撰；楊家駱主編：《晉書・潘岳傳》，頁 1502。

> 手澡春泉潔，目翫陽葩鮮。〔註21〕

此山之名有二說：一說山上有異石若鼓；一說山之形狀如鼓，且當鼓鳴響則世有人禍兵亂，故名石鼓山。鳴石潛響，猶如雷震九天，便覺心神俱動，遙想掛懷。且山勢嶕嶢，淩雲濟竦，異響與奇景，無不牽引士人一探究竟。庾闡入石鼓山，觀清溪之朝霞，賞五龍泉之餘暉，感自然之妙化神韻。在巍峨峻嶺間，灝氣縈繞，潺潺流水盤桓於岩壑中。自然生機如清泉般可掬可感，玩賞林間野趣，使人情自難禁而佇足忘歸。

時人不僅熱愛山水、縱身山水，甚至山水觀游已成爲名士風流的標誌〔註22〕。尤其江南名山多姿而秀麗，衡嶽諸山更爲時人所好。桓玄〈南遊衡山詩序〉言：

> 于是假足輕輿，宵言載馳，軒塗三百，山徑徹通。或垂柯跨谷，俠獻交蔭；或曲溪如塞，已絕復開；或乘步長嶺，邈眺遙曠；或憩輿素石，映濯水湄。所以欣然奔悅，求路忘疲者，觸事而至也。仰瞻翠標，邈爾天際，身淩太清，獨交霞景。周覽既畢，頓策峊阿，管絃竝奏，清徵再響。思古永神，遊氣未言。〔註23〕

衡山南嶽，又稱天柱山，山勢聳峻且遼闊綿延，雖只是東南二面臨映湘江，然乘帆流轉於七百里江水中，竟見「九向九背」〔註24〕，可知規模之宏偉。桓玄南游衡嶽，其駕車漫游於古木參天的山徑中，但見兩旁蓊蓊林木，枝葉繁茂而彎曲相交，織成一路蔥鬱帷幕。曲折的溪流，乍現乍隱，時而飛掛於岩壁，時而絕塞於岩間。信步於長嶺，只見山道渺遠無盡，若登陟體疲，便隨意盤坐於水澗素石，俯視湖光倒影，水天一色，仰觀巉巖僻立，竦肅淩天。俯仰之間，如游太虛，灑然出塵。是當游人化去已見成心，暫忘俗擾塵念，沉思靜慮，人方能與自然對話，而從人情之紛雜限制超越，此爲「化通物情」〔註25〕。庾闡

〔註21〕逯欽立：《先秦漢魏晉南北朝詩・庾闡・觀石鼓詩》，頁873。

〔註22〕黃偉倫：《魏晉文學自覺論題新探》（臺北：臺灣學生書局，2006年），頁102。

〔註23〕〔清〕嚴可均校輯：《全上古三代秦漢三國六朝文・桓玄・南遊衡山詩序》，頁2145。

〔註24〕〔北魏〕酈道元注、楊守敬疏：《水經注疏・湘水》載：「衡山東南兩面，臨映湘川，自長沙至此，湘江七百里中，有九向九背，故漁者歌云：『帆隨湘轉，望衡九面。』」（南京：江蘇古籍出版社，1999年），頁3139。

〔註25〕康中乾指出：「物情不同於人情，人情有愛憎、有欲求，而物情沒有這些，物情者自然之情也，這也就是老子所講的『天地不仁，以萬物爲芻狗』的意思。……如果人之情轉成物之情，人就有了超越，有了超越自得的境界，那

游衡山時亦言「寂坐挹虛恬，運目情四豁」〔註26〕，在山中席地而坐，澄清心靈，使其忽防遺知，輔以心眼飛馳，運目四觀，但見天地之曠朗悠悠，益覺人之微小若塵。蓋人雖身處大道之中，卻視而不見，逕自纓於塵網，耽溺在慾望糾葛之中。與其和世事作困獸之搏，不如與自然同游，漫步林澤，化凡心爲玄心，替俗情爲純情，去糟粕而留精純，使之通達豁然。

蓋山水既可興情，也能化情，「化」之關要，乃在玄心。是則人以玄心觀照自然，使感官知覺與心性同如氣般游走，當人內在意識清明，外在感官亦受淨化，心、目不受情感羈絆，便能「游目」。是以，透過臨景興懷→玄心化情→神與物游之過程，自然便能「會心」，使人遣憂排鬱，滌蕩塵心，脫去俗累。魏晉時人面對天地萬物的感悟與玄機，直接且熱切，乃本之於「山水即道」的認知，自然不僅有解憂散懷的作用，其本身即表現自然造化之道，正如曾春海所言：

> 山水由道所化生，是「道」顯示於人的無限美感之作品，山水秉受了「道」所賦予的不可窮盡的物性。……返回山水自然之本性之根源的「道」，才足以保全山水的純眞。山水千姿百態的靜態美及千變萬化的動態美開顯「道」的方式。「道」才是山水之所以美的存在根源。〔註27〕

自然不再是道德之比附，乃擺落人格化之意義，山水自來親人，以傾聽者之姿見顯，人與之相照相應，心、景融合共洽，互相賞會，俗思自然滌濯，人便能暢然娛心。《世說新語・言語》載：

> 荀中郎在京口，登北固望海云：「雖未睹三山，便自使人有凌雲意。若秦、漢之君，必當褰裳濡足。」〔註28〕

北固山位於徐州城西北，三面臨水，高數十丈。荀羡登北固山，眺遠海景，縱目無礙，感受萬物欣然之生機，無形中浣濯胸中俗情。又居高遠望，人間盡在腳下，彷彿如神人般俯視塵世，加之水天之際，湮靄朦朧，故有感而言，

麼人就不會計較功利，這自然就有了精神上的自由和個體上的獨立，這就叫不違乎『道』。」見氏作《有無之辨・魏晉玄學本體思想再解讀》（北京：人民出版社，2003年），頁503。

〔註26〕逯欽立輯校：《先秦漢魏晉南北朝詩・庾闡・衡山詩》：「北眺衡山首，南睨五嶺末。寂坐挹虛恬，運目情四豁。翔虬凌九霄，陸鱗困濡沫。未體江湖悠，安識南溟闊。」頁874。

〔註27〕曾春海：《兩漢魏晉哲學史》（臺北：五南出版社，2009年），頁436。

〔註28〕〔南朝宋〕劉義慶撰；余嘉錫箋疏：《世說新語箋疏・言語》74，頁135。

發己雖未至蓬萊、方丈、瀛洲三神山，亦自覺飄飄然而有凌雲之意，無須苦苦追尋無何有之鄉，人間即是藐姑射之神山。又〈言語〉20 載：「王司州至吳興印渚中看。歎曰：『非唯使人情開滌，亦覺日月清朗。』」〔註 29〕此謂「開滌人情」，並非喻人忘情而無情，而是排遣負面情意，昇華個人之志思。唯有人達至「無欲」之境，以無差別之心應接萬物，才能達到眞正「游」所強調的「絕對自由性質的精神活動」〔註 30〕。

士人透過「以道觀之」的視角，賦予游賞自然以靈活多變的自由角度〔註 31〕。山水即是道的化身，透過游覽山水，以澄懷化情，進而悟道，吾人方能從中看見美、品味美。嗜游樂賞的宗炳，便是在「觀賞山水的自然顯現與律動中」〔註 32〕，物我情契間，煥發「游」的自由意識。其〈登半石山〉寫道：

清晨陟阻崖，氣志洞蕭洒。嶰谷崩地幽，窮石凌天委。長松列竦肅，萬樹巉巖詭。〔註 33〕

中嶽嵩山，《山海經》又名半石山，形勢猶如利刃直入雲端，群峰相連若鳳展雙翅。宗炳入其中而見石崿懸峭，蔥鬱巨木，濃蔭蔽空，既感肅穆之氣，又因怪石嶙峋、危峰矗立，而感自然之奇詭。宗炳亦曾游白鳥山，作〈登白鳥山〉，詩云：

我徂白鳥山，因名感昔擬。仰升數百仞，俯覽眇千里。杲杲群木分，岌岌眾巒起。〔註 34〕

仰觀顚崖峻嶺，壁立千仞；俯視千里江山，眇若繁星。蓊林連綿，明耀日光從枝隙間灑落，忽暝忽現之際，更顯群巒爭起之姿，高峻岌岌之貌，自然之美，盡在眼前。是如石鼓山游、衡山游、北固山游、白石山游〔註 35〕、半石

〔註 29〕〔南朝宋〕劉義慶撰；余嘉錫箋疏：《世說新語箋疏．言語》20，頁 138。

〔註 30〕錢志熙：《魏晉詩歌藝術原論》（北京：北京大學出版社，1993 年），頁 395。

〔註 31〕鄭笠：《莊子美學與中國古代畫論》（北京：商務印書館，2012 年），頁 155。

〔註 32〕王國瓔指出：「（魏晉士人）在通過求仙、隱逸以追求玄遠的風尚裡，開始親近自然、愛好山水。他們發現山水不但有解憂散懷的功用，並且進一步意識到山水本身即表現自然造化之道，揭露宇宙存在之裡；觀賞山水的自然顯現與律動，即能在物我情契中冥合於老、莊的虛靜無爲、逍遙無待的境界。」見氏作《中國山水詩研究》（臺北：聯經出版社，1986 年），頁 120。

〔註 33〕逯欽立輯校：《先秦漢魏晉南北朝詩．宋炳．登半石山》，頁 1137。

〔註 34〕逯欽立輯校：《先秦漢魏晉南北朝詩．宋炳．登白鳥山》，頁 1137。

〔註 35〕〔南朝宋〕劉義慶撰；余嘉錫箋疏：《世說新語箋疏．賞譽》107 載：「孫興公爲庾公參軍，共游白石山，衛君長在坐。孫曰：『此子神情都不關山水，而能作文。』庾公曰：『衛風韻雖不及卿諸人，傾倒處亦不近。』孫遂沐浴此言。」，

山游、白鳥山游，均在山水間從容悠步，與自然共戲、互通、相化，自足自樂，使精神與物同游，故可概稱爲「樂游」。

貳、河海傲游

若說崇山峻嶺可以使人傾懷訴衷，浩渺河海則能滌蕩生命的雜質。水能載舟，亦能覆舟，或平靜和徐，或猛烈如獸，其善變特質，正如人間世事之生滅變化，逝水如人生命之流動，若孔子「逝者如斯，不捨晝夜」〔註36〕之謂，透過水流形象，比擬人事之消亡，此非比德之類，乃是觀者透過山水形象所攫獲的直感體驗。然此觀照性欣賞，並非僅止於覽物而生的美感，更是透過感興，使人內在情懷與自然神韻共感交涉。蓋河海之壯麗，使人同感其磅礴，而得豪情壯志之感。

一、泛海涉江之壯游

重巖幽壑雖森茂壯麗，然江海勝景亦引人顧盼流連，樂游不厭。蓋如劉勰所言，魏晉士人「登山則情滿於山，觀海則意溢於海」，攀陟群山，則情感彌漫其中；臨海觀濤，神思猶若江海澎湃。江海以其磅礴，使人同感壯麗之氣，又海之淵深未知，可賦予士人想像空間，對於水中景觀、生物，無不添以神話幻想，更顯「游」之美感趣味。曹操曾游觀蒼海，嘆其橫無際涯之壯麗，〈碣石篇〉云：

> 東臨碣石，以觀蒼海。水何澹澹，山島竦峙。樹木藂生，百草豐茂。秋風蕭瑟，洪波湧起。日月之行，若出其中。星漢燦爛，若出其裏。〔註37〕

曹操行經竭石，觀賞淼漫洶瀚之蒼海。沿著海面向前望去，竟矗立一座山島。島上蓊鬱繁茂，草木豐簇，綠意盎然。忽然間，秋風掠過海面，興起陣陣波濤。洪波漫漫，浩浩湯湯，波瀾壯闊之勢，日月星辰彷彿皆在其懷抱之中。此詩乃是曹操藉海納萬物之喻，流露心懷天下之壯志。相對於曹操隱寫萬丈雄心，曹丕滄海之游則較爲細觀水域中的景象，其〈滄海賦〉云：

> 美百川之獨宗，壯滄海之威神。經扶桑而遐逝，跨天崖而託身。驚

頁468。

〔註36〕〔宋〕朱熹：《點校四書章句集注・論語集注・子罕》，頁113。

〔註37〕〔魏〕曹操撰；鄧淑杰主編：《曹操集・碣石篇》（長春：時代文藝出版社，1995年），頁73。

濤暴駭，騰踊澎湃。鏗訇隱鄰，涌沸凌邁。〔註38〕

海納百川，其威壯若神，尤當驟起驚濤，浪花拍岸，其聲響彷彿震天欲裂。翻騰之姿，彭湃之勢，猶若沸水騰湧。海浪滔滔之景，如現眼前，因臨海而感壯麗之氣，又鑒於海納萬物，萬流歸同，且對於海中幽深不可見之景致、生物，充滿奇異的想像。潘岳亦嘗游滄海，而想其中必是「其魚則有呑舟鯨鯢，鯸鮧龍鬚，蜂目豺口，狸斑雉軀。怪體異名，不可勝圖。其虫獸則素蛟丹虬，元龜靈鼉，修黿巨鼈，紫貝螣蚰。」〔註39〕奇珍異獸，不可盡數。士人游跡，亦非僅限於滄海，江河同是其人步履常及之處，如曹丕曾與其父操、弟植共遊渦水，而作〈臨渦賦〉，其云：

蔭高樹兮臨曲渦，微風起兮水增波。魚頡頏兮鳥逶迤，雌雄鳴兮聲相和，萍藻生兮散莖柯，春木繁兮發丹華。〔註40〕

建安十八年，曹丕與曹植隨曹操至譙縣祭祖，同游渦水。隨意於樹蔭下乘涼，看著曲折的渦水，微風揚波，激起陣陣漣漪。水中魚兒閒適悠游，鳥兒亦任自飛翔於空中，鳴聲相互應和。萬物逢春，一片花團錦簇，岸邊水草繁茂多生。春山如笑，江山多嬌。此時譙縣人民已非是「死喪略盡，不見舊識」，而是一派恬靜從容的景象。曹丕透過游春臨水，一來舒散征旅之疲，與親友共賞大地春意，魚鳥嬉戲自在的畫面，與曹丕之喜悅，互為表裡；一來從側面反映由動亂走向安定的民生現況，隱隱頌揚曹氏政權耕耘之功績。

兩晉文人涉江、觀濤之風益熾未墜，縱目所見之飆波萬里、水勢懸騰的壯闊氣度，更加吸引時人流連駐足。庾闡〈涉江賦〉寫道「爾乃雲霧勃起，風流溷淆。排嵒拒瀨，觸石興濤。澎湃洗渫，鬱怒咆哮。迴連波以岳墜，壑后土而川窅。總百川之殊勢，集朝宗乎滄浪。」〔註41〕士人游觀長江，黃昏之際，雲聚風生，水面霧氣瀰漫，如夢似幻。滾滾洪濤，浩瀚奔騰，衝波逆浪。於是觀之有感乃曰「體含弘而彌泰，道謙尊而逾光」，其積蘊之大，無所不包、無所不有，直如道之無所不著、無所不被，虛納萬物而顯其德。觀者透過從江海所感受的氣韻，提升精神乘載之限度，故於物我相契的過程中，

〔註38〕〔魏〕曹丕撰；易健賢譯注：《魏文帝集全譯‧滄海賦》（貴陽：貴州人民出版社，1998年），頁4。（以下引文同，故不另列出處，僅以頁數別。）

〔註39〕〔晉〕潘岳撰；董志廣校注：《潘岳集校注‧滄海賦》（天津：天津古籍出版社，2005年），頁64。

〔註40〕〔魏〕曹丕撰；易健賢譯注：《魏文帝集全譯‧臨渦賦》，頁9。

〔註41〕〔清〕嚴可均校輯：《全上古三代秦漢三國六朝文‧庾闡涉江賦》，頁1678。

體自然而玄識通明。曹毗見水濤奔騰之勢，乃更附之以想像，〈觀濤賦〉：

> 伊山水之遼迴，何秋月之淒清。瞻滄津之騰起，觀雲濤之來征。爾其勢也，發源溟池，迴衝天井，灑拂滄漢，遙櫟星景。伍子結誓于陰府，洪湍應期而來騁。汨如八風俱臻，隗若崑崙抗嶺。于是神鯨來往，乘波曜鱗。〔註42〕

洪波滾雪，巨濤迅起，如自冥池而來，沉鬱勃發，直衝九天。水花四濺，盈盈若星河閃爍。濤聲如雷，轟然貫耳，猶如伍子胥挾怨化潮而至，駭浪跌宕，陰霾晦暗，攝人心魄。如此強烈的感官體驗，永矢難忘，故使時人屢屢游之，戀戀不捨。蓋士人游滄海、泛江河，乃從其波瀾壯闊之景，同得豪情壯志之感，情興而心暢，是而興發「游」之趣味，可謂之「壯游」。

二、洛水禊詠之交游

古代常於春、秋二季，於河濱舉行消災解厄、袚除不祥之儀式，稱作「袚禊禮」。「袚禊」最早可推至周禮，意指「春官女巫掌歲時袚除、釁浴」〔註43〕，西漢劉歆《西京雜記》載：「三月上巳，九月重陽，士女游戲，就此袚禊登高。」對此，應劭《風俗通義》詳述：「按《周禮》，女巫掌歲時以袚除疾病。袚，潔也，故於水上盥潔也。巳者，祉也，邪疾已去，其介祉（大福）也。」〔註44〕通過水象徵性地洗去人的罪惡，亦象徵的精神上的重生〔註45〕。西晉以後，袚禊成爲「全民運動」，《通典》言：「晉公卿以下，至於庶人，皆禊洛水之側。」魏晉以來，因敏感的政治情勢，名士或消憂去悶，或樂游清賞，透過山水以轉化情感的暢懷方式，愈來愈不可缺少，本意爲泯除災厄的袚禊習俗，逐漸變爲春郊賞景，嬉游笑鬧的場面。士人常於暮春時節呼朋引伴，扶老攜幼至洛水濱，宴飲嬉游，賦詩吟詠，成公綏〈洛禊賦〉言：

> 考吉日，簡良辰，袚除解禊，同會洛濱，妖童媛女，嬉游河曲，或盥纖手，或濯素足，臨清流，坐沙場，列罍樽，飛羽觴。〔註46〕

是知，「袚禊」既是一種習俗，也是當時一種活動趨勢，甚至可謂是一種流行遊戲，無論男女老少，皆可參加。《世說新語》中亦見士人屢游於洛水濱的記

〔註42〕〔清〕嚴可均校輯：《全三代秦漢魏晉六朝文・曹毗・觀濤賦》，頁2075。

〔註43〕〔唐〕杜佑：《通典》（北京：中華書局，1988年），頁1553。

〔註44〕〔唐〕歐陽詢撰：《藝文類聚》（上海：上海古籍出版社，1999年），頁62。

〔註45〕葉舒憲譯編：《神話——原型批評》（陝西：陝西師範大學出版社，1987年），頁228。

〔註46〕〔清〕嚴可均校輯：《全上古三代秦漢三國六朝文・成公綏・洛禊賦》，頁1795。

載，如：

> 諸名士共至洛水戲，還，樂令問王夷甫曰：「今日戲，樂乎？」王曰：「裴僕射善談名理，混混有雅致；張茂先論史漢，靡靡可聽；我與王安豐說延陵、子房，亦超超玄著。」〔註47〕

文士們彼此談玄暢理，往來應對間相互交流賞譽，洛水濱成爲另類的「清談」場合。游覽山水不一定是避世離俗、憤世嫉俗的行動，而可成爲娛樂生活的重要調劑品，洗滌因現實而汙濁的精神，乃成爲游戲水濱的主要目的之一。他們將玄談視作「戲」，在遊戲化的情境中談玄悟理，且從觀賞自然山水中領會物得於我心之感，解放因時代亂離而受束縛的靈魂，洛禊可謂是一種「戲游」。

東晉時，新舊士族與皇室間的權力相互援引與制衡，步步進逼的緊張關係，使北方士人更加懷念當年名士共游洛水之景，遙想彼時自由而愉快的戲游，《世說新語》中載：

> 王丞相過江，自說昔在洛水邊，數與裴成公、阮千里諸賢共談道。羊曼曰「人久以此許卿，何須復爾？」王曰：「亦不言我須此，但欲爾時不可得耳！」〔註48〕

足見王導對於自己能與諸士於洛水戲游感到無比驕傲〔註49〕，同時亦流露此游難以再現之惆悵。洛水泮濱，儼然成爲清談雅論之處，名士間附庸風雅，在嬉笑戲鬧間有入微的言語應酬，這使得觀賞山水之外，更增一分清譽。

參、七賢醉游

正始年間，曹氏與司馬氏政爭愈演愈烈，士人隨之陷入一種朝不保夕的恐慌當中，稍有不慎便命喪黃泉，政治理想與精神受到嚴重的摧殘，因此，他們將孤獨的心寄託於山林之中，藉此求得撫慰，以跳脫出黑暗的政治漩渦中。故此，游浪山林、任誕肆酒的風氣，愈加盛行，此以「竹林七賢」爲典型代表，又稱爲「林下風氣」。七賢均雅好山林，《晉書》形容阮籍「或閉户讀書，累月不出，或登臨山水，經月忘歸」；言嵇康「采藥游山澤，會其得

〔註47〕〔南朝宋〕劉義慶撰；余嘉錫箋疏：《世說新語箋疏・言語》23，頁85。

〔註48〕〔南朝宋〕劉義慶撰；余嘉錫箋疏：《世說新語箋疏・企羨》2，頁631。

〔註49〕〔南朝宋〕劉義慶撰；余嘉錫箋疏：《世說新語箋疏・輕詆》6載：「王丞相輕蔡公，曰：『我與安期、千里共游洛水邊，何處聞有蔡充兒？』」頁829。

意，忽焉忘返」。嵇康亦自言「遊山澤，觀魚鳥，心甚樂之」。〔註 50〕《太平御覽》中言向秀常與呂安「觀原野，極游浪之勢，不計遠近，經日乃歸。」言劉伶多裸袒，常乘鹿車攜酒而游，《世說新語》亦載王戎屢游於洛水。七賢亦常共游於嵇康山陽別業的竹林裡，把酒臨風，長嘯相和，《世說新語・任誕》載：

> 陳留阮籍，樵國嵇康，河内山濤，三人年皆相比，康年少亞之。預此契者：沛國劉伶，陳留阮咸，河内向秀，瑯琊王戎。七人常集於竹林之下，肆意酣暢，故世謂「竹林七賢」。〔註 51〕

七賢藉「游」以抒己懷，以閒適的心情優游山水，或以逍遙之姿反襯政途之險，或以游賞縱酒之態，掩飾難以言喻的矛盾與痛苦。不言不語的自然，誠是最佳的傾吐之處，七賢擇閑處山陽，縱放竹林，極力讓自己遠離紊亂的政治舞台，或置身塵外，或沉潛以待時清。故此，游牧於大自然便成爲最好的歸途。嵇康〈五言詩〉中即可顯見他所欲追求不擾於心、悠閒自得的自然境界，〈五言詩〉言：

> 俗人不可親，松喬是可鄰。何爲穢濁間，動搖增垢塵。慷慨之遠遊，整駕俟良辰。輕舉翔區外，濯翼扶桑津。徘徊戲靈岳，彈琴詠泰眞。滄水澡五藏，變化忽若神。恆娥進妙藥，毛羽翕光新。一縱發開陽，俯視當路人。哀哉世間人，何足久託身。〔註 52〕

嵇康認爲世間俗人或是僞禮教者，或是曲意迎合者，或是同流合汙者，惟有自然可愛可親。於是離開汙濁的俗世，遠離塵囂，與好友相聚於巖崖中，彈琴嘯咏，達到「逍遙游太和」之境。〈卜疑〉文中，嵇康將理想人格化爲「宏達先生」，提出二十八種處世態度，或入世，或戲游人間，或出世，大抵囊括所有士人出處去就的各種方式。「宏達先生」是位有道君子，他選擇了正道士人「受正不傾」的態度。但在充滿矛盾鬥爭的魏晉時期，「宏達先生」的選擇只是一種至高的理想，無法見容於世。於是，嵇康藉由太史貞父之口，說出他眞正渴望的選擇，〈卜疑〉中云：

> 吾聞至人不相，達人不卜。若先生者，文明在中，見素抱樸。內不愧心，外不負俗。交不爲利，仕不謀祿。鑒乎古今，滌情蕩欲。夫

〔註 50〕〔晉〕嵇康撰；戴明揚校注：《嵇康集校注・與山巨源絕交書》，頁 123。
〔註 51〕〔南朝宋〕劉義慶撰；余嘉錫箋疏：《世說新語箋疏・任誕》1，頁 727。
〔註 52〕〔晉〕嵇康撰；戴明揚校注：《嵇康集校注・五言詩》其三，頁 80。

如是，呂梁可以遊，湯谷可以浴；方將觀大鵬於南溟，又何憂於人間之委曲！〔註53〕

嵇康並非一味的強調歸返山林，而是彰顯「游」所必備的閒適之心，追求隨興之所至的淡泊生活，恰如莊子反樸歸眞的精神境界，展現出一種現世的逍遙，使生命更臻透徹，游天地於自然。

竹林之游的對象除了自然，更多時候乃在於「酒」。對於七賢而言，酒較之於山林，更易使他們契入忘我之境，亦兼具嘲弄性。酒之於儒家，乃用以定親疏、別明異，《左傳》載：「酒以成禮，不繼以淫，義也。以君成禮弗納之淫，仁也。」〔註54〕酒具有形式上的規範作用，而非抒情享樂之用，是禮樂之治的教化手段之一〔註55〕，與道家「飲酒歡樂」之意截然有別。道家反對禮教限制人之自然本性，強調「法天貴眞」，倡言任情而動，處眞而爲，故言「飲酒以樂爲主」〔註56〕，如同處喪以哀爲主，非是固守僵化的禮節，而是和於眞之適性，禮俗只是箝制眾人的藩籬。故此，強調「矜名」之禮法成爲通往「無名」逍遙的最大障礙，於是七賢有志一同地以酒作爲儒、道二家對反之具（禮與情），特別是阮籍更將飲酒視爲存身之道，以作爲亂世中的精神救贖，追求自由人格的肆情展現。世載阮籍「宏達不羈，不拘禮俗」〔註57〕，但他並非純然的慷慨激憤，而是游走於政治與自我間，在不拘俗禮中用晦於明。於公，他至愼緘默，口不輕論世事；於私，他脫略形跡，醉酒長嘯，毀棄男女之防、名教之禮，《世說新語・任誕》載：

阮公鄰家婦有美色，當壚酤酒。阮與王安豐常從婦飲酒，阮醉，便

〔註53〕〔晉〕嵇康撰；戴明揚校注：《嵇康集校注・卜疑》，頁142。

〔註54〕〔重刊宋本〕《十三經注疏附校勘記・左傳注疏附校勘記・莊公・附釋音春秋左傳注疏卷第九・二十二年》（臺北：藝文印書館，1965年），頁163。

〔註55〕曾春海指出：「酒以成禮，『禮』與『醴』相通，備醴酒以行禮，藉以表達人道之淳厚深摯。……就儒家的立場，《禮記・曲禮》言：『夫禮者，所以定親疏，決嫌疑，別同異，明是非也。』禮教旨在促進人與人之間的相互尊敬，因此，在言行上皆有應遵守的外在行爲規範。」見氏作〈竹林七賢與酒〉，收錄於《中州學刊》，第1期，2007年3月，頁176。

〔註56〕〔清〕郭慶藩撰；王孝魚點校：《莊子集釋・漁父》：「眞在內者，神動於外，是所以貴眞也。其用於人理也，事親則慈孝，事君則忠貞，飲酒則歡樂，處喪則悲哀。忠貞以功爲主，飲酒以樂爲主，處喪以哀爲主，事親以適爲主。」頁1032。

〔註57〕〔南朝宋〕劉義慶撰；余嘉錫箋疏：《世說新語箋疏・德行》15注引《魏氏春秋》，頁17。

眠其婦側。夫始殊疑之，伺察，終無他意。〔註58〕

阮籍與王戎共飲，雖因鄰婦美色而從之飲，然既醉而眠，了然遺忘男女之防、美色欲念，坦蕩之情，使其夫亦了解阮籍淳至內在，意在飲酒而無他意。阮籍以醉客形象，包裹洞悉世事的明亮眼光，因酒癮而主動求官，與劉伶同醉任上，看似親近政治，實則遁逃於酒，從而疏遠人、政關係，破除士人以仕爲高的心態。他的「離形」並非是在心的齋戒，乃是憑酒爲媒，蔑棄禮典之軌，脫略風俗之律，以情廢禮，高喊「禮豈爲吾輩設」，企至自由解放之境。阮籍因醉而游，不僅止於遺落世事，更多是情感眞摯的流露，以及對俗禮的蔑視與批判。《晉書・阮籍傳》載：

（阮籍）性至孝，母終，正與人圍棊，對者求止，籍留與決賭。既而飲酒二斗，舉聲一號，吐血數升。及將葬，食一蒸肫，飲二斗酒，然後臨訣，直言窮矣，舉聲一號，因又吐血數升。毀瘠骨立，殆致滅性。〔註59〕

即使在極度悲傷而幾至無力設防的情形下，阮籍亦不能捨去任誕之迹，猶是飲酒食肉，甚至聽聞母逝仍留棋決賭，乃因「醉游」不僅是他邁向心靈自由解放的途徑，亦是周遊於自我與社會間的折衝域，同時蘊含對森嚴禮教的反動。在醉迹之下，納闇思，去避忌，故其一連串「居喪無禮」的行爲，實是有激使然。於時君子，俗好虛浮，務在矯飾，託禮以文其僞，售其姦。生命實是氣之聚散，如莊子之謂「死生，命也，其有夜旦之常，天也」〔註60〕，人之生死猶同天有晝夜，乃不可變逆之常道，人對此應坦然處之。故阮籍〈達莊論〉言：

人生天地之中，體自然之形。身者，陰陽之精氣也。性者，五行之正性也。情者，遊魂之變欲也。神者天地之所以馭也。以生言之，則物無不壽。推之以死，則物莫不夭，自小視之，則萬物莫不小。由大觀之，則萬物莫不大。殤子爲壽，彭祖爲夭；秋毫爲大，泰山爲小。故以死生爲一貫，是非爲一條也。〔註61〕

所謂小大、壽夭，乃以物物之別言之。與天地浩瀚相比，人生何其短促；與

〔註58〕〔南朝宋〕劉義慶撰；余嘉錫箋疏：《世說新語箋疏・任誕》8，頁730。

〔註59〕〔唐〕房玄齡等撰；楊家駱主編：《晉書・阮籍傳》，頁1361。

〔註60〕〔清〕郭慶藩撰；王孝魚點校：《莊子集釋・大宗師》，頁241。

〔註61〕〔晉〕阮籍撰；陳伯君：《阮籍集校注・達莊論》，頁140。

蜉蝣相比，生命又何其綿長。小大貴賤並不在事物本身，而是吾人依其差別比較而名之，如莊子云：「天下莫大於秋毫之末，而大山爲小；莫壽於殤子，而彭祖爲夭。」〔註 62〕以道觀之，物無貴賤，生死通一。以此觀照阮籍母喪之舉，可知貴眞者，不拘於俗，不箝於禮，雖無聲亦哀，豈自限於禮制而廢我性？阮籍實是將喪母之慟深化於「哀心」之中，情之爲眞，乃自然緣發。所謂禮制乃世俗之爲也，無須偏執於制度或名言教誨，處喪須以哀情爲主，強哭者，悲而不哀。其不因禮制當爲而爲之，故傷鬱之至，發爲不可抑制之鮮血，全然流淌，情之爲放，幾至毀形滅性。無可造作的身體反應，便是阮籍於激僞中拚發的眞情〔註 63〕。相對於悼喪者拘泥智巧禮俗而斤斤計較，如何曾疵衅阮籍之負才任誕，嫉之若仇，上諫「宜流之海外，以正風俗」，僅從制度層面審度之，並無臨喪哀戚之心，造作情僞。兩相比擬，阮籍抗俗獨任，更顯情之爲眞、爲重。

若說阮籍之「醉」，揉入無可奈何的痛楚與鬱結，同爲七賢的阮咸，更是恣肆的極致，將生命推向極端反向的道路，《世說新語・任誕》載：

> 諸阮皆能飲酒，仲容至宗人閒共集，不復用常桮斟酌，以大甕盛酒，圍坐，相向大酌。時有群豬來飲，直接去上，便共飲之。〔註 64〕

阮咸與群豬共飲，除是好酒，更是一種泯除成見貴賤、遺忘形骸之思想涵養。於酒鄉之中，逸出一切箝制，在自我毀棄的過程中解放個體，游入「天地與我並生，萬物與我爲一」〔註 65〕的齊平之境。齊貴賤，忘哀樂，無分豬賤而人貴，任自然而忘內外，超然俱得，不爲外物移心，是故形名之得失毀立，早已無足掛懷。更有甚者，其於母喪期間，與鮮卑族婢女行親幸之事，又身著孝服，騎驢追婢，無視居喪之禮，且公然輕蔑門第之別，與外族胡女通婚。毀形蔑禮的舉措，並非故作怪誕以標舉自我，乃是「從俗而反俗」〔註 66〕，入其中而游乎外。其言「人種不可失」，乃從孝觀出發，孝之大本乃在子嗣繁衍，雖居母喪，亦不可違，故護婢存種乃其責任所在，此以禮法之矛，攻禮法之盾，極富揶揄與諷刺。阮咸之狂放違俗，看似無遮攔定準，實則固持老

〔註 62〕〔清〕郭慶藩撰；王孝魚點校：《莊子集釋・齊物論》，頁 79。

〔註 63〕牟宗三：《才性與玄理》（臺北：臺灣學生書局，1989 年），頁 290。

〔註 64〕〔南朝宋〕劉義慶撰；余嘉錫箋疏：《世說新語箋疏・任誕》12，頁 733。

〔註 65〕〔清〕郭慶藩撰、王孝魚點校：《莊子・齊物論》，頁 79。

〔註 66〕魯慶中：〈阮咸：一個才情卓異、行爲駭俗的魏晉風度的個案〉，《殷都學刊》，第 2 期，2009 年 3 月，頁 95。

莊自然思想，在顯情任心的修養下，頡頏禮法。他的「醉游」，並非聚眾貪歡，乃抱守虛靜，貞素寡欲，且其深識清濁，山濤、郭奕均醉心其識量〔註 67〕。又《晉書・阮咸傳》載：

> （阮咸）雖處世不交人事，惟共親知絃歌酣宴而已。與從子修特相善，每以得意爲歡。〔註 68〕

不同於叔父阮籍濟世不得，乃轉以老莊自然爲心，對音律極爲敏感的阮咸，常能感受無法與他人言說的弦外之音，加以不闇交際，對人群的疏離，遂造就其不合俗情、情欲寡淺的個性。其生命之游，便是以「得意」爲旨，不以好惡而內傷其身，順從自然，不妄貪渴求，亦不爲外物所惑。阮咸若失此心，而任意更易本性眞理，便只堪淪爲徒具形式、毫無思想意識之俗人，而非深獲識鑒、高遠亮達之名士〔註 69〕。

同爲「醉客」的劉伶，病酒之姿更勝於二阮。若說阮籍是苦悶的靈魂，劉伶則可謂是天地之棄才。在重視美姿容與門第的魏晉時代，劉伶既非出身名門大姓，且又「貌甚醜悴」，世所厭棄。於是他自放於亂世，悠悠忽忽，任情肆志，通過「醉酒」祛除心累，蕭散懷抱。他好飲酒，嘗語其妻欲祝神以誓絕酒，祭而自言：「天生劉伶，以酒爲名，一飲一斛，五斗解酲。」〔註 70〕他正是藉由極爲莊重嚴肅的祝禱儀式，宣示不羈的自我本性，與阮咸同屬入世，卻游於外，借此道還彼身，在體制內與之抗衡。劉伶病酒，並非來自慾望的促動，亦非如阮籍窮途而哭的痛苦心焦，而是藉酒以征服環境，秉守純眞本性，豁達游世。遺棄形骸之至，甚至於脫衣裸形於屋中，直言以天地爲宇，屋室爲衣。看似滑稽幽默，實乃意氣所寄，將精神全然擲入酒鄉，祛除情慾、有無之羈絆，直入如赤子般純和、「無思無慮，其樂陶陶」的精神境界。以細宇宙、齊萬物爲心，無慮無愁，游心無窮。〈酒德頌〉中「大人先生」的建構，既是一種對現實空乏的彌補，調和不自由的缺失，從限制中獲得解脫，

〔註 67〕〔唐〕房玄齡等撰；楊家駱主編：《晉書・阮咸傳》：「太原郭奕高爽有識量，知名於時，少所推先，見咸心醉，不覺嘆焉。」山濤亦讚其「貞素寡欲，深識清濁，萬物不能移。若在官人之職，必絕於時。」頁 1362。

〔註 68〕〔唐〕房玄齡等撰；楊家駱主編：《晉書・阮咸傳》，頁 1363。

〔註 69〕孔繁指出：「阮咸雖不拘禮法，而能貞素寡欲，深識清濁，不爲外物移心，這乃是老莊玄學之素養，他是任自然而越名教，即越名任心，體亮心達，故能深識清濁。這表明不拘禮法乃其表現形式，而貞素寡欲爲其內心世界，此乃名士之精神本質。」見氏作《魏晉玄談》（臺北：紅葉文化，1993 年），頁 73。

〔註 70〕〔唐〕房玄齡等撰；楊家駱主編：《晉書・劉伶傳》，頁 1376。

同時也為個人達觀留下理想人格之化身。但與阮籍苦心追求的「大人境界」不同，阮籍乘物游心的理想人格，與輾轉煎熬的現實人格極有落差，但劉伶的理想人格與現實人格卻是統一的。文中唯酒是務的「大人」，以天地為居室，歲月為虛臾，超脫空間與時間之限，縱情任意，以酒為伴，正是劉伶之縮影。且從「大人」醉時無思無慮，醒時幕天席地，均是渾沌無差別的狀態來看，可知酒不過是一種途徑，酒外之意乃其縱意所如之達。

七賢的醉游，既是立基於現實層面的周旋婉轉，也是置之於境界性的逾矩：一方面遜迹免禍，外示疏遠，規避與禮法之士虛與應酬的痛苦，雖厭棄現世，對於生命仍舊欲求眷戀，故一再藉由違俗之舉以護生；另一方面批判禮教，衝撞教條枷鎖，維護自我人格，申明己志。此是其在出處去就、逍遙與全生的強烈矛盾下，不可不為的調和之道，既是護生，又可全志。誠如陳洪所言：

> 這類縱酒狂放，在阮籍有著雙重意義：它向當局者表明，自己是一個只管享受、不問政治、無半點野心的庸人；又向在野士林宣告，自己只是一個迫不得已的司馬氏同路人，並不是同流合污的政客。〔註71〕

張揚又畸形的舉樽之致，是老莊「離形去智」的再演譯，更是在欲入不堪忍、欲出不能得的雙重煎熬下，所迸發的生命意識。透過沉醉忘卻生命的困境，破壞一切規則羈靡，使人與人的界限漸弭，遂而進入與自然合同之游境。

承上所述，七賢之「游」實非樂游〔註72〕，亦非達到莊子之逍遙境界。蓋莊子之游乃是由忘而游，游乃是體道後無意識的自然表現；七賢卻是欲藉游而忘，是在苦痛的現實中，尋求跳脫的出口。因此，無論七賢如何不顧外在毀譽，遺忘形骸，均無法求得老莊逍遙無待之境，實是因其人心中均有無可忘卻的苦悶。生命的委全與高壓下的反抗，交織成矛盾的心態，擺盪於自我與社會之間，強烈渴望衝破現實之困境，發而為外，遂有異於常軌的行迹。

〔註71〕陳洪：《詩化人生——魏晉風度的魅力》（保定：河北大學出版社，2001年），頁200。

〔註72〕江建俊指出「七賢的林下游，實非樂游，以其情緒極起伏，胸中有壘塊，是一群自覺意識極強的知識分子，對篡逆者的巧取豪奪，十分痛心，為求保全，故疏離於現實政治，徘徊審顧。」見氏著〈莊子「游」的意識對魏晉名士游浪山水之影響〉，《于有非有，于無非無——魏晉思想文化綜論》（臺北：新文豐出版社，2009年），頁27。

其人亦明白自己與莊子的境界落差，遂是塑造「大人先生」、「宏達先生」以作為理想的寄託。七賢所需，僅是一個可以暫時逸出現實的環境，如同龔鵬程所言：「凡是人處在壓抑、閉塞的環境中，則真實的旅遊或夢中的旅遊，一樣均可提供人超越現況的解放感。」〔註 73〕酒鄉、林澤成為逍遙自適、縱放身心的理想淨土，外顯之行為只是表層的「游」，主要是在行為背後展現的生命意義，才是使心靈能夠超脫物累的游之詮釋。雖身處現世，然心已神游四方，不受形體、現實束縛，真正的「游」乃是游心物外的「心游」。

第二節　我輩恣情——競才誇誕游

當道統透過政治實踐，凝聚成一系列成熟的制度安排和操作程序〔註 74〕，「士」便經由宦途進入權力核心，成為權力語境的擁有者，控制並主導主流思潮。加上漢代舉賢良、方正，察孝廉、秀才之舉薦制度，士人不斷透過血緣家族以擴大勢力範圍，壟斷政權，成為一方「士族」，而擁有文化、政治、知識、經濟干預的權力，是如《後漢書・文苑傳》載：「故法禁屈撓於勢族，恩澤不逮於單門」〔註 75〕，致使上品無寒門，下品無士族。仕紳貴族為維繫並鞏固優勢，常藉交游以強化彼此間的關係，以是游宴盛行。同時，門第亦藉由宴會的舉辦，誇炫家族的經濟實力，是有「競富」之風。不僅士族汰侈如是，皇室貴冑亦如此。魏明帝「好修宮室，制度靡麗，百姓苦之。帝自遼東還，役者猶萬餘人，雕玩之物，動以千計。」〔註 76〕晉武帝於平吳後，更是「不復留心萬機，惟耽酒色。始寵後黨，請謁公行，政風自此敗壞。」〔註 77〕於是，豪門貴卿無不放浪冶游，狎妓作樂，輕薄放逸，傲誕成俗。據《三國志・楊阜傳》載：

> （曹）洪置酒大會，令女倡著羅穀之衣，蹋鼓，一坐皆笑。阜厲聲責洪曰：「男女之別，國之大節，何有於廣坐之中裸女人形體！雖桀、紂之亂，不甚於此。」遂奮衣辭出。〔註 78〕

〔註 73〕龔鵬程：《游的精神文化史論》（石家莊：河北教育出版社，2001 年），頁 149。

〔註 74〕徐斌：《魏晉玄學新論》（上海：上海古籍出版社，2000 年），頁 175。

〔註 75〕〔南朝宋〕范曄撰；〔唐〕李賢等注：《後漢書・文苑傳・趙壹・刺世疾邪賦》（臺北：鼎文書局，1981 年），頁 2631。

〔註 76〕〔唐〕房玄齡等撰；楊家駱主編：《晉書》，頁 13。

〔註 77〕〔唐〕房玄齡等撰；楊家駱主編：《晉書・楊駿傳》，頁 1177。

〔註 78〕〔晉〕陳壽撰；〔南朝宋〕裴松之注：《三國志・楊阜傳》（臺北：鼎文書局，

崇尚華奢，上行下效，驕奢淫逸蔚成時風，民貧而俗奢，富賈之家更是奢恣尤甚，競事於侈靡之事，無意生產，社會風氣窳壞。

鑒因於此，本節以名士集團間的交游爲考察對象，釐清其中盤根錯節的權力關係。同時檢視其人在「身名俱泰」的生命理想下，如何從年歲有限之嗟嘆中跳脫，達到擁有清高之名，亦不落享樂之實。至此，「游」不僅是單純的避禍遠害、滌情濾思，乃更附以權利、名聲的糾葛，成爲鬥富比貴的一種方式。

壹、名士宴游

文人游宴活動的產生，反映特定時期文人的心態與價值追求，特別是魏晉時期，以瀏覽林苑美景爲樂的生活態度，本身即具有企圖忘卻身處亂世、慨歎生命無常之意，藉由一次次歡愉卻短暫的游宴，淡緩心中翻騰而難以抑制的悲憤與哀傷。不同於親臨山水的眞摯，士人游覽名園時，多具特殊的政治成分，掌權者利用宴游吸引士人，士人則藉此依附權貴，或求得官職，或保全生命。權力相互攀結，結黨成群，互相烘托，以此同時擴大政治與文壇間的勢力。

一、鄴下從游

建安九年，曹操攻克鄴城，釐革租賦徭令，穩定民生。廣修宮苑，築玄武池以習水師，以銅雀三臺爲新宮別業，鄴城儼然成爲北方軍機重鎮。加之多次頒布求賢令〔註 79〕，吸引天下能士望風歸附，藉由文人語言創作之於社會輿論之力量，營造曹氏政權的正面形象。亦是在亂世之中，給予士人創作環境，使之肆志逞才。曹操既掌握政局，又身兼文壇領袖，鄴城遂成一時風流才士，濟濟盛出，文風鼎盛的政治核心，誠如鍾嶸《詩品序》所言：

> 降及建安，曹公父子，篤好斯文，平原兄弟，鬱爲文棟；劉楨、王粲，爲其羽翼。次有攀龍託鳳，自致於屬車者，蓋將百計。彬彬之盛，大備於時矣。〔註 80〕

1980 年），頁 704。

〔註 79〕據陸侃如《中古文學繫年》（北京：人民文學出版社，1985 年），曹操於建安十五年、十九年和二十二年分別下頒求賢令，廣泛搜求具有治國輔弼之材的賢士。

〔註 80〕〔南朝梁〕鍾嶸撰；汪中注：《詩品注》（臺北：正中書局，1969 年），頁 8。

對於長期陷於軍閥割據、動盪不安的士人而言，曹氏政權對文學釋出全面的善意，提供安定的環境待其發展。且曹氏禮賢下士，不因其下「文學侍從」身分而倨傲鄙夷，反之常與其同游共宴，實是飽受顛沛之苦的文人，最渴慕的伯樂之遇。是故陳琳、王粲等盛名之士，均自覺地依攏於鄴城，其中心理變化，誠若應瑒〈侍五官中郎將建章台集詩〉所述：

> 朝雁鳴雲中，音響一何哀！問子遊何鄉？戢翼正徘徊。言我寒門來，將就衡陽棲。往春翔北土，今冬客南淮。遠行蒙霜雪，毛羽日摧頹。常恐傷肌骨，身殞沉黃泥。簡珠墮沙石，何能中自諧？欲因雲雨會，濯翼陵高梯。良遇不可值，伸眉路何階？公子愛敬客，樂飲不知疲。和顏既以暢，乃肯顧細微。贈詩見存慰，小子非所宜。爲且極歡情，不醉其無歸。凡百敬爾位，以副飢渴懷。〔註81〕

受戰火波及的士人，只能如朝雁般不斷地南遷北徙、徘徊移轉。生命未可期，有志不得伸展，士若瑰玉之寶，卻直墜礫堆，徒受摧折湮沒。曹氏的見遇，是對罹亂客旅的一絲曙光，即便「擇君而事」實爲不易〔註82〕，然「大德不踰閑，小德出入可也」，依時而遷，即使因此而受世人非難其操守，亦往矣。對士人而言，曹氏不僅有知遇之恩，更提供穩固的經濟條件，屛障其生活環境，使士人無須漂泊流離，得展長才，故能得其感激之情和誠敬欲報之心。

承此環境下，鄴下文人乃能於「傲雅觴豆之前，雍容衽席之上，灑筆以成酣歌，和墨以籍談笑」〔註83〕，游宴賦詩遂成爲鄴下文人最主要的生活型態，誠如《文心雕龍・明詩》所載：

> 暨建安之初，五言騰踊：文帝、陳思，縱轡以騁節；王、徐、應、劉，望路而爭驅。並憐風月，狎池苑，述恩榮，敘酣宴，慷慨以任氣，磊落以使才。〔註84〕

鄴下文學中，「游」與「宴」是密切不可分割的共體，「游」象徵士人不受現

〔註81〕余紹初輯校：《建安七子集・應瑒集・侍五官中郎將建章臺集詩》（臺北：文史哲出版社，1990年），頁166。

〔註82〕江建俊指出：「亂世中的知識份子，除了現實環境與其崇高的理想日作交戰，而帶給他精神上無比的威脅和超乎尋常的痛苦外，『擇君而事』也是一樁不容易的事情」。見氏作《建安七子學術》（臺北：文史哲出版社，1982年）。

〔註83〕〔南朝梁〕劉勰撰；王利器校箋：《文心雕龍校証・時序》（臺北：明文書局，1982年），頁273。

〔註84〕〔南朝梁〕劉勰撰；王利器校箋：《文心雕龍校証・明詩》（臺北：明文書局，1982年），頁35。

實束縛，精神自由解放的心靈狀態；「宴」則是其游園酣飲的活動行爲。游園與游心，一動一靜，複合構成詩歌中兼具積極與消極、享樂與求仙、年命短促與建功立業、入世浮沉與高蹈入林的二元極端面向，致使游園之樂往往帶有浮生若寄的感嘆。是以詩作內容既有「狎池苑」、「述恩榮」、「敘酣宴」等具目的性的活動記述，亦有宴樂之後，感傷生命短促、「憐風月」的個人情感抒發。而這類活動主要發生的地點，即在著名的銅雀園，亦稱「西園」〔註85〕。園中蒼蔥純茂，鳥獸愜居，逕引川流，合堰爲湖，曲池流湍，景致清美。《水經注》載：「三臺洞開，高三十五丈。石氏作層觀架其上，置銅鳳，頭高一丈六尺。……凡諸宮殿門臺隅雉，皆加觀榭，層甍反宇，飛檐拂雲，圖以丹青，色以輕素。當其全盛之時，去鄴六七十里，遠望苕亭，巍若仙居。」〔註86〕亭台樓閣，一園盡覽。

當時詩作中，亦多記西園宴游之盛況，劉楨〈公讌詩〉：

> 永日行遊戲，歡樂猶未央。遺思在玄夜，相與復翱翔。輦車飛速蓋，從者盈路傍。月初照園中，珍木鬱蒼蒼。清川過石渠，流波爲魚防。芙蓉散其華，菡萏溢金塘。靈鳥宿水裔，仁獸游飛梁。華館寄流波，豁達來風涼。生平未始聞，歌之安能詳。投翰長嘆息，綺麗不可忘。〔註87〕

宴會雖終，眾人仍流連於西園夜色，竟夜忘返。皎潔月光照入華麗的園中，碧波蕩漾的池塘，閃爍著金色光芒，池中盛開的芙蓉，更添華彩。高潔的環境使得神鳥與仁獸皆來棲息，月色夜景一同我心般和諧共響，如此良辰美景怎能忘懷？詩中不見阿諛奉承之語，是因詩人將曹氏父子視爲一種「平等關係」，強調彼此共同體驗、享受戲游逍遙的美好感受〔註88〕。內容寫盡園中之

〔註85〕銅雀園位於文昌殿西，故稱「西園」。曹丕在〈詩序〉中言：「爲太子時，北園（即西園）及東閣講堂并賦詩，命王粲、劉楨、阮瑀、應瑒同作。」見易健賢譯注：《魏文帝集全譯》頁527。

〔註86〕〔北魏〕酈道元注、楊守敬疏：《水經注疏・湘水》（南京：江蘇古籍出版社，1999年），頁179。

〔註87〕余紹初輯校：《建安七子集・劉楨集・公讌詩》（臺北：文史哲出版社，1990年），頁181。

〔註88〕鄭毓瑜指出：「建安文學創作活動中，曹氏父子不但不是高高在上的旁觀者，反而親自參與，而保持一種平等關係。……建安文士的侍讌作品，莫不以彼此共同體驗、享受的戲游逍遙、極歡縱意爲篇章的主題重心，而與立足於君臣關係、著眼於雄圖大業的兩漢賦作迥異遠別。」見氏作《六朝情境美學綜論》（臺北：臺灣學生書局，1994年），頁178。

美，更引鳳凰、麒麟以象徵環境之純淨美好，且侍者盈路，絲竹之樂悠揚不絕，詩人之心靈感官全然被眼前的美景所攫獲，在在流露深刻的生命意識。又如曹丕〈芙蓉池作詩〉:「乘輦夜行游，逍遙步西園」、曹植〈公宴詩〉:「清夜遊西園，飛蓋相追隨」,同記游園之快意逍遙。後者描寫園中「潛魚躍清波，好鳥鳴高枝」的蓬勃之景，展現自然的生命力，亦記眾人「終宴不知疲，清夜遊西園」的愜意歡悅，同游的愉樂、景色的悅目，交織成士人飄然肆志的美好心理。

西園景緻雖麗，然士人猶有未盡興時，乃轉往鄴城郊區玄武苑續而游之，其中不乏士人同游共樂之作，如王粲〈雜詩〉敘云：

> 吉日簡清時，從君出西園。方軌策良馬，並馳厲中原。北臨清漳水，西看柏楊山。回翔游廣囿。逍遙波水間。
>
> 列車息眾駕，相伴綠水湄。幽蘭吐芳烈，芙蓉發紅暉。百鳥何繽翻，振翼群相隨。投網引潛魚，強弩下高飛。白日已西邁，歡樂忽忘歸。
>
> 〔註 89〕

駕馬出園後，但見北邊有漳水環繞鄴城，西邊則有柏楊山爲依倚，山川環繞，風景清美。息駕於綠水河畔，惟睹岸旁群花爭妍，幽蘭吐芳，芙蓉映紅，一片盎然生機。仰觀百鳥振翼，輕盈靈動之姿，使人同感飛翔之暢快。文人或投網引魚，或射弩競賽，享受游獵之樂，渾然不覺白日已逝，樂而忘歸。詩人透過群花、飛鳥、游魚構成一幅自然美圖。又利用「吐」、「發」等生動形象描繪大自然中蘊藏的生命力〔註 90〕，如斯美景，怎不樂游？曹丕〈於玄武陂作詩〉亦云：

> 兄弟共行游，驅車出西城。野田廣開闢，川渠互相經。黍稷何鬱鬱，流波激悲聲。菱芡覆綠水，芙蓉發丹榮。柳垂重蔭綠，向我池邊生。乘渚望長洲，群鳥歡嘩鳴。萍藻泛濫浮，澹澹隨風傾。忘憂共容與，暢此千秋情。〔註 91〕

此詩對於城外景色的描繪，更爲寫實而細膩。阡陌縱橫的灌溉水渠，使得農作物鬱鬱蔥蔥，綿延盈野。玄武池中覆滿菱荷，池邊亦垂柳成蔭，鳥鳴不絕

〔註 89〕余紹初輯校:《建安七子集・王粲集・雜詩》(臺北：文史哲出版社，1990 年)，頁 82～83。

〔註 90〕傅剛:《魏晉南北朝詩歌史論》(長春：吉林教育出版社，1995 年)，頁 23。

〔註 91〕〔魏〕曹丕撰；易健賢譯注:《魏文帝集全譯・於玄武陂作詩》，頁 455。

於耳，清風吹拂著池中萍藻，徐徐飄搖。憂思愁緒便在此波光粼粼間淡忘，鬱結的情感因此而得到紓放。

又建安十七年，曹丕與吳質、曹植共游南皮〔註 92〕，曹丕〈與吳質書〉寫道：

> 每念昔日南皮之游，誠不可忘。既妙思六經，逍遙百氏，談棋閒設，終以博奕，高談娛心，哀箏順耳。馳騖北場，旅食南館，浮甘瓜於清泉，沈朱李於寒水。皦日既沒，繼以朗月，同乘並載，以游後園，輿輪徐動，賓從無聲，清風夜起，悲笳微吟，樂往哀來，淒然傷懷。〔註 93〕

曹丕難忘南皮之游，遙想當時設棋對弈的閒適，暢快淋漓地高談對於經典的辯證，好不快樂，園中引入泉水浸泡著瓜果，食來格外沁涼香甜，文人同享著思維的交流與口腹之滿足，快意生活豈有更勝者？夜晚的南皮園更是引人入勝，沐著皎月清風，駕車同游，耳中沒有多餘紛雜的喧囂，只有淺淺低吟的笳聲，迴盪在清麗夜色之中。世外之事似是與我不可擾，與友人於園中，談學論理，應答和唱，雅樂清風共賞，得此自適之樂，夫復何求。

由上舉詩作可知，鄴下文人之宴游詩，多以宴飲、游園爲題材，常見覽物閒適之作，敘園景、寫悠情，或活潑，或婉約，或歡愉，或感慨。不同於兩漢游覽賦以承媚上者爲旨，極盡誇張之能事，揄揚君主之德，謳歌京城之盛。逸辭過壯，反與現實相去太遠，麗靡過美，而與情相悖，是多虛辭濫說，缺失文章立意寄懷之用。鄴下從游乃是在「游園宴飲之際，任氣使才、神思想像的旁若無人以及賦詩清談之後的釋鬱同歡所共同構成的『大丈夫之樂』」〔註 94〕，從原本的官屬角色，突出「文人」地位，使士人從「建功」的牢籠中逃脫。對自然美感的穎悟，萬物生命力的描繪，無不流露士人對生命、世界的熱愛。詩文內容不再僅是填充政治或歷史內容，取而代之的是自我意識。這是文學獨立、自覺的重要標誌，既有現實義、普遍義，更有抒情義，除拓展詩文觀照之面向外，亦強化詩文「抒情言志」之目的。將向外立業的目光轉回自我精神的昇華，藉情感的縱情展演，進而完成生命之實現。透過群體

〔註 92〕〔宋〕樂史：《太平寰宇記・卷六五》：「醼友臺在縣東二十五里。《魏志》云文帝爲五官中郎將與吳質重游南皮，築此臺醼友。」（臺北：文海出版社，1963 年），頁 505。

〔註 93〕〔魏〕曹丕撰；易健賢譯注：《魏文帝集全譯・與吳質書》，頁 229。

〔註 94〕鄭毓瑜：《六朝情境美學綜論》（臺北：學生書局，1994 年），頁 216。

宴饗間的賦詩品評，獲得他人的回應肯定，並建構自我的存在價值，煥發慷慨磊落之姿，是有「新聲起於鄴中」〔註95〕、「建安風骨」之譽。

二、金谷侈游

石崇財產豐積且好客重游，金谷園乃其建於河南縣界金谷澗中之別業〔註96〕，用以雅集宴飲之所，其所作〈金谷詩序〉中即云：

> 有別廬在河南縣界金谷澗中，或高或下，有清泉茂林，眾果竹柏藥草之屬，莫不畢備。又有水碓魚池土窟，其爲娛目歡心之物備矣。〔註97〕

金谷園是一座依水而建，可游、可居，雅致秀麗、生機盎然的藝術園林。徜徉其中必可使疲憊的心靈受到安慰，因世道而煩憂的靈魂而可獲得休息。流連於金谷美景的眾多名士，其中以「二十四友」聞名於當世。石崇與當時名士潘岳、陸機、陸雲等人結交，親附賈謐，《晉書・賈充傳》附賈謐傳載：

> （賈謐）開閣延賓，海內輻湊，貴游豪戚及浮競之徒，莫不盡禮事之。或著文章稱美謐，以方賈誼。渤海石崇歐陽建、滎陽潘岳、吳國陸機陸雲、蘭陵繆徵、京兆杜斌摯虞、琅邪諸葛詮、弘農王粹、襄城杜育、南陽鄒捷、齊國左思、清河崔基、沛國劉瓌、汝南和郁周恢、安平牽秀、潁川陳眕、太原郭彰、高陽許猛、彭城劉訥、中山劉輿劉琨皆傅會於謐，號曰「二十四友」，其餘不得預焉。〔註98〕

二十四友是一個政治性的文人集團，常聚於石崇的金谷別業中，宴游集會，競相趨炎附勢，眾人間對於政治權勢的追求亦毫不掩飾而引以爲常。《晉書・劉琨傳》即寫道當時宴游之盛，往來名士之繁多：

> 時征虜將軍時崇河南金谷澗中有別廬，冠絕時輩，引致賓客，日以賦詩。〔註99〕

金谷別廬中，冠蓋雲集，時之風流者，盡在其中，何遜〈車中見新林分別甚

〔註95〕〔宋〕李昉編：《文苑英華・盧照鄰・樂府雜詩序》（北京：中華書局，1966年），頁3695。

〔註96〕〔北魏〕酈道元注：《水經注疏・穀水》：「穀水又東，左會金谷水。水出太白原，東南流，歷金谷，謂之金谷水。東南流，逕晉衛尉卿石崇之故居也。」（南京：江蘇古籍出版社，1989年），頁1384。

〔註97〕〔南朝宋〕劉義慶撰；余嘉錫箋疏：《世說新語箋疏・品藻》57，頁530。

〔註98〕〔唐〕房玄齡等撰；楊家駱主編：《晉書・賈充傳》，頁1173。

〔註99〕〔唐〕房玄齡等撰；楊家駱主編：《晉書・劉琨傳》，頁1679。

盛詩〉亦云：

> 金谷賓遊盛，青門冠蓋多。隔林望行幰，下阪聽鳴珂。於時春未歇，麥氣始清和。還入平原逕，窮巷可張羅。〔註 100〕

可見金谷園乃當時名士流連之處，爲當時著名的游宴名園。園中山水，依勢設景，巧用自然，傍水造園，山水之美，應有盡有。且石崇常與賓客朋友暢覽園中美景，縱酒嘉宴，或享絲竹之音，各自賦詩，或臨水近觀，抒懷己意，正如石崇所言：「士當身名俱泰」，身享奢華園林之美，名配當時名士之籍。社會聲名與政治權力緊密相繫，故當時士人無不汲汲營營於名利富貴中，如《晉書・潘岳傳》中載：

> 岳性輕躁，趨世利，與石崇等諂事賈謐，每候其出，與崇輒望塵而拜。構愍懷之文，岳之辭也。謐二十四友，岳爲其首。〔註 101〕

西晉世族爲維繫或擴大自身的利益，常藉由通婚或交游的方式，使彼此的關係更加緊密難分。賈謐爲當時位高權重者，名士自然競相依附巴結，故二十四友的形成，實乃一政治聯盟的關係，其文學性相對較低。

金谷園中最著名的一場宴游，當推元康六年時爲王詡所舉辦的餞別宴，當時權貴名士幾乎參與此宴，《世說新語》注引石崇〈金谷詩序〉云：

> 時征西大將軍祭酒王詡當還長安，余與眾賢共送澗中，晝夜游宴，屢遷其座。或登高臨下，或列坐水濱。時琴瑟笙筑，合載車中，道路並作。及往，令與鼓吹遞奏，遂各賦詩，以敘中懷。或不能者，罰酒三斗。感性命之不永，懼凋落之無期。故具列時人官號姓名年紀，又寫詩著後，後之好事者，其覽之哉！凡三十人，吳王師、議郎、關中侯，始平武功蘇紹字世嗣，年五十爲首。〔註 102〕

此番宴會，通宵達旦，時而登高臨下，時而列坐水濱，絲竹樂響，不絕於耳。舞樂歡娛耳目外，更令同游者共題賦詩，以增雅興，無可對者，則罰酒三斗，薄懲添趣。詩著後計列官號姓名者共三十人，尚不計無官位之門客與奴僕雜役，可見人員之眾。潘岳〈金谷集作詩〉即極寫當時宴游之盛與園林之麗：

> 王生和鼎實，石子鎮海沂。親友各言邁，中心悵有違。何以敘離思，

〔註 100〕〔晉〕何遜撰；李伯齊校注：《何遜集校注・車中見新林分別甚盛詩》（濟南：齊魯書社，1988 年），頁 51。

〔註 101〕〔唐〕房玄齡等撰；楊家駱主編：《晉書・潘岳傳》，頁 1504。

〔註 102〕〔南朝宋〕劉義慶撰；余嘉錫箋疏：《世説新語箋疏・品藻》57，頁 530。

攜手遊郊畿。朝發晉京陽，夕次金谷湄。迴谿縈曲阻，峻阪路威夷。綠池泛淡淡，青柳何依依。濫泉龍鱗瀾，激波連珠揮。前庭樹沙棠，後園植烏椑。靈囿繁石榴，茂林列芳梨。飲至臨華沼，遷坐登隆坻。玄醴染朱顏，但愬杯行遲。揚桴撫靈鼓，簫管清且悲。春榮誰不慕，歲寒良獨希。投分寄石友，白首同所歸。〔註 103〕

賓主同樂，隨興所至，或於樓閣內彈琴吹笙，吟詠賞月；或坐於水濱，流觴作詩，歡樂盡興，逍遙無拘。名士賦詩除了暢懷，更是一種「游」戲，其中若有不能者，便罰酒三斗以薄懲取樂，既富遊戲趣味，亦不失文化情懷。

由於當時社會流行玄虛之風，隱士的清逸精神成爲高尚的表徵，故名士爭相藉「隱」以博名。金谷名士欣羨避世於山林中的隱士，游牧弋釣，清遠暢懷的高逸精神，卻又不願意放棄現世中的身名榮華，於是將山林之美「複製」到私家園林中。不同於與帝王共游皇家林苑的被動應召陪賞，名士權貴化被動爲主動，相互親附、吸引，在奢華的園林中主動營求自然美景與生活情趣，享受異於世俗的宴游生活〔註 104〕，如同羅宗強所言：「西晉士人『士當身名具泰』的人生理想，則把山水作爲游樂的對象，把大自然的美做爲人間榮華的一種補充。」〔註 105〕，同時享受山水之樂與生活情趣，雅化俗氣的妓樂宴飲。

金谷宴游，雖窮盡耳目之樂、奢靡之行，在游園殤酌、吟詩作樂的過程中，卻屢屢流露對於生命的慨歎，如石崇〈金谷詩序〉中所言：「感生命之不永，懼凋落之無期」。名士既享奢華之娛，同時亦擁有隱士的清逸高遠之風，在現世兩者兼得下，更加眷戀此時的榮華逸樂，而感嘆生命的短暫，歡愉難以永恆之不完美，是以瀰漫著清悲意識，卻又充滿富貴氣象〔註 106〕。金谷名士雖入世甚深，但正始以來，存在於士人心中普遍的生命問題，仍舊根深於他們的意識中，富貴與生命相互對照，兩者皆不可棄，亦皆無常。他們的「悲」，

〔註 103〕〔晉〕潘岳撰；董志廣校注：《潘岳集校注・金谷集作詩》（天津：天津古籍出版社，2005 年），頁 241。

〔註 104〕蕭淑貞指出：「（金谷名士）由於宴飲歡娛中加入山水審美活動，展現異於世俗之高情逸趣，遂使絲竹並奏、傷酌流行之奢靡享受得到雅化，並成爲士人所追求之詩意人生。」見氏著《魏晉山水紀遊詩之內容》（臺北：臺灣學生書局，2009 年 2 月），頁 145。

〔註 105〕羅宗強：《玄學與魏晉士人心態》（臺北：文史哲出版社，1992 年 11 月），頁 257。

〔註 106〕吳功正：《六朝美學史》（南京：江蘇美術出版社，1996 年），頁 56。

是感傷世間富貴的易逝，是對於生命無常的慨歎，是憂懼榮華之難以永恆維繫，亦痛生命倏忽即逝的意識投射。對於如此短暫的逸樂，唯有以極盡奢華之姿享樂，過著「縱酒嘉讌，自明及昏」〔註 107〕的酒酣生活，於金谷園中上演一次次，誇耀財富、誇耀學識、誇耀權力的豪奢「誇游」，藉此彌補短暫生命中的不完美。

三、蘭亭雅游

東晉偏安日久，名士們坐擁江南名山勝水，流連自然，北歸意淡，放浪於山水間的游覽活動益發盛行。東晉以來規模最大的雅集活動，當爲穆帝永和九年的蘭亭游。《會稽志》卷十引《天章碑》提到參與蘭亭游的人員名單〔註 108〕，與會者四十二人，作詩三十七篇，統稱爲「蘭亭詩」。蘭亭游與洛水游同爲春禊儀式，《世說新語・企羨》3 注引王羲之〈臨河序〉云：

> 永和九年，歲在癸丑，暮春之初，會於會稽山陰之蘭亭，修禊事也。群賢畢至，少長咸集。此地有崇山峻嶺，茂林修竹，又有清流其湍，映帶左右。引以爲流觴曲水，列坐其次。……雖無絲竹管弦之盛，一觴一詠，亦足以暢敘幽情矣。〔註 109〕

蘭亭游雖名爲祓禊，但與洛水游相同，其祓除不祥之意義，早已轉移爲士人游覽勝景，滌除俗慮，拋卻束縛的逸靜閒賞之游。又，蘭亭遊的活動內容幾與金谷游相同，有仿效金谷游賦詩不成便罰酒薄懲的遊戲型態，故曾有人將二者相互比擬，《世說新語・企羨》3 中載：

> 王右軍得人以〈蘭亭集序〉方〈金谷詩序〉，又以己敵石崇，甚有欣色。〔註 110〕

蘭亭名士甚至以「曲水流觴」的形式展現更高雅的飲酒之樂。曲水之宴最早可追溯於周代，《晉書・束皙傳》：

〔註 107〕逯欽立輯校：《先秦漢魏晉南北朝詩・歐陽建・答石崇贈詩》，頁 646。

〔註 108〕同游者爲：王羲之、謝安、謝萬、孫綽、徐豐之、孫統、王凝之、王肅之、王彬之、王徽之、袁嶠等十一人成四言五言各一首，郗曇、王豐之、華茂、庾友、虞說、魏謗、謝繹、庾蘊、孫嗣、曹茂之、曹華、桓偉、王玄之、王蘊之、王煥之十五人各成一篇，謝瑰、卞迪、丘髦、王獻之、羊模、孔熾、劉密、虞谷、勞夷、後綿、華耆、謝滕、任擬、呂系、呂本、曹禮十六人詩不成，罰酒三巨觥。

〔註 109〕〔南朝宋〕劉義慶撰；余嘉錫箋疏：《世說新語箋疏・企羨》3，頁 631。

〔註 110〕〔南朝宋〕劉義慶撰；余嘉錫箋疏：《世說新語箋疏・企羨》3，頁 631。

武帝嘗問摯虞三日曲水之義。皙進曰：「昔周公成洛邑，因流水以汎酒，故《逸詩》云：『羽觴隨波』。」又：「秦昭王以三日置酒河曲，見金人奉水心之劍，曰：『令君制有西夏，乃霸諸侯。』因此立爲曲水。兩漢相緣，皆爲盛集。」〔註 111〕

可知曲水之義，最早出於周公旦引泗水入園以行曲水宴，作爲祓禊之用，無關文學。蘭亭名士將曲水宴與魏晉風流結合，他們將酒杯放到彎曲環繞的小水渠中，使之隨波逐流，名士們再以小水瓢扣住酒杯以飲酒，一面飲酒，一面賦詩，既風雅又不失趣味，巧妙地將飲酒活動優雅化。

再者，士人登臨遠望，將山林麗景、碧水芳草納入眼簾，耳邊迴盪著蟲鳴鳥叫、流水泠泠之萬籟清音，發而爲詩文，故山水美景與飲酒之樂成爲蘭亭詩文的兩大要素，如謝萬之作〈蘭亭詩〉，其曰：

肆眺崇阿，寓目高林，青蘿翳岫，修竹冠岑，谷流清響，條鼓鳴音，玄崿吐潤，霏霧成陰。〔註 112〕

肆意遠眺碧綠青山，縱目於深林野墺。漫山遍野的綠鬱，佐著泠泠泉響。飛瀑懸掛於岩壁，水氣灑溢加之雲霧蒸騰，稍掩綠意鬱深的清冽，更添如夢似幻的朦朧美感。又如王玄之所作〈蘭亭詩〉，其云：

松竹挺巖崖，幽澗激清流，消散肆情志，酣暢豁滯憂。〔註 113〕

山水雖可暢懷散憂，淡緩現實的不滿、苦痛，然人乃有情之個體，難以忘情，故易生憂生之嗟。是觀宇宙之浩瀚，對比人類之渺小、生命的倏忽即逝，而感嘆生命如曇花般短暫。

名士沉醉於江南的秀麗風光，雖閒適逸樂，卻常有臨景傷生之悲，如同金谷名士對於生命的慨歎，愈見自然之美，愈覺生命之可戀，而傷年命之短促，如庾蘊所〈蘭亭詩〉云：

仰想虛舟說，俯歎世上賓，朝榮雖云樂，夕弊理自因。〔註 114〕

在盡興處，更加體會良辰難再，徒生人生易逝之無奈與哀戚。年壽既短促，吾人更要把握時光，盡情恣意地縱身自然，融入山水。故士人將眼前的秀麗美景，與內心情感相互照察，以玄心妙賞爲主，昇華臨景之愁緒，消除物累，

〔註 111〕〔唐〕房玄齡等撰；楊家駱主編：《晉書》，頁 1433。

〔註 112〕逯欽立輯校：《先秦漢魏晉南北朝詩・謝萬・蘭亭詩》，頁 906。

〔註 113〕逯欽立輯校：《先秦漢魏晉南北朝詩》，頁 911。

〔註 114〕逯欽立輯校：《先秦漢魏晉南北朝詩》，頁 909。

回歸眞性，陶然忘機，泯除生死、物我之別，不爲世俗榮辱所擾，心如明鏡，無惹塵埃。如王徽之所作〈蘭亭詩〉，其云：

散懷山水，蕭然忘羈。秀薄粲穎，疏松籠崖。游羽扇霄，鱗躍清池。歸目寄歡，心冥二奇。〔註115〕

春日美景、宴飲樂游雖能使人舒心解憂，然皆爲短暫逸樂，無法滿足寂寞的心靈，唯有「散以玄風，滌以清川」〔註116〕，以玄境應對山林之境，觀物得理，方能澄懷悟理，游浪山水直如優游老莊玄境，達到暢懷體道之境。

蘭亭游不只是單純的山水形象，既巧妙地將風雅的遊戲融入觴酌宴飲中，又超越感官，從自然山水中展現的生命氣度，融山水、玄學爲一爐，體悟生命本初之「道」，正如莊子所言「歸眞」，故蘭亭游可稱爲「雅游」，散懷寄暢，曠達無滯。

貳、八達冶游

嵇康被殺，向秀失圖，繼以高貴鄉公弒死，名士在激烈的奪權鬥爭中，有感生命之轉瞬即逝，生既未歡，執著於忠孝禮義之名而累身家，實是違背人性之舉，唯有把握當下生命的歡愉，方爲人生之樂。於是「游」風產生質變，死亡的威脅與自全的慾望，迫使西晉士人普遍地身入政局之中〔註117〕。他們在入世與出世之間尋獲一條中介之路，以享樂與自全爲人生要務，「身名俱泰」之思，蔚成風尚，他們以追求「豐屋美服，厚味姣色」〔註118〕之人生實樂爲目的，偏重感官物質之享受。同時口談玄虛，結黨奔競，名士間相互標舉，獲致令名。嵇、阮藉酒以游心之目的，已不復見，乃更爲極盡縱酒荒淫之能事，競奢逐利不斷，侈俗滋廣，且口中雌黃，毫無定準，《晉書・儒林傳》載：

有晉始自中朝，迄於江左，莫不崇飾華競，祖述虛玄，擯闕里之典經，習正始之餘論，指禮法爲流俗，目縱誕以清高，遂使憲 章弛廢，

〔註115〕逯欽立輯校：《先秦漢魏晉南北朝詩》，頁895。
〔註116〕逯欽立輯校：《先秦漢魏晉南北朝詩・孫綽・答許詢詩》，頁899。
〔註117〕羅宗強指出：「向秀之所以改節，正是嵇康的死。嵇康臨刑的這一幕，時時在他的心裡纏繞不去。他不是自願的舉郡計入洛，而是懼禍，是死的威脅與自全的慾望迫使他改節的。……西晉士人，正是從這點，走向一個新的精神天地。」見氏作《玄學與魏晉士人心態》(杭州：浙江出版社，1991年)，頁187。
〔註118〕楊伯峻撰：《列子集釋・楊朱篇》，頁238。

名教頹毀，五胡乘間而競逐，二京繼踵以淪胥，運極道消，可爲長歎息者矣。〔註 119〕

曹魏以來推行的九品中正制，於此時便見弊端，政治與經濟均掌握於高門世族之手，佔田蔭戶，尤是西晉立國大肆分封，冗官繁多，貴游子弟多不以物務自嬰。即便政令崇儉，然武帝之豪奢縱欲〔註 120〕，上行下效，石崇、王愷之鬥富，高門貴族屢屢鬥富游侈，社會深染競馳浮華的奢靡風氣。

士人以逐利爲目的，對於權勢富貴之欲求，汲汲營營，毫不掩飾，終致「賤名儉、狹節信、鄙居正、笑勤恪」〔註 121〕之頹風。如元康八達追步七賢，以任誕爲放達，爲後世詬病，《晉書．光逸傳》載：

（光逸）尋以世難，避亂渡江，復依輔之。初至，屬輔之與謝鯤、阮放、畢卓、羊曼、桓彝、阮孚散髮裸裎，閉室酣飲已累日。逸將排戶入，守者不聽，逸便於戶外脫衣露頭於狗竇中窺之而大叫。輔之驚曰：「他人決不能爾，必我孟祖也。」遽呼入，遂與飲，不捨晝夜。時人謂之八達。〔註 122〕

他們隨處放浪形骸，肆酒狎游，徹底貫徹列子「肆欲勿壅」的享樂觀。《列子》以爲人由陰陽二氣調和而成，身體、生死、性命均是氣的流動，屬於天地的生化作用，是以死生爲一貫。既死生無常，身非吾有，身後之名聲亦爲虛幻，乃言「實無名，名無實。名者，僞而已矣。」〔註 123〕執著於忠孝禮義，以此矜誇而受經世之累，誠無意義。且趣當生，遑論死後，唯有在世享有的快樂方爲眞實。列子實是破除名實之蔽障，然時人臆其說而逞其「樂」，衍此風氣，

〔註 119〕〔唐〕房玄齡等撰；楊家駱主編：《晉書．儒林傳》，頁 2346。

〔註 120〕〔唐〕房玄齡等撰；楊家駱主編：《晉書．武元楊皇后傳》載：「泰始中，博選良家以充後宮。先下書禁天下嫁聚，使宦者乘車，給騶騎，馳傳州郡召充選者使后揀擇。」又《晉書．後妃傳．胡貴嬪傳》載：「泰始九年，帝多簡良家子女以充內職，自擇其美者以絳紗繫臂。……時帝多內寵，平吳之後復納孫皓宮人數千，自此掖庭殆將萬人。而並寵者甚眾，帝莫知所適，常乘羊車，姿其所之，至便宴寢。宮人乃取竹葉插戶，以鹽汁灑地，而引帝車。」頁 953、962。

〔註 121〕〔清〕嚴可均校輯：《全上古三代秦漢三國六朝文．干寶．晉紀總論》：「學者以莊老爲宗而黜六經，談者以虛薄爲辯而賤名檢，行身者以放濁爲通而狹節信，進仕者以苟得爲貴而鄙居正，當官者以忘空爲高而笑勤恪。是以目三公以蕭杌之稱，標上議以虛談之名。」頁 2192。

〔註 122〕〔唐〕房玄齡等撰；楊家駱主編：《晉書．光逸傳》，頁 1358。

〔註 123〕楊伯峻：《列子集釋．楊朱》，頁 218。

極盡順恣耳目慾望，從性而游，務在窮盡一生之歡、當下之樂，如畢茂世自云：「一手持蟹螯，一手持酒杯。拍浮酒池中，便足了一生。」〔註 124〕生命之樂，盡在酒中，與其因身後名而庸碌終生，不如極恣酒食之歡。

此種肆酒荒放的風氣，於過江後更變本加厲，《晉書・畢卓傳》載：

> （畢卓）爲吏部郎，常飲酒廢職。比舍郎釀熟，卓因醉夜至其甕間盜飲之，爲掌酒者所縛，明旦視之，乃畢吏部也，遽釋其縛。卓遂引主人宴於甕側，致醉而去。〔註 125〕

畢卓飲酒廢職，乃受當時居官不廢玄遠之風氣影響，以宅心方外爲風流。既無爲官之節操，亦非秉持玄風之遠邁，更遑論如阮籍因酒癮求爲步兵校尉〔註 126〕，實是慢形之用。又畢卓醉而盜飲，實犯官事，卻因其爲吏部郎，主人乃釋其縛。其行徒見酒鬼之貌，非有闇思。假使畢卓非有官職之名士，必被視爲一市井流氓，獲罪下獄，豈能醒後復與主人共飲？其雖自命七賢之徒，然其放達，則以求樂爲目的，非以老莊理想境界爲人間寄託，實是竊名盜樂，逍遙之精神意已然淪爲實質的狎褻頹放，反抗干預遂成爲恣樂之藉口。

元康時期，天下稍安，清談絕後復興〔註 127〕，名士多尚竹林遺風，崇奉玄遠，清談深入社會生活，成是貴游子弟的品格標記〔註 128〕。士人藉清談場合，互逞才鋒，得名顯貴，興家蔭孫。權貴達官常於清談名流中甄拔人才，擴大政治勢力。至此，清談場合已然成爲權利比攀之處。八達之胡毋輔之與謝鯤，亦因善談見清識，同爲王澄〔註 129〕所賞。《晉書・謝鯤傳》載：

> （謝鯤）遷敦大將軍長史。時王澄在敦坐，見鯤談話無勌，惟嘆謝

〔註 124〕〔南朝宋〕劉義慶撰；余嘉錫箋疏：《世說新語箋疏・任誕》21，頁 739。

〔註 125〕〔唐〕房玄齡等撰；楊家駱主編：《晉書・畢卓傳》，頁 1381。

〔註 126〕〔唐〕房玄齡等撰；楊家駱主編：《晉書・阮籍傳》：「聞步兵廚營人善釀，有貯酒三百斛，乃求爲步兵校尉」，頁 1360。

〔註 127〕正始十年，司馬懿發動高平陵事件，殺曹爽、何晏等八族。嘉平六年，司馬師以謀反罪名殺夏侯玄、李豐、張緝等三族。景元三年，司馬昭以不孝罪名殺嵇康、呂安。清談三大領袖相繼遭戮，一時間竟無人敢議，清談由是間斷。

〔註 128〕錢穆指出：「當時清談，正成爲門第中人的一種品格標記。若在交際場中，不擅此項才藝，便成失禮，是一種掉面子的事。」見氏作〈略論魏晉南北朝學術文化與當時門第之觀念〉，《中國學術思想史論叢（三）》（臺北：三民書局，1993 年），頁 267。

〔註 129〕〔南朝宋〕劉義慶撰；余嘉錫箋疏：《世說新語箋疏・賞譽》53：「胡毋彥國吐佳言如屑，後進領袖。」頁 452。

長史可與言，都不眄敦。其爲人所慕如此。〔註 130〕

謝鯤父祖以儒學爲家業〔註 131〕，因自身喜好老、莊，祖述阮籍，遂乘玄談之風，由儒入玄。然僅就行爲的模仿與思想的趨向，並無法使其具四友、八達之名，唯在清談座上妙言析理，言交名賢，輒能搏得高識。而中朝清談名士首推王衍。王衍曾受山濤所讚，目爲神童。又極重胞弟王澄與王敦、庾敳，品評士人以爲「阿平第一，子嵩第二，處仲第三」〔註 132〕，一經澄所題目者，衍不復有言。謝鯤於清談座上受王澄讚賞，相與爲友，王衍與談，亦甚奇之，故鯤乃「一躍龍門」，與王敦、庾敳、阮修同爲衍所親，並號「四友」。謝鯤因其談識與名聲，成爲他邁向政治之契機，遂得名登朝，乃成「新出門戶」〔註 133〕。東海王越與王敦，皆因其高名而欲延攬之。然謝鯤明白時局多舛，辭官南避，亦知王敦有肆逆之心，二者均不可棲，《晉書》載：

> 鯤不循功名，無砥礪行，居身於可否之間，雖自處若穢，而動不累高。敦有不臣之迹，顯於朝野；鯤知不可以道匡弼，乃優遊寄遇，不屑政事，從容諷議，卒歲而已。〔註 134〕

若說謝鯤不意仕行，居身於可否之間，毋寧說是一種興家保身的遠略。其以七賢爲名，進可列清談之末座，博名顯高；退可混世晦迹，沉潛以待時清〔註 135〕。無論進退，均具有名、樂二實，雖非老莊謂之「少私寡欲」，但從其「優游寄遇」之舉，則見謝鯤洞察時勢，能從時流，與之升降，而保家族之周全。

謝鯤心有底見，深明世事，故能與時浮沉，護族全身。然而，品評謝鯤之王澄，卻未能圓滑游世，終失頸項。《世說新語・簡傲》6 載王澄脫衣上樹一事：

> 王平子出爲荊州，王太尉及時賢送者傾路。時庭中有大樹，上有鵲巢，平子脫衣巾，逕上樹取鵲子，涼衣拘閡樹枝，便復脫去，得鵲

〔註 130〕〔唐〕房玄齡等撰；楊家駱主編：《晉書・謝鯤傳》，頁 1377。

〔註 131〕〔唐〕房玄齡等撰；楊家駱主編：《晉書・謝鯤傳》載：「謝鯤字幼輿，陳國陽夏人也。祖纘，典農中郎將。父衡，以儒素顯，仕至國子祭酒。」頁 1377。

〔註 132〕〔唐〕房玄齡等撰；楊家駱主編：《晉書・王衍傳》，頁 1239。

〔註 133〕〔南朝宋〕劉義慶撰；余嘉錫箋疏：《世說新語箋疏・簡傲》9：「謝萬在兄前，起欲索便器。於時阮思曠在坐，曰：『新出門户，篤而無禮。』」頁 772。

〔註 134〕〔唐〕房玄齡等撰；楊家駱主編：《晉書・謝鯤傳》，頁 1378。

〔註 135〕劉浩洋：〈「誤國」者的側寫——東晉謝氏之清談與家的營謀〉，《政大中文學報》，第 13 期，2010 年 6 月，頁 159。

子，還，下弄，神色自若，旁若無人。〔註 136〕

王澄爲當時清談名士，以「落落穆穆」，不因世情掛懷而名世。故對於諸賢贈別相送之應酬，實無意周旋。其裸衣探雛之舉，並非學步劉伶，藉譏嘲諷禮俗之士窮守道德之限〔註 137〕。而是「神色自若，旁若無人」，無視他人眼光。意氣所往，率性爲之，放蕩不拘，故得「達」名。然其恃貴妄言，在王敦誣其通敵謀逆時，乃直言批判王敦「行事如此，殃將及焉」，因而遭戮。其意氣風發、豪情四逸卻又不得善終的一生，正如劉鯤所言：「卿形雖散朗，而內實動俠，以此處世，難得其死。」〔註 138〕外表看似散漫豁達，瀟灑磊落，不爲外務攖心，內心卻是敏感衝動，意氣用事。如此爲人處世，終必自取滅亡。

觀八達冶游，雖藉七賢之名以肆酒，更裸袒示人。但王隱將他們「去巾幘、脫衣服」的行爲，咎於阮籍，並以之爲始作俑者，更評之曰：「露醜惡，同獸禽。甚者名之爲通，次者名之爲達也。」〔註 139〕以此偏概二者之行爲，實爲不可。戴逵雖指出二者之不同處〔註 140〕，卻仍未察八達之「滄海橫流，處處不安」的生命落荒感。七賢發揮玄心，不爲物欲使，不以榮利嬰心，藉由超越常軌之行爲，使身心逸出險惡政治，同時以老莊自然之思衝撞僞情之禮，具超拔之思；八達雖則放誕越禮，視輕薄爲風流，矯飾談名以圖位望〔註 141〕，但亦非一昧的享樂縱慾，仍有直言規諫的梗慨之氣，只是在自晦中削減其嚴肅的生命感，八達實多有無可奈何者，雖爲放達，仍不失嘲諷性，有所爲而有所不爲。《晉書・羊曼傳》載：

蘇峻作亂，加前將軍，率文武守雲龍門。王師不振，或勸曼避峻。曼曰：「朝廷破敗，吾安所求生？」勒眾不動，爲峻所害。〔註 142〕

〔註 136〕〔南朝宋〕劉義慶撰；余嘉錫箋疏：《世說新語箋疏・簡傲》6，頁 770。

〔註 137〕〔南朝宋〕劉義慶撰；余嘉錫箋疏：《世說新語箋疏・任誕》6：「劉伶恒縱酒放達，或脫衣裸形在屋中，人見譏之。伶曰：『我以天地爲棟宇，屋室爲褌衣，諸君何爲入我褌中？』」頁 730。

〔註 138〕〔唐〕房玄齡等撰；楊家駱主編：《晉書・王澄傳》，頁 1240。

〔註 139〕〔南朝宋〕劉義慶撰；余嘉錫箋疏：《世說新語箋疏・任誕》25 注引王隱《晉書》，頁 741。

〔註 140〕〔清〕嚴可均校輯：《全上古三代秦漢三國六朝文・戴逵・放達爲非道論》：「放者似達，所以亂道。就竹林之爲放，有疾而爲顰者也；元康之爲放，無德而折巾也。可不察乎？」頁 2250。

〔註 141〕劉浩洋：〈「誤國」者的側寫——東晉謝氏之清談興家的營謀〉，收錄於《政大中文學報》，第 13 期，2010 年 6 月，頁 159。

〔註 142〕〔唐〕房玄齡等撰；楊家駱主編：《晉書・羊曼傳》，頁 1383。

王敦與朝廷乖離，早有不臣之心，乃將有時望之名士盡置於己之幕府，羊曼正在此列。其常與謝鯤共醉裸袒，寄以諷議。因敦不委事，故能於王敦兵敗免禍不涉難。其任丹陽尹時，適逢蘇峻之亂，明知兵力弱寡，仍率兵堅守雲龍門。幕僚皆勸羊曼避走，但覆巢之下焉有完卵，曼面對敵軍眾眾，仍誓死護志衛城，力戰而亡。是需肯議其人對於心志的護持，在「縱樂」的行跡下，亦有隱晦的生命執著。

「游」之眞意，應就生命意識而言，八達冶游雖仿自七賢醉游，更加張揚任性之誕行，但八達之生命展演，仍有其莊重性，在無處棲泊的離亂下，以「荒唐」之迹，包裹其政治示威性，有意識地朝向縱酒之途徑以求之，具有針砭社會、反抗謀逆之嘲弄義。然而時之狎褻浪游者，未能明七賢之用心、八達之生命感，徒仿其狂放之形式，立言於虛無。加上穩定政經條件，以及崇隱尚清之風與縱欲心態結合，遂導致縱酒、裸坦、耽色之行益熾，目的只是貪圖享樂，以名利從，甚至將行爲不顧廉操、作官不負責任，視作雅遠放達〔註 143〕，寓風流於輕薄，使「游」淪爲沽名邀譽的媚俗之舉爾。

第三節　會意忘情——方外浮游

莊子之「游」最主要的工夫，在於「忘」——外天下、外物，終而外生。蓋生死的體悟，乃是吾人是否得以逍遙的最後課題。肇因生命最根本的探問即在人生——生死——存在的意向〔註 144〕，死亡是人甫生後便永恆伴隨的恐懼，因其未知，更加深普世的畏怯。莊子形塑至人逍遙遨游之姿，乃是將「游」思、「仙」風互滲，提供一精神自由超越之路。經由屈騷、漢賦強化仙人飄然灑脫之迹，士人因感於現實的困頓，或懷才不遇，莫不欣羨天地間自在自適的神人，幻想與之同游，上天入地，馳徜心神於造化，自由往來於仙鄉，縱游如仙。

〔註 143〕張愛波：〈論任誕與中朝名士〉，《江淮論壇》，第 5 期，2006 年 11 月，頁 158。

〔註 144〕李澤厚指出：「魏晉時代的『情』的抒發，由於總與對人生——生死——存在的意向、探詢、疑惑相交織，從而達到哲理的高層。這正是由於以『無』爲寂然本體的老莊哲學以及它所高揚著的思辨智慧，以活生生地滲透和轉化爲熱烈的情緒、敏銳的感受和對生活頑強執著的緣故。從而，在這裡，一切情感都閃著智慧的光輝，有限的人生傷感總富有無垠宇宙的涵義。它變成了一種本體的感受，其本體不只是在思辨中，而且還在審美中，爲他們所直接感受著、嗟嘆著、詠味著。」見氏作《華夏美學》（臺北：三民書局，1996 年），頁 146。

「出離」思想日盛，凸顯仕、隱的二元對立關係。「遁隱」與「游仙」思想經過兩漢魏晉不斷地發展，士人擺盪於道家式的心隱與儒家式的修身明德之間〔註145〕，尤是魏晉個體精神的覺醒，自然之美呼喚其人共游遠引。加之，死亡的恐懼催化對長生的欲求，神仙方術益興，葛洪《抱朴子》更爲道教之正統性奠定基礎，其所指出修煉成仙、長生久世的門徑，在士族階層間，掀起了崇奉道教、修練服食的熱潮〔註146〕。藉飛仙以擺脫生死困頓，不再是遙不可期的夢想。另一方面，談佛論理之風漸盛，佛教強調塵世之老病死、愛別離、怨憎會及求不得之苦，揭示唯有彼岸方爲淨土。佛、道均崇尚「無心知執著、無情欲貪求」之境，不同處在於，道家對於現世並非完全的割裂，而是強調「隨順」之道。若說佛教乃出世，儒家爲入世，道家則當爲「傲世」〔註147〕。但無論玄、釋，其核心意旨便在於生死的解脫，於是，山水成爲「佛」的淨土、「仙」的寓居，士人通過「游」以尋找「道」的信仰。本節以僧團行游和仙道採藥之隱游作爲考察對象，以見方外游對於山水形象，有別於山海游、名士宴游的哲理性詮釋。

壹、慧遠、支遁僧團之行游

對於魏晉士人而言，放浪山林是對現實的逃避，是對心靈的慰藉；對僧人而言，山林則是修行聖地，他們入山修道，建寺講經，古剎因深藏名山而更顯肅穆超塵，名山秀水亦因此而增添人文氣息與藝術風采。宗教哲理與山

〔註145〕林育信以爲：「遁隱的動機不外是在道家式的心隱及儒家式修身明德之間擺盪。道家式心隱其特質就是不管其身在山野或市朝，基本上他們的關懷都是自身，極端自我的傾向，在自由意志下的抉擇下，主動積極的追求自我生命的援美自足。這類隱逸對人文化成的世界基本上是超離的，所以表現在外的形貌是冷漠、消極。」見氏作〈論南朝隱逸思想與佛教思想的融合——以慧遠爲考察中心〉，《興大中文學報》第17期，2005年6月，頁320。

〔註146〕姚曉菲：《兩晉南朝琅邪王氏家族文化與文學研究》，揚州大學中國古代文學博士論文，2007年，頁143。

〔註147〕李霞認爲：「佛、道這種心境的本質是對人間情感的淡漠，對世事紛擾的超然，對生命體驗的冷漠。所不同的，道家這種心境似沒有佛教徹底。對現實人生，他在淡漠中留存幾分眷戀，在冷漠中保留幾分關注，在超然中著上了一層傲氣。前兩點決定了道家不會走上佛教的出世主義，後一點又決定它不會走上儒家的入世主義，於是它便走上了第三條道路——傲世。」見氏作《圓融之思——儒道佛及其關係研究》（合肥：安徽大學出版社，2005年），頁399。

水之麗，合而爲一，山水既是游賞客體，亦爲法性主體〔註 148〕，如同譚召文所言：「僧侶的行腳固然是爲了磨練自己的道心，但同時也是陶冶自己的審美情趣。」〔註 149〕故有「天下名山僧占多」之語。

佛教出世的思想與道家逍遙離世的精神相似，道安認爲：「以斯邦人老莊教行，與方等經兼忘相似，故因風易行也。」〔註 150〕魏晉名士與名僧發現二者的共同處，進而引起名士研究佛學之熱潮，名僧也以鑽研玄理爲傳播佛教的必備條件。名士與僧人之交往，使佛理、玄學互滲交融，在生活趣味上亦能相互感通，誠如湯用彤所言：「隱居嘉遁，服用不同，不拘禮法的行徑，乃至談吐的風流，在在都有可相同的互感。」〔註 151〕僧人與名士同樣將優游山水、品味山水當作生活的一部分，將心境置於自然，逍遙於天地，並於游山玩水時切磋玄理，共談佛論，豐富生命的厚度。僧人與情趣相仿的名士爲伴，一同流連清景，尋幽訪微，發展出以名僧爲首，包含名士與僧人所形成的「行游」集團。

魏晉時期人數最爲眾多的士僧行游集團，當推以慧遠爲首的廬山僧團。慧遠行游經江西潯陽時，見「廬山清靜，足以息心」，便棲止廬山，後受刺史桓伊之助，建東林寺，《高僧傳》記載：

> 卻負香爐之峰，傍帶瀑布之壑。仍時疊基，即松栽構。清泉環階，白雲滿室。復於寺內別置禪林。森樹涸凝，石徑苔生。凡在瞻履，皆神清而氣肅焉。〔註 152〕

僧人喜好山水，與魏晉名士同喜棲游於自然中，不僅在藏靈蘊眞的大自然中構園修寺，園內亦有翠木清流，在縱目游賞間既可豐富感官審美之趣，亦有臨景而生妙悟之用。神馳逍遙，凝神靜觀，在山水中興發感觸，靈虛響應，感通八方。慧遠在〈廬山東林雜詩〉中云：

〔註 148〕蕭淑貞：《魏晉山水紀遊詩文之研究》（臺北：臺灣學生書局，2009 年 2 月），頁 71。

〔註 149〕譚召文：《禪月詩魂——中國詩僧縱橫談》（北京：三聯書店，1994 年 11 月），頁 105。

〔註 150〕大藏經刊行會編：《大正新修大藏經・鼻奈耶序》（臺北：新文豐出社，1983 年），頁 242。

〔註 151〕湯用彤：《魏晉玄學論稿》，收錄於《魏晉思想》（臺北：里仁書局，1995 年），頁 135。

〔註 152〕大藏經刊行會編：《大正新脩大藏經》（臺北：新文豐出版社，1983 年），頁 358。

崇岩吐清氣，幽岫棲神跡。希聲奏群瀨，響出山溜滴。有客獨冥游，徑然忘所適。揮手撫雲門，靈關安足闢。流心叩玄扃，感志理弗隔。孰是騰九霄，不奮沖天翮。妙同趣自均，一悟超三益。〔註 153〕

流連於山水，清流激湍之聲，可滌我塵慮；松柏翠木之形，使人感受自然生命之無窮與流轉之妙。山水本身即是法性主體，秉心觀照，即可心領神會，得佛理之妙，在自然中超悟自然。慧遠廬山修行，一時雅士雲集，彭城劉遺民、豫章雷次宗、雁門周續之、新蔡畢穎之、南陽宗炳、張萊民、張寄碩等，皆從慧遠游，諸人瀟灑林間，偕伴同游。慧遠〈游石門詩序〉言：

斯日也，眾情奔悅，矚覽無厭，游觀未久，而天氣屢變，霄霧塵集，則萬象隱形，流光回照，則眾山倒影，開闔之際，狀有靈焉，而不可測也。……乃其將登，則翔禽拂翮，鳴猿厲響，歸雲迴駕，想羽人之來儀，哀聲相合，若玄音之有寄，雖彷彿猶聞，而神以之暢，雖樂不期歡，而欣以永日，當其沖豫自得，信有味焉，而爲易言也。〔註 154〕

廬山僧團諸人，一同行游石門，踏重巖，登巒阜，遍覽石門風光，通過「觀覽」，得心領神會卻難以言喻的感受，超越「形」之存在，體會物外之「理」，心神瑩亮朗照，進入物我合一之境。士人與僧人於自然中，習悟虛靜無爲之機，既是佛理，亦爲玄意，轉化人間榮辱得失，除卻一切功利、執我。「游」，除了欣賞物態之美，更是深入物外之趣，自見禪境。

除了慧遠廬山僧團外，支遁亦習與名士交往清談，且常與謝安、孫綽、王羲之、許詢等人游於山林〔註 155〕，《世說新語．排調》28 載：

支道林因人就深公買印山，深公答曰：「未聞巢、由買山而隱。」〔註 156〕

支道林並非欲「隱」，而是希冀能常「游」其中，以體玄趣佛禮，故欲買山而居之。其主張「即色是空，非色滅空」，突破主客觀的相對性，強調色（即物質現象）並非自己形成而存在，否定事物存在的基礎，故不必等到物質存在

〔註 153〕逯欽立輯校：《先秦漢魏晉南北朝詩．慧遠．廬山東林雜詩》，頁 1085。

〔註 154〕逯欽立輯校：《先秦漢魏晉南北朝詩．慧遠．游石門詩序》，頁 1086。

〔註 155〕〔南朝宋〕劉義慶撰；余嘉錫箋疏：《世說新語箋疏．雅量》28 注引《中興書》曰：「安先居會稽，與支道林、王羲之、許詢共遊處。出則漁弋山水，入則談說屬文，未嘗有處世意也。」頁 369。

〔註 156〕〔南朝宋〕劉義慶撰；余嘉錫箋疏：《世說新語箋疏．排調》28，頁 802。

壞滅才言空，因爲色本質是空。因此，在面對繽紛燦爛的自然山色，若能以靜念破除表面虛相，即可體悟一切皆空。是知，即使游巖山、涉水野，只要洞徹性空眞義，即色玄游，便可在清靈山水中，觀其象而識其神，遠離無明之苦。故此「游」，乃從自然中求其神理，只要游者能以無欲之心行游，即可觀物體道，解脫物累。

貳、慕仙企道之隱游

上舉「游」之對象，不單囿於自然山林、園林別業，酒鄉夢土亦爲可游之處。游覽名山勝水有時間與空間的限制，亦需具備深厚的經濟基礎。七賢以酒鄉爲游心之契機，指示一條不同於優游自然的游心之路，從「忘」人間，進以「游」心，雖是不得已而爲之，卻是將生命推向至極的行爲展演。

無論是七賢之「醉游」，抑或優游於自然林澤，雖能短暫地抽離塵俗世網，紓散心鬱，然終是逃避俗人之法。唯有遺世之仙人方能眞正地能消解情感的孤獨、年命的短促。是以魏晉士人普遍企慕仙人遨游之姿，寫構仙人飛升之姿、天宮玉闕之幻，投射渴望自由無拘的意向，同時闡明其「決棄毀譽、擺脫世紛、以求仙道、長往不返的志向」〔註157〕。誠如曹植云：「九州不足步，願得凌雲翔。逍遙八紘外，遊目歷遐荒。」〔註158〕何劭亦曰：「羨昔王子喬，友道發伊洛。迢遞陵峻岳，連翩御飛鶴。抗跡遺萬里，豈戀生民樂。」〔註159〕士人不斷高喊「俗人不可親，松喬是可鄰」，此並非意味其人眞欲放棄世事。對他們而言，游山水與游仙均是寄託，紓解不遇之憂、難伸之志，只是游仙之作，乃更加之以想像的飛馳，表達對神人永壽長生的慕羨渴望，如曹操〈秋胡行〉，雖言「絕人事，游渾元。若疾風游欻飄翩」，終乃自述「壽如南山不忘愆」〔註160〕，誠是期能如仙人之永壽，以完成未竟之世業。又或者是徘徊於現實和理想之間而矛盾糾結，欲藉神人遠游之姿以排遣，如阮籍〈詠懷〉云：

〔註157〕張宏：《秦漢魏晉游仙詩的淵源流變論略》（北京：宗教文化出版社，2009年），頁276。

〔註158〕〔魏〕曹植撰；劉幼文校注：《曹植集校注・五遊詠》（臺北：明文書局，1985年），頁401。

〔註159〕逯欽立輯校：《先秦漢魏晉南北朝詩・何劭・遊仙詩》，頁649。

〔註160〕〔魏〕曹操撰；鄧淑杰主編：《曹操集・秋胡行》（長春：時代文藝出版社，1995年），頁70。

世務何繽紛，人道苦不遑。壯年以時逝，朝露待太陽。願攬羲和轡，白日不移光。天階路殊絕，雲漢邈無梁。濯髮暘谷濱，遠游昆岳傍。登彼列仙岨，採此秋蘭芬。時路烏足爭，太極可翱翔。〔註 161〕

世道紛亂，人事倥傯，年華歲月如朝露見日，瞬乎即晞而消逝無痕。良由世之不可留，遂將目光轉向仙境，而欲濯髮於暘谷之濱，遨翔優游於崑崙山，自在無爭。詩人透過時路和太極兩種鮮明的對比，否定乍起乍滅的生命，與多困多苦的塵世，而肯定神人仙鄉的無束縛、無罣礙的自由境界。然而，如斯逍遙美境只是士人的寄託，用以象徵解脫的希望，最終仍須回歸人世，故其言天梯實已斷絕，雲漢天河雖廣闊邈遠，卻無有天橋可使通行，暗喻升仙誠不可期，此即陳祚明言阮籍實則志有必爭，而委之烏足爭之意。

游仙之作主要表述空間與時間的自由，詩人透過書寫游仙過程，使感官脫離實存經驗，身體由滓穢塵世進入玄都他界，心靈亦擺落知求欲念，生命的死生、福禍、興衰，於飛昇的過程中，一一脫去，誠如陳昌明所言：「遊仙是在空間上突破現實世界的侷限，漫遊人間世之外的仙境，在時間上則欲跳脫生死流轉，使生命得以永存。」〔註 162〕然而，詩人並不以神話所載天闕飄渺虛幻之概念爲滿足，而是致力將「他界」轉化爲「現界」，將玄圃擬想與游覽經驗結合，乃由「虛」（想）蹈入「實」（景），以描繪九疑之境。乘雲御風所至之處，不再僅是依照傳說中對於域外幻境的敘述，乃代之以名山勝水之影迹，而逐漸走向現實化、山水化，赤縣神州即是人間山林。張協〈遊仙詩〉即云：

崢嶸玄圃深，嵯峨天嶺峭。亭館籠雲構，修梁留三曜。蘭葩蓋嶺坡，清風緣鄰嘯。〔註 163〕

玄圃仙境猶如山林別業，於重巒疊嶂、雲霧繚繞之間，亭園樓閣若隱若現，崇山峻嶺並非清冷孤寂，反是春意悠悠，青籠翠覆，盎然生機，儼然是一幅明麗山景。郭璞同樣將「深山幽景虛靈化，飄渺仙境具象化」〔註 164〕，其〈遊

〔註 161〕〔晉〕阮籍撰；陳伯君注：《阮籍集校注‧詠懷詩》其三十五（北京：中華書局，1987 年），頁 315。

〔註 162〕陳昌明：《六朝文學之感官辯證》（臺北：里仁書局，2005 年），頁 198～199。

〔註 163〕逯欽立輯校：《先秦漢魏晉南北朝詩》，頁 748。

〔註 164〕蕭淑貞指出：「雖至曹植、嵇康、何劭以來，仙隱合流已成趨勢，但對山水描繪，仍覺形容過略，到郭璞筆下，則以人間勝景爲基礎，輔以奇特構思，豐富想像，將深山幽景虛靈化，飄渺仙境具象化，使人既嘆其奇麗，又覺其可親。」見氏作《魏晉山水紀遊詩文之研究》（臺北：臺灣學生書局，2009 年），頁 379。

仙詩〉之二中所指「青溪」，不但確有此地，有關仙者的描寫，亦源自郭璞游於臨沮時，與山中道士的交往、觀察經驗，蓋如庾仲雍《荊州記》所言：「臨沮縣有青溪山，山東有泉，泉側有道士精舍。郭景純嘗作臨沮縣，故遊仙詩嗟青溪之美。」〔註 165〕士人將自己的游覽經驗，化入仙境描繪，使仙、隱之界限逐漸模糊，而同舉遠離塵囂之意。

對士人而言，游仙是一理想美境之寄寓，然而，道教的煉丹成仙之術，卻提供一條實踐之路，仙鄉非再是不可期，竟有實現之可能，遂使採藥修道之仙眞游爲之流行，即如牟鐘鑒所言：

> （道教）具有佛、儒所不具備的多方面的社會功能。如煉丹成仙的宗旨迎合了社會上層想永遠享受富貴榮華的需要，也能體現社會人士對死生問題的普遍關注；符水治病的活動可以滿足缺醫少藥的社會下層的需要；養生健身的理論則符合多數人增強體質、健康長壽的共同願望；道教虛靜恬淡避世修行的生活方式則爲一批疾俗潔身的士人提供一條出路。〔註 166〕

仙境不再是詩人絕望的幻想，而是可以企至之域，只要透過養生服食，便有成仙之可能，不僅消解士人因政治、門第、見遇等因素，而於仕隱間進退維谷的糾葛心理，更弭除普遍眾人因生死流轉而產生的煩惱。故此，士人之游覽，常帶有濃厚的神仙方術意味，游覽山水不再單純只是爲了滌蕩懷抱，採藥、尋仙亦是目的之一。《竹林七賢傳》載：「嵇叔夜常採藥山澤，遇孫登於共北山」〔註 167〕，嵇康〈游仙詩〉亦言：

> 王喬棄我去，乘雲駕六龍。飄颻戲玄圃，黃老路相逢。受我自然道，曠若發童蒙。採藥鍾山隅，服食改姿容。蟬蛻棄穢累，結友家板桐。臨觴奏九韶，雅歌何邕邕。長與俗人別，誰能睹其蹤。〔註 168〕

詩人在王喬的提攜下，乘雲駕龍，輕盈游翔於仙境之中。且受教於黃老，而明自然之道，藉採摘仙藥而服食養身，以蛻去俗穢物累，脫胎換骨，終與仙友共居於崑崙板桐，飲酒奏樂，逍遙縱放，遠離俗人塵網。嵇康在老莊游心

〔註 165〕〔梁〕蕭統編、〔唐〕李善注：《文選》（臺北：文津出版社，1987 年），頁 1019。

〔註 166〕任繼愈主編：《中國哲學發展史——魏晉南北朝》（北京：人民出版社，1998 年），頁 364。

〔註 167〕〔南朝宋〕劉義慶撰；余嘉錫箋疏：《世說新語箋疏・棲逸》2 注引袁宏《竹林七賢傳》，頁 649。

〔註 168〕〔晉〕嵇康撰；戴明揚校注：《嵇康集校注・遊仙詩》其六，頁 39。

養神的理論基礎上，加入仙道修煉方法，標舉自己長辭世事、超然遐逝的精神旨趣及生活方式，揭示從飛升遠游→訪仙求藥→深林棲逸的徑路。游、仙、隱之合流，漸而形成「以隱爲仙」之仙隱觀念。而此觀念於曹植詩已露端倪，其〈苦思行〉云：

> 郁郁西岳巔，石室青青與天連。中有耆年一隱士，庬髮皆皓然。策杖從我游，教我要忘言。〔註169〕

華山有一隱居長者，獨自在清冷石室中修道，雖則山巔鬱鬱蔥蔥，猶未及仙境之美麗夢幻。詩人與之同游，受誡須謹愼「忘言」，此實是作者藉隱者之口，感概自己的現實困境。詩題開宗明義，知作者坐困愁苦幽思，雖落筆寫下，然求仙並非眞正所期，而是欲藉游仙抒發自己在仕隱間的掙扎。盧諶亦嘗言：「遐舉游名山，松喬共相追。層崖成崇館，岩阿結重闈。」〔註170〕從游以逐仙，進而歸居深林，直將山林美境化作逍遙仙鄉，「藉游仙以表達老莊玄理」〔註171〕，高舉己志。

仙道採藥之隱游，屢見於士人生活。庾闡嘗作〈採藥詩〉言：「採藥靈山嫖，結駕登九嶷」〔註172〕；王羲之亦曾「與道士許邁共修服食，採藥石不遠千里，遍游東中諸郡，窮諸名山，泛滄海。」〔註173〕郭璞〈游仙詩〉中亦言：「採藥遊名山，將以救年頹」〔註174〕、「登岳采五芝，涉澗將六草。散髮蕩玄溜，終年不華皓」〔註175〕。知「游」之目的，已非僅爲一覽山林之美，體道暢神之行爲，更是爲標舉高蹈不羈的個人風神。詩人藉由採藥成仙，展現傲世遺俗的玄理旨趣，故「隱游」乃成爲士人含道獨往、清高絕俗的象徵。

第四節　觀畫暢情——澄懷臥游

東晉南朝間居士宗炳，信佛言道，少即以聰辯聞，南朝宋高祖曾多次辟召，其以「棲丘飲谷，三十餘年」爲由，屢拒不就。性喜山水，好遠遊，常樂遊忘歸，遍覽名山大川，西至荊巫，南至衡岳，皆有其足跡。然嘆「老疾

〔註169〕劉幼文校注：《曹植集校注・苦思行》（臺北：明文書局，1985年），頁316。
〔註170〕逯欽立輯校：《先秦漢魏晉南北朝詩》，頁885。
〔註171〕徐公持：《魏晉文學史》（北京：人民文學出版社，1999年），頁473。
〔註172〕逯欽立輯校：《先秦漢魏晉南北朝詩・庾闡・採藥詩》，頁874。
〔註173〕〔唐〕房玄齡等撰；楊家駱主編：《晉書・王羲之傳》，頁2101。
〔註174〕逯欽立輯校：《先秦漢魏晉南北朝詩》，頁886。
〔註175〕逯欽立輯校：《先秦漢魏晉南北朝詩・郭璞・遊仙詩》，頁867。

俱至，名山恐難遍睹」〔註176〕，故言「澄懷觀道，臥以遊之」〔註177〕，將以往所遊歷之處，繪於室壁，以賞美想像代替實際遊覽，突破地理阻限。蓋宗炳之「臥游」，乃將山水之具象美結合美感經驗，納入繪畫，使山水畫從人物畫中分化而趨獨立，而眞正落實莊子「游」之藝術精神，爲往後山水畫論立下難以撼動之基石。

壹、臥游的發想與內部條件

魏晉時，政治與生命的嵌合難解，網羅複雜，人無法自主拋卻現實所有，而超脫於萬物之上，士人遂尋求一種徘徊於出處之間的可能道路，於是「游」成爲普遍的寄情之道。尤以莊子爲盛，其倡「乘道德而浮游」〔註178〕、「游乎四海之外」〔註179〕，以「游」立基於現實，心靈則飛翔於假象的萬物之上，同時又沉潛於作爲本體的道的世界之中〔註180〕。強調一種個體立基於現世，而意欲超越的過渡、調解手段。

由莊子所謂「唯至人乃能游於世而不僻，順人而不失己」〔註181〕，知其所欲達至者，乃是不依賴任何他者的主體性之確立，游世順人，而非如隱者般離群索居、悖離現實。承此思想，魏晉士人乃將「游」落實於游覽之中，藉由蹈入山林、共游滄海靈山，在自然中拋卻俗慮，以虛靜之心爲應，林澤山水乃成普遍逃避現實困阨的寄情之所。東晉以降，佛學漸興，名士與高僧發現玄佛間的相似性，二者因清談而互滲共融，視「游自然」爲品味生活的一部分，合宗教哲理與山水內蘊爲一。自然山水既是游賞對象，亦爲法性化身〔註182〕。士人與志同道合的僧人爲伴，人與自然合而爲一，相化相忘，造化不再乘載儒家的比德枷鎖，反以純淨之姿，一變而成爲美的對象。復次，

〔註176〕〔梁〕沈約：《宋書》（臺北：鼎文書局，1980年），頁2279。
〔註177〕〔宋〕李昉等編：《太平廣記》（北京：中華書局，1961年），頁1611。
〔註178〕〔清〕郭慶藩撰；王孝魚點校：：《莊子集釋・山木》，頁668。
〔註179〕〔清〕郭慶藩撰；王孝魚點校：《莊子集釋・逍遙遊》，頁28。
〔註180〕〔日〕池田知久著；王啓發、曹峰譯：《道家思想的新研究——以《莊子》爲中心》（河南：中州古籍出版社，2009年），頁446。
〔註181〕〔清〕郭慶藩撰；王孝魚點校：《莊子集釋・外物》，頁938。
〔註182〕蕭淑貞指出：「慧遠言：『神道無方，觸象而寄。』直指『法身』無所不在，當法身神明體現於山河大地時，自然山水即成如來化身，靜觀林壑，凝神湖海，即可體察神道，妙悟佛理。」見氏作：《魏晉山水紀遊詩文之研究》（臺北：臺灣學生書局，2009年2月），頁71、73。

人與自然的關係漸次滲入繪畫，時代精神於其中顯露軌跡，自然山水成爲繪畫的題材，山水畫之獨立，水到渠成。至宗炳提出「臥游」，審美客體乃正式由自然山水轉變爲山水畫。

宗炳〈畫山水序〉直言人與自然的關係：

> 聖人含道應物，賢者澄懷味象。至於山水，質有而趣靈，是以軒轅、堯、孔、廣成、大隗、許由、孤竹之流，必有崆峒、具茨、藐姑、箕首、大蒙之遊焉，又稱仁智之樂焉。〔註 183〕

儒、道二家的聖人均是全知全能的理想人格：儒家講求立足於現世，屬積極入世立德型聖人；道家則是超越現實功利，體道而泯除一切物我得失的逍遙型聖人。宗炳之聖人，則兼容儒、道二家特質之聖人，堯、孔乃是儒家推崇之聖人楷模〔註 184〕，廣成、許由則是道家超越世俗象徵之理想人格。宗氏於此兼舉二家之理想人格，知所著重者，並非聖人形象，而是聖人懷納之「道」。首先，他區分聖人與賢人之差異，聖人之於道，乃是一種涵攝關係，聖人可「自覺地」從自然萬物中發現道，以心「容納」其道，且又映照、體現於自然萬物之上。誠若老子所謂「道法自然」，道既映於萬物之上，物亦呈顯其道，二者相互輝映，故謂道源於自然，山水必然趣道、映道，是如葉朗所言：

> 山水之所以成爲美，所以使人愉悅，是因爲它既有具體形象，又是「道」的顯現。〔註 185〕

賢者不同於聖人能自覺地發現道，只能體會反映於山水中的道，聖人以神法道，賢者惟品味物象而通之，二者即主動與被動性之異別。人雖非聖人可內懷自然之道，但可藉由學習賢者味象之法，澄清懷抱，虛靜心靈，品味「物」上所呈顯的道義理趣。

宗炳開宗明義地指出「道」的重要性，所謂「仁者樂山，智者樂水」，山水對於仁、智、賢、聖的重要性，肇因於作爲客體的宇宙萬物之「道」，故山水方能以形媚道，自然山水與山水畫對於人的精神涵養，而有價值〔註 186〕。

〔註 183〕〔清〕嚴可均校輯：《全上古三代秦漢三國六朝文・宗炳・畫山水序》，頁 2545。

〔註 184〕或有議論疑「堯孔」當爲「堯舜」，此説以陳傳席爲首，認爲堯舜既爲儒家聖人典範，亦爲道家之聖，於《莊子》中更常與山水、游有關。八人無論按年代排列，或考儒道二家説法，孔子皆爲異出，蓋有此説。詳文可見陳傳席：《六朝畫論研究》（臺北：臺灣學生書局，1996 年），頁 103～104。

〔註 185〕葉朗：《中國美學史大綱》（臺北：滄浪出版社，1986 年），頁 209。

〔註 186〕楊成寅指出：「對於宗炳來説，山水畫最重要的主觀基礎是哲學觀，當然還包括畫家的心理狀態。宗炳的哲學觀融儒、釋、道爲一體而以道家哲學爲主體。

標舉道的重要性後，宗氏繼而指出親近道、理解道的必然心理狀態——審美主體「心」的無滯無礙。無論是繪畫而臥以游之，抑或親入山林。「澄懷」，是胸無沉濁雜念之審美心境。澄清胸懷，向上提升而臻至虛靜的狀態，如同鍾仕倫所言：

> 審美主體須排除私心雜念，擺脫現實功利，忘卻人間煩惱，剔除主觀陳見，達到專心一境，以致寧靜清空。審美主體只有虛空一切，才能獲得精神通脫與審美自由。〔註 187〕

使主體心保持虛靜澄明，超然於物外，形塑一種「靜態」的審美心境，心明如鏡，方能感受、體會審美對象所呈顯的生命意義，獲得審美體驗（味象）。

宗炳提出虛靜心理狀態的「澄懷」理論，同時也是「游」之初步實踐進路，實如老子言「滌除玄覽」〔註 188〕、「致虛極，守靜篤，萬物並作，吾以觀其復」〔註 189〕。心之常駐無爲，無所執求，於虛靜中，朗照萬象，體會萬物所皈依之理——「道」。莊子承襲老子虛靜之說，提出「心齋」、「坐忘」，通過修養工夫破除認知我，從有用之用的束縛中脫離，回到無用之用的自然虛靜之中。莊子認爲天道皆內在於萬物之中，物物有物象，人觀物象，卻因心有知，致使物象牽引物欲，人的生命便在物象流轉及物欲的爭逐中，逐漸流落迷失，無法體道悟道，故使心虛靜的第一步便是心齋，即心的齋戒。在虛靜空明的心境中，從對象思維解脫，以此作爲游心於道的先決條件，故言：「無聽之以耳，而聽之以心；無聽之以心，而聽之以氣。」〔註 190〕人逐漸從向外求取的道路，走回自己，最終超越自己，虛而待物，進而達到坐忘，洞見超脫現實、絕對自由的「道」。老莊「虛靜」、「心齋」的修養功夫，也正是「游」之實踐功夫，宗炳以此落實於審美觀照——人如何從自然體道，將審美主體

「道」，是儒、釋、道三家通用的範疇，……從現象層面看，都承認主體之外的宇宙萬物的存在，因此他們都運用物、象、形（色）和『道』、『理』等概念。宗炳認爲山水畫家在創作山水畫時，既要描寫物、象，又要表現存在於主客體中的『道』。」見氏作《中國歷代繪畫理論評注》（武漢：湖北美術出版社，2009 年），頁 163。

〔註 187〕鍾仕倫：《魏晉南北朝美育思想》（北京：中國社會科學出版社，2006 年），頁 302。

〔註 188〕朱謙之：《老子校釋》，頁 40。

〔註 189〕朱謙之：《老子校釋》，頁 64。

〔註 190〕〔清〕郭慶藩撰；王孝魚點校：《莊子集釋・人間世》，頁 147。

——心——如「游」意識般作爲一種「思維意識的自由延展」〔註 191〕，終而企至「暢神」目的。然而，宗氏並無落入魏晉長期以來的有無之辯，乃是固持老莊「游」之精神，強調「無心於爲也」，重申「游」時，必先澄淨懷抱，以海納萬物，如同庖丁解牛般，不以目視而以神遇。宗炳同時運用玄學與佛理的會通之處，非執著於理性認識論之層次，乃將「心無」〔註 192〕與「致虛靜」同視爲企至「游」的手段，視作一種藝術作用的工夫，透過虛靜無染的主體心，對景物作美的觀照，疏瀹其心，澡雪其精神，即在「乘物游心」的基礎上言「澄懷」。

正因在「澄懷味象」的大前提下，吾人方能發現山水之靈趣，進而不斷地回味物物之象中所蘊含的無限生命氣韻，藉由形質之美而能更深入且全面地體道。蓋言「山水以形媚道」，因其形質實有而存在，誠是道的載體，是神明之體現與產物，遂可從其中發現道之所在。人唯有在自由的心境下，方能體味，與之相通，游於自然萬物而能彼此相呼應，既隨物以婉轉，亦與心而徘徊。然而，人雖可藉游覽自然，深刻地體會道，但山水之路遙，人既非如仙家般凝氣怡身，可常使身體健康，又因年歲有限，體疲神衰，即便有遍覽群山之欲，卻心有餘而力不足。如此，即使習得賢者之法，味象之路亦告中斷。於是，宗炳繼而言「畫象布色，構茲雲嶺」，創作構設山水之形，將自然山水重現於圖畫之中，使人能常「游」其中。然而，其中道與形的對立又是何解？宗炳乃言：

> 夫理絕於中古之上者，可意求於千載之下。旨微於言象之外者，可心取於書策之內。況乎身所盤桓，目所綢繆。以形寫形，以色貌色也。〔註 193〕

〔註 191〕涂光社指出：「莊子常以『遊』喻指一種無拘束、無負擔、無干擾的精神生活和思維運作，是思維中時空的自由延展，物我的自由往復，意象的自由組合、併接，從而自如地實現對已有範圍、觀念、關係、秩序和規則的超越。」見氏作《莊子範疇心解》（北京：北京中國社會科學出版社，2003 年），頁 33。

〔註 192〕姚義斌指出：「『心無義』雖然主張『心無』、『空心』或者『非心』，但從根本上來講，由於『心無義』取消的只是對外物的執著之心、分別之心，對於那種眞正認識事物『自性』（本質）的般若『種智』或者『佛菩提心』，則不僅不排斥，反而是一種提升。」見氏作〈即色、無心和澄懷味象——宗炳《畫山水序》理論來源再議〉，《南京航空航天大學學報》（社會科學版），第 12 卷第 1 期，2010 年 3 月，頁 55。

〔註 193〕〔清〕嚴可均校輯：《全上古三代秦漢三國六朝文》，頁 2546。

早已失傳的上古之理或微言大義，可透過「心取」、「意求」而理解，以此揆之，山水與山水畫的關係，意喻著畫者的「味象」經驗可透過創作力重現山水之「靈」和「趣」，進而被觀者理解，故畫中的山水自然可代替實際山水成爲觀賞對象。然此創作力並非指天馬行空的想像，而是藉由實地的游覽經驗，透過繪畫技術控制表述山水之形、色。蓋創作力的表現，即是將山水映於畫者思維的影像，以及所感受到的體悟，表達於畫中。宗炳續言「以形寫形，以色貌色」，可謂與「心取」、「意求」相輔相成，乃指出繪畫重點——「象」，其意涵有二：首先，吾人對美感的判斷，乃建立在美感經驗的蓄積，最直接的感受方式即在於感官的形式美，故山水創作必須從山水的形象結構出發。但並不是錙銖必較地強調每個細節，而是表述出「象」的重點。蓋所謂「含道應物，澄懷味象」，實則已然標舉出道、象、物的層次關係，以「象」溝通大道與載道之器，使原本飄渺無形的「道」有可供依循的形象，紛雜的「物」亦可歸納簡化，毋須將所有細節均納入畫中〔註 194〕。

其次，透過繪畫重現山水的本然之美，將老莊體道、觀道的功夫匯入繪畫理論，使外在審美客體與內在觀賞主體相互爲用，人與山水形成新聯繫，透過「澄懷味象」繪出自然的「象外之意」，正如莊子「得魚忘筌」之思，進以達到臥游的目的，故如王永亮所言：

> 將所遊歷過的山水「皆圖於壁」，以求達到「乘物以游心」的精神境界來「臥以游之」，並「以形寫形，以色貌色」，來表現自然山水的本然之美。要在一幅畫面上更深一層地表現山水的「靈」和「趣」，寫出心中的「味象」、「意趣」，造就一種蘊含本然的「境」，寫出「旨微於言象之外者」的「意」。〔註 195〕

因畫者將山水重現於絹布之上，使對象不再拘泥於自然山川，觀賞對象發生轉變，山水畫因而成爲新的觀賞對象。

〔註 194〕尤煌傑指出：「道與物是一個形而上與形而下的關係，……介於形上與形下之間，道與器之間，透過象溝通了兩者。『象』使道不在幽渺不可測，透過『象』使極度抽象的形而上原理，有了可以想像或感知的輪廓；另一方面，紛然雜陳的萬物，經過『象』的簡化，取得邁向統一性的初步法則，有了簡單的歸類基礎。並非所有的萬物的瑣碎細節都要進入繪畫世界裡，例如荊浩提出『刪撥大要，凝想形物』，就是一種簡約、精練的能力。」〈宗炳「澄懷味象」之美學意蘊〉2007 年發表於「海峽兩岸哲學及其時代角色意識之自覺學術研討會」，頁 155。

〔註 195〕王永亮：《中國畫與道家思想》（北京：文化藝術出版社，2007 年），頁 102。

貳、「游」的藝術實踐過程

山水畫的形成反映人們對自然美的欣賞、嚮往與追求，誠如葛路所言：「到了魏晉南北朝這個階段，有些藝術家對山川自然美，在感情上產生了共鳴，渴望要去表現。」〔註196〕山水不再是被動的觀賞客體，藉由藝術家的表現，一躍而成繪畫主體。宗炳根據老莊「虛己游世」之哲理，透過「澄懷味象」，體現自然的一丘一壑，使畫中山水取代自然山水而具有審美價值。然而，畫家該如何立意定景、置陳布勢？如何透過構圖、造境、設色以表達「象」？宗炳云：

> 且夫崑崙山之大，曠子之小，迫目以寸，則其形莫睹，迥以數里，則可圍於寸眸。誠由去之稍闊，則其見彌小。〔註197〕

審美活動之要，乃是透過眼睛的觀照，使眼有所見，心有所動。親身實入幽岩之中，因眼界有限，無法盡覽山水的全貌，只能管窺一隅；若是遠離數里，雖可將山水之形，盡納眼底，但細微之處，則易忽略不察。若能將自然萬象攝於尺幅之中，便可不被距離所限，觀者亦可從鑑賞中，領會大自然的精神，目接應而心領會，由此開展品味之道，並充實生命精神。

眼目所見乃「形」，領會所感乃「神」，故宗炳又言：「是以觀畫圖者，徒患類之不巧，不以制小而累其似，此自然之勢。」不因規模式樣的狹小，而限制自然氣勢與審美價值，唯恐畫者繪「象」之拙，而失其眞諦。作畫並非一味的「複製」山水形貌，乃務求重現山水「風采」，山水之形可被觀者、畫者濃縮於心中、畫中，而其中所包含的「玄牝之靈」則被如實保留，甚至擴充神化。游覽之目的，不在山水外形，實求感受山水的自然氣韻。於是，透過山水畫，莽蒼大地之靈趣，藉由濃縮的形象再度復原，此亦是山水畫的創作目的。是故宗炳所謂「以形寫形，以色貌色」，並非要求一草一木的如實呈現，或是任由畫者自由發揮想像，而忽略山水眞實樣貌，而是必須把握「神本亡端，棲形感類」之主要前提，其言：

> 夫以應目會心爲理者，類之成巧，則目亦同應，心亦俱會。應會感神，神超理得。雖復虛求幽岩，何以加焉？又神本亡端，棲形感類，理入影迹，誠能妙寫，亦誠盡矣。〔註198〕

〔註196〕葛路：《中國古代繪畫理論發展史》（上海：上海人民出版社，1982年），頁37。

〔註197〕〔清〕嚴可均校輯：《全上古三代秦漢三國六朝文》，頁2546。

〔註198〕〔清〕嚴可均校輯：《全上古三代秦漢三國六朝文》，頁2546。

神爲無形而無法具體把握，須透過「形」方能顯現，是以繪畫需立基於形似；形的描繪亦不能脫離寫神，無神之形則爲死物，故必本之於神類，否則與地圖無異，而失去原構之義與價值。神之於形，猶如道之於萬物，相輔相成、同相輝映。若畫者「類之成巧」，自然之勢、山水之靈均顯現畫中，觀者所看到、心中所體會的神，便與畫者無異，二者即能共感、共鳴，陶醉於畫中山水的物我相親。資是山水益於人之精神，非在其形，乃因其神，神通而可得隱入迹影之「理」，誠若宗炳《明佛論》所言：

> 夫岩林希微，風水爲虛，盈懷而往，猶有曠然，況聖穆乎，空以虛授人，而不清心樂盡哉！是以古之乘虛入道，一沙一佛，未詎多也。〔註 199〕

山水雖無常形，而有常理，有其質卻無定形，故「雖曰物而非物，故是近於色空之理，而游心於茲，而可暢懷澄神，是曰媚道而趨靈也」〔註 200〕。蓋吾人眼目所接受者，乃爲山水之形，而自然的神性氣韻，又寄託於具體形象的山水之中（棲形），大道哲理則布於神中，等待人以純淨無塵之心靈與其感通。「應目會心」所得之形與神，同構而成人之獨特生命與審美體驗，「游」於茲而得「理」，此方可謂爲藝術精神。

是故以自然入畫，山容水姿固不可少，其精要仍在畫者透過美感經驗之積累，以心觀照，飛越神思，收攝千里之外的山水，在「感類」的基礎上描繪若眞，如陳望衡所言：

> 畫家固有的修養、積累、審美觀、藝術才華全給調動起來，又加上新的感受、新的意象，借助於藝術想像，在進行著新的創造，這就是神超理得。〔註 201〕

重巖疊嶂、湍流飛瀑之神韻，透過畫筆感通於畫，傳神、寫意、達理、盡意之旨便皆備矣。於是，觀者藉由眼睛擷取畫面中所表現的自然神韻，將自己投入其中，物我爲一，進而從體驗感悟中昇華，以臻物我兩忘之境，使精神超脫於塵俗之外，「道」、「理」必爲其所感獲。則實際游覽較之欣賞山水畫，所感所通又有何殊異？又何須執著求道於幽巖（游覽）之中，畫中山水（臥游）亦有相同效果，畫中山水與名山勝水亦具同等價值。基於此，宗炳認爲

〔註 199〕〔清〕嚴可均校輯：《全上古三代秦漢三國六朝文・宗炳・明佛論》，頁 2549。
〔註 200〕韋賓：《漢魏六朝畫論十講》（北京：中國社會科學出版社，2009 年），頁 230。
〔註 201〕陳望衡：《中國古典美學史》（長沙：湖南教育出版社，1998 年），頁 353。

披圖幽對之臥游，更勝於親入山水，其將臥游所限制的直感自然之美，透過顧愷之形、神的空實關係，將寫形與想像之概念鎔鑄一爐，使「嵩華之秀，玄牝之靈」，映顯於尺幅之上，不僅表會自然之「形」，同時亦呈現自然之「神」，合於莊子強調形與神皆爲道生，唯有形神合一，方能完整體現「道」之思〔註 202〕。即使人無法親歷，然透過畫作欣賞，觀道、體道之效果亦備矣。

「臥游」打破空間與時間的限制，將「應目」的實際性滲入神思之想像性，透過心靈之眼的觀察，感受千里山水的形質特徵，具有超現實性與自由性的審美想像。宗炳於〈畫山水序〉結尾乃更強調：「聖賢映於絕代，萬趣融其神思」，即使無法深入山林以體察自然之道，畫家仍可藉由二次感物之「神思」，憑藉回憶與想象重現自然形貌，不僅寫實，同時寫意。其謂「神思」，乃是將主體精神與客觀外物融注成爲一種流動的狀態，此中所關心的「神」，不再僅僅是對象所顯現出來的神情氣韻，更是畫者自身所要表抒的某種心境、神意〔註 203〕。畫者將自身的游覽經驗與感性印象結合，形成高度自覺意識的心理活動，再藉想像，將原本直觀感受的自然質樸昇華爲精美而更富藝術性。又因時間的沈澱，將當時直接的感性體驗，代之以作者的理性思維，使生命體驗與審美體驗相結合，最終透過藝術形式表現。觀者則「以無我之心叩合對象的精神美」〔註 204〕，透過畫作領會蘊於山水的自然之道，以及作者從自然中初次感物所體會的自然之美，與自己的精神相融合，使主、客體交融爲一，神隨物游，物隨神游，感之而產生一種生命與審美體驗，由是形成一穩固不變的藝術性，此即爲藝術精神之實踐。由此引發無限的嚮往與思索，如同李健所說：

> 這種創作的衝動就是經過了一個長時間的沉潛的。同時，這也給他提供了一個考驗自己回憶、想像、虛構的機會。當他拿起畫筆開始創作的時候，人無論是在時間上還是空間上都已經遠離了山水，在遙遠的異地想像著山水的美麗形象與那虛無縹緲的空靈之趣，彷彿又回到了其中，對它進行著美的感悟。〔註 205〕

親臨自然，人與山水產生直接的感應，引發人的領悟感受，此即創作感之來

〔註 202〕〔清〕郭慶藩撰；王孝魚點校：《莊子集釋．知北遊》：「夫昭昭生於冥冥，有倫生於無形，精神生於道，形本生於精，而萬物以形相生。」頁 741。

〔註 203〕儀平策：《中國審美文化史》（濟南：山東畫報出版社，2000 年），頁 323。

〔註 204〕袁濟喜：《六朝美學》（北京：北京大學出版社，1992 年），頁 113。

〔註 205〕李健：〈應會感物——宗炳的感物美學〉，收錄於《深圳大學學報》，第 25 卷第 1 期，2008 年 1 月，頁 125。

源，它可以立顯於創作之中，亦可潛伏於觀者心中。畫者藉由美感的醞釀積累，以及「游」的想像，使審美活動產生新的激盪與創作激情，如同一種餘蘊的迴響。即使離開實際山水後，亦能在此作用中得到共鳴。體道不僅是當下的直感經驗，亦可「收藏」於記憶之中，藉由神思飛馳，泯除時間與空間的限制與隔閡，既符合作者的創作理想，亦能達到觀者的觀賞期待，此即臥游的意義。因此，宗炳在〈畫山水序〉中，在在重申「澄懷」的重要性。唯有心靈澄空，無有任何固持、偏見，方能在創作過程中，畫者以心合物時，心靈與對象相互激盪而產生一形象或意象，激發畫者的創作靈感，情感因而受外在對象支配，引發神思之運行。

參、臥游的目的

「臥游」的產生是為調動一種最好的方式，以畫中山水表現的自然之美，彌補人受距離、眼界之限，誠如宗炳於〈畫山水序〉末尾所言：

> 余復何為哉，暢神而已。神之所暢，孰有先焉。〔註 206〕

「臥游」，乃是在觀道的基礎上言暢神，無論畫者、觀者，通過畫山水與觀山水，均可藉由回憶（審美經驗）與想像，體現並學習自然之道，其所表現的自然之美，方具意義。蓋「暢神」不僅僅是感悟自然神韻（道、靈趣、神、理），更重要的是個人主體之精神解脫，達到與自然合一、歡愉自適的狀態，是精神真正無待無累、暢通自適的滿足。

宗炳「神」之概念，受魏晉玄學與佛學之影響甚鉅，其以「神不滅」論，申明「臥游」時「心」的作用功能，〈明佛論〉言：

> 若使形生則神生，形死則神死，則宜形殘神毀，形病神困。據有腐則其身或屬纊臨盡，而神意平全者；及自牖執手，病之極矣，而無變德行之主，斯殆不滅之驗也。〔註 207〕

宗炳強調心靈的本體地位，心可派生萬物，認為精神可以脫離形體而獨立存在，可以轉生於其他形體〔註 208〕。「形」，乃吾人在知覺世界的存在方式，是自我意識的載體，人之精神不會因外形殘毀而有所變化，而是別自於內在之德的「用心」涵養，即一種「宅心於虛」的狀態。「虛」並非全然的荒蕪狀態，

〔註 206〕〔清〕嚴可均校輯：《全上古三代秦漢三國六朝文》，頁 2546。

〔註 207〕〔清〕嚴可均校輯：《全上古三代秦漢三國六朝文》，頁 2547。

〔註 208〕楊柳：〈廟堂、山林、佛土的美好結合——對宗炳〈畫山水序〉的創新解讀以及對山水畫教學的啓示〉，湖南師範大學碩士學位論文，2007 年，頁 31。

而是使心脫離各種各樣的變化與分別，不爲物役，不爲知求，使心凝固於如明鏡般的無垢狀態，蓋因「形骸之內的心靈才是人之所以爲人者，也才是人眞正該游的地方」〔註 209〕，故「暢神」即爲「游心」。因此，從老莊「滌除玄鑒」、「心齋坐忘」之工夫，到宗炳強調「澄懷味象」之法，在在揭示「心」（神）全之要，誠如《莊子・德充符》中「使其形者」的寓言：

> 適見豚子食於其死母者，少焉眴若，皆棄之而走。不見己焉爾，不得類焉爾。所愛其母者，非愛其形也，愛使其形者也。〔註 210〕

豚子見死去的母親形骸，驚訝遁走，並非駭於死亡，而是因爲母親的意義已然消逝。單依形體而言，母親的形骸於生於死並無差異，但「使其形者」之「神」消亡，母親的意義亦告消亡。失落使豚之所以爲豚之「主」，母的形體之於豚子，便只是死物而無實義。蓋謂神爲形之主導者，理本於此。

基於此，宗炳又言：

> 神也者，妙萬物而爲言矣。若資形以造，隨形以滅，則以形爲本，何妙以言乎？夫精神四達，并流無極，上際於天，下盤於地，聖之窮機，賢之研微。〔註 211〕

神之至精微妙，並非在於「形」之資造，而是「乘虛入道」。是以，山水可爲淨土，不因造化的鬼斧神工，而在吾人去除情慾，澄淨智理，便得樂山樂水之愉，即暢神之悅。將宗炳「神不滅論」置之於藝術層面而言，並非託言形、神必然分離，實可詮譯爲體悟之神思不滅，亦即藝術精神的穩固不變性，正如韋賓所言：

> 是曰暢神，即禪定之樂。神之可以暢者，以神不滅而無累也。盡此而言，則以神爲不滅，以心生萬象，則淨土唯心，而山水又何嘗不可以爲心之淨土哉。故神者心也，心存則神不滅，不滅故有淨土之想，心存則成淨土別境，山水既成禪觀，畫以代之，亦可以等焉。〔註 212〕

此運用於山水畫論中，即強化「臥游」的可行性，因「神」乃「不滅」，「形」只是「神」的載體，吾人從畫中山水，體味自然之道，但不能只停留在美感

〔註 209〕王博：《莊子哲學》（北京：北京大學出版社，2004 年），頁 64。
〔註 210〕〔清〕郭慶藩撰；王孝魚點校：《莊子集釋・德充符》，頁 209。
〔註 211〕〔清〕嚴可均校輯：《全上古三代秦漢三國六朝文・宗炳・明佛論》，頁 2548。
〔註 212〕韋賓：《漢魏六朝畫論十講》（北京：中國社會科學出版社，2009 年），頁 227。

的享受，必須從體驗感悟中昇華，進入物我合一的境界，「理」方能進入畫作。是觀宗炳在〈畫山水序〉中強調「神超理得」，便是要將此融會佛道思想之「神」，利用審美感受與創作再現神之美，畫家能表達出此美，美的自覺由此朗現，貫徹暢神之功能，使臥游與親臨山水擁有相同功效。

小　結

無論是自然嬉游或是園林宴游，皆是在追求無限，前者是藉由游天樂地之行爲，拋開對立的功利、物我，使心游於塵垢之外，保有神明暢朗的態度，求得心靈的無限；後者則是從游宴之樂，感生命之有限，傷享樂之有期。名士所追求者，在於人間榮華的無限擁有，是故極盡享樂之姿，彌補有限生命之缺憾。慕仙企道之隱游，乃欲同時打破時間與空間之有限，既漫遊於世外仙境，又希冀能跳脫生滅之困，使生命永存。僧人則藉「游」，重新體會釋理，山水既是觀賞客體，也是法性主體，佛理即是自然，感通凝神，從自然得玄悟之暢。正如宗白華所言：「晉人向外發現了自然，向內發現了自己的深情。」〔註213〕魏晉士人身處亂世，藉由「游」以抒憂，從遍覽自然之美中，滌淨俗慮，抒發自己抑鬱的情緒，將在現實中不可迸發之熱情，寄予天地。

魏晉之「游」是眞眞實實地肯定「我」的存在，即使身在紛紜擾攘的人世，亦無所動心於將迎、成毀之中，而在山水與人文的交會剎那，乘景悟道，使身心跳脫現實的侷限，解放受束縛的靈魂，滌去心中垢累，以新視角重新省思生命，轉化固有的思維模式，以一種更開闊、更逍遙的心境面對塵世，非是忤逆，而是隨順。誠如《莊子·庚桑楚》云：「行不知所之，居不知所爲，與物委蛇，而同其波，是衛生之經也。」〔註214〕其謂「委蛇」乃是因順自然，與時俱化，而無肯專爲，飽食遨游，任運隨世。人與自然之關係，誠是「與物爲春」，融洽如春然和氣，消解人與外物的界限、對立，自然順任，而在和諧的關係中，獲得洒然歡快的生命體驗。蓋魏晉之「游」實屬「自樂」，不僅把握莊學「游」之逍遙精神，更以「適性」作爲時代義，眞正落實於生活實踐之中。以「游」爲應世哲學，廣泛推及各視域之拓演，使政治、文學、藝術皆有「游」之影迹。

〔註213〕　宗白華：《美學與意境》（上海：人民出版社，1987年），頁189。

〔註214〕〔清〕郭慶藩撰；王孝漁點校：《莊子集釋·庚桑楚》，頁785。

第四章　「游」與政治、文化合同離異之關係

動盪的年代，魏晉士人鬱結且孤寂的心靈，因「游」而獲得撫慰，使得士人對於自然一往情深，不能自拔地流連於山林之間。對於生命的易逝與現實的無奈，因自然的空靈而獲得再生的力量，以山水爲媒，進一步地認識自我和宇宙。然而，因名山勝水之路遙，使士人無法隨心所欲地深入忘返，於是仿效自然的園林建築便迅速發展，無論是全身遠害、標舉風神，抑或豪奢逸樂，均以園林作爲憑藉〔註1〕，故使「游」的型態拓寬，不再拘泥於自然山水中，在園林中亦可展現暢意玄遠之胸襟。山水之趣，既可得之於園林，隱逸又何必侷限於林野深谷之中？隱於山林，只是隱逸之表，所重乃於內在精神，即個人主體的自由與超越，如同謝大寧所言：

> 隱士之所以爲隱，其本質仍只是在追求某種人生超越價值的貞定，捨此便無以名之爲隱，至於隱居之形，不過是成全其人生價值之一手段而已。〔註2〕

「游」之影響所及，隱逸亦著重於心靈的自由解放，只要心隱，隱逸之處便無擾其隱逸本質。故而淡化對歸隱山林的追求，轉是追求「游心」之要。心若能隱，朝堂市井皆無擾於心。「游」可謂是魏晉士人生命精神的體現〔註3〕，

〔註1〕王毅：《中國園林文化史》（上海：上海人民出版社，2004年），頁77。

〔註2〕謝大寧：〈儒隱與道隱〉，《國立中正大學學報》，第3卷第1期，1992年10月，頁140。

〔註3〕江建俊：〈莊子「游」的意識對魏晉名士游浪山水之影響〉，氏著：《于有非有，于無非無——魏晉思想文化綜論》（臺北：新文豐出版社，2009年），頁48。

在文學創作上，發而爲文而有山水紀游詩文、名山志、行旅詩等的產生；在社會上，因對自然的審美，轉而以建築園林表現山水之麗，故造成園林藝術之風行，展開中國園林文化重要的一頁。「游」，不僅是一種親近自然的方式，士人更在其中尋得精神家園，當身心與大自然融爲一體，以純淨胸懷游山水，心便能無掛無礙，無煩無憂，使現實與精神達到平衡，覓得嶄新生機。

第一節　「游」與「治」的回歸性批判——無君思想之再興

魏晉士人之「游」，實有不容忽視之精神性與必然性。就精神性而言，內含其人強烈的自我肯定與生命意識，即在「任自然」的終極目的下，展現對個體生命自由之追求。以質樸無欲、謙退自適爲人生理想，使精神如赤子般至精至和，其「游」即是要使人「能夠順欲而不縱欲、省欲而不禁慾，使人們成爲具有無私之心的眞君子，使人們的自然本性得到充份舒展，使人成爲眞正的人。」〔註4〕或有不同處，乃在於企至的方式，如嵇康以修養工夫入達，阮籍則先藉酒抗俗離塵，後使精神遁入，與道合而爲一。誠如〈達莊論〉所言：「萬物返其所而得其情」〔註5〕，回歸生命適宜之所，恬靜自適，玄同彼我，如入無待而常通之逍遙境界。

然而，對魏晉士人而言，至人般「恬於生而靜於死」之境界，只能是一種理想形態，終非其人可選擇的生存方式。基於對現實、生命必然歸宿的理解，遂而衍生出「絕望性批判」——死亡誠是必然，如何在短促而不可逆的生命中，超脫外在不合理的束縛，爲「任自然」開出一條可能的道路？故有七賢不惜毀行滅跡，自放於天地間，只爲向世人揭露「名教」之眞假問題，此即爲其必然的「越名教」之路。或如葛洪所言：

> 世人聞戴叔鸞、阮嗣宗傲俗自放，見謂大度。而不量其材力，非傲生之匹，而慕學之：或亂項科頭，或裸袒蹲夷，或濯腳於稠眾，或溲便於人前，或停客而獨食，或行酒而止所親。〔註6〕

〔註 4〕林頤：〈由「越名教而任自然」透視嵇康哲學思想的內涵〉，《天中學刊》第 26 卷第 6 期，2011 年 12 月，頁 40。

〔註 5〕〔晉〕阮籍撰：陳伯君注：《阮籍集校注・達莊論》，頁 150。

〔註 6〕〔晉〕葛洪撰：楊明照校箋：《抱朴子校箋》（北京：中華書局，1991 年），頁 29～33。

然而，七賢所謂「越名教」竟爲何意？誠如張蓓蓓所言，乃是指「道家自然以外的儒家禮法教化的存廢及安頓問題」〔註 7〕。「名教」，並非專指儒學思想體系，而是代表與自然對立之名詞，即「以名爲教」〔註 8〕。故其人所欲超越者，實爲「名」。狹義看，則指漢末以來強調的忠信廉潔之名；廣義看，乃指人倫關係中的禮教問題。嵇、阮欲打破一切矜尚，超越是非有無，揚棄淪爲統治者工具之制度、經典，走向「無名」，回歸個體之人本位。遂以「非常道」、「犯規」的模式，振聾發聵，在放浪形骸的外表下，含藏洞悉世事的眼光。阮籍以「大人先生」作爲理想化身，同時訐發假以禮法之名，對上爭權奪勢，卑躬屈膝，對下則施之嚴刑以恫嚇，僅爲圖利一己之自號君子者。遂言：

> 汝君子之禮法，誠天下殘賊、亂危、死亡之術耳，而乃目以爲美行不易之道。〔註 9〕

將紛紜世事之咎，歸結於私欲的橫行，貴介縉紳以禮法爲用，斂取百姓以侍奉當權者的無窮欲望，諂媚邀寵。又因年歲無常，生死瞬滅，因此極縱當下之欲樂，盛僕馬，修衣裳，美珠玉，飾帷牆。於是阮籍曾極力抨擊這些欺名盜世者，其言：

> 洪生資制度，被服正有常。尊卑設次序，事物齊紀綱。容飾整顏色，磬折執圭璋。堂上置玄酒，室中盛稻粱。外厲貞素談，戶內滅芬芳。放口從衷出，復說道義方。委曲周旋儀，姿態愁我腸。〔註 10〕

此之「洪生」即如〈大人先生傳〉中的「君子」〔註 11〕，唯法是修，唯禮是克，衣服不貳，綱紀有序，勤勉恭敬，進退有度。對外恪守禮樂制度，對內則卻擅恣肆言，信口胡謅，更以冠冕堂皇之道義，掩蓋其荒言誕論。看似規矩純正，實則裝模作樣，虛僞至極，託禮以文僞售姦。上下交相賊，致使社會失衡，酷刑日益而不足罰，資源日匱而不足給，弒君滅國遂由此始。若欲

〔註 7〕張蓓蓓：《中古學術略論》（臺北：大安出版社，1991 年），頁 4。

〔註 8〕陳寅恪指出：「名教者，依魏晉人解釋，以名爲教，即以官長君臣之義爲教，亦即入世求仕者所宜奉行者也。其主張與崇尚『自然』即避世不仕者適相違反。」見氏作〈陶淵明之思想與清談之關係〉，《金明館叢稿初編》（上海：上海古籍出版社，1980 年），頁 182。

〔註 9〕〔晉〕阮籍撰；陳伯君校注：《阮籍集校注・大人先生傳》，頁 170。

〔註 10〕〔晉〕阮籍撰；陳伯君校注：《阮籍集校注・詠懷詩》其六十七，頁 377。

〔註 11〕〔晉〕阮籍撰；陳伯君校注：《阮籍集校注・大人先生傳》：「天下之貴者，莫過於君子。服有常色，貌有常則，行有常式。立則磬折，拱若抱鼓，動靜有節，趨步商羽，進退周旋，咸有規矩。」頁 163。

破除禮教矯飾之方，唯從體制內揭其弊，是有諸樣違俗舉措。此誠是結穴於老子所言：「人多利器，國家滋昏；人多伎巧，奇物滋起；法令滋彰，盜賊多有。」〔註 12〕統治者利用過分干預的法令、體制，破壞自然，危害人類本性；衛名護道者不明制禮本意，死守禮法，猶如褌襠群虱，苟媚干祿，自安於其中，渾然不察禮教早已淪爲當權者整肅異己之利器，必當終失頸項。

故此，阮籍緬懷人民自定、社會自安的上古至德之世，期欲回到當時自然無爲的生活型態，其〈大人先生傳〉言：

> 昔者天地開闢，萬物並生；大者恬其性，細者靜其形；陰藏其氣，陽發其精，害無所避，利無所爭；放之不失，收之不盈。亡不爲夭，存不爲壽，福無所得，禍無所咎，各從其命，以度相守。明者不以智勝，暗者不以愚敗；弱者不以迫畏，強者不以力盡。蓋無君而庶物定，無臣而萬事理，保身修性，不違其紀；惟茲若然，故能長久。〔註 13〕

世間之爭害搶奪，乃因階級的貴賤、貧富差距，賤者怨貴，貧者爭富，求恩澤、仇死敗，皆源於封建社會的不合理，正如《莊子・胠篋》之言「竊鉤者誅，竊國者爲諸侯，諸侯之門而仁義存焉，則是非竊仁義聖知邪？」〔註 14〕市井竊盜者，因法而受刑遭誅，然而偷竊國家者，卻晉位諸侯，盜得政權，進而佔據禮義道德、眞理正義的解釋權和壟斷權〔註 15〕。「君立而虐興，臣設而賊生，坐制禮法，束縛下民」〔註 16〕，聖人蹩躠爲仁，踶跂爲義，期欲用以匡正社會、撫慰人心，卻使人奔競用志，機心頻用，立君設臣，遂有分際。禮法之創立，使人尊君如天、如父，上位者得以欺愚誑拙，賢臣不免於戮，百姓卻不敢誅伐淫亂之君，是謂「天下之大害者，莫過於君」即此。天地初闢、萬物並生的世代，無有強弱、智愚、君臣的觀念，人人各安其居，無爭無執，阮籍借謳歌老子「小國寡民，老死不相往來」的眞樸無虧，彰顯一個各順其性的世代。

「順性」，是魏晉士人解讀老莊的主要概念，將其冥然無別的超越意，實

〔註 12〕朱謙之：《老子校釋・五十七章》，頁 231。

〔註 13〕〔晉〕阮籍撰；陳伯君校注：《阮籍集校注・大人先生傳》，頁 169、170。

〔註 14〕〔清〕郭慶藩撰；王孝漁點校：《莊子集釋・胠篋》，頁 350。

〔註 15〕劉笑敢：《莊子哲學及其演變》（北京：中國人民大學出版社，2012 年），頁 257。

〔註 16〕〔晉〕阮籍撰；陳伯君校注：《阮籍集校注・大人先生傳》，頁 170。

踐於現實，捍衛人性不受侵犯的權利。於紛紜的現象之中，士人以游心觀看萬物的眞相，透過「游」歷後昇華的心境與目光，回歸於現世並負起社會責任，企圖藉由老莊之無所貪求、隨心所欲的理想生活型態，解構封建社會的應在性，塑造一個人人皆如「游」般解心釋神、漠然無事的國度。嵇康亦推崇「厥初冥昧，不慮不營」的質樸社會，其言：

> 洪荒之世，大朴未虧，君無文於上，民無競於下，物全理順，莫不自得，飽則安寢，饑則求食，怡然鼓腹，不知爲至德之世也；若此，則安知仁義之端，禮律之文？〔註17〕

上古之世，純眞質樸而自然無損，君王無制定禮儀、法律以御百姓，百姓亦無相爭利，萬物萬民怡然自得，飽足則安然夢寢，飢餓便出而覓食，悠然欣喜，鼓腹而歌，並未自覺生於至德之世。誠如《莊子・盜跖》云：「古者民不知衣服，夏多積薪，冬則煬之，故命之曰知生之民。神農之世，臥則居居，起則于于，民知其母，不知其父，與麋鹿共處，耕而食，織而衣，無有相害之心，此至德之隆也。」〔註18〕「知生之民」者，乃是知生求存的人，無禮義廉恥之困鎖，亦無彼此相害之意圖，只是爲了生存而努力，因求溫飽而耕種，因欲驅寒而積薪升火，一切行爲均發自生存本能，並非其他的慾念使然，乃自然而爲。然而，黃帝因我族之利，與蚩尤相戰，此即逐利之起；繼之堯舜以共主之名，始立君民之主從關係；爾後商湯驅逐夏桀、周武伐紂，以民爲名，逕自逐利趨益，舛倚橫馳。

大道凌遲，始作文墨，規分萬物各自之類屬、等級，用以約束其行，階級、內外區別由此而立。人的本性乃是「知生」而已，儒家六經以順導人的情性爲由，開闢榮名利祿之途，士人不事生產，惟學爲貴，皓首窮經，通過「學習」而顯榮，故「自然好學」豈可謂人之天性？故嵇康又言：

> 六經以抑引爲主，人性以從欲爲歡；抑引則爲其願，從欲則得自然。然則自然之得，不由抑引之六經；全性之本，不需犯情之禮律。故仁義務于理僞，非養眞之要術；廉讓生於爭奪，非自然之所出也。
>
> 〔註19〕

嵇康認爲禮制法律乃是傷情損性的工具，斲喪人之本性，使情感堵塞受抑。

〔註17〕〔晉〕嵇康撰；戴明揚校注：《嵇康集校注・難自然好學論》，頁259。
〔註18〕〔清〕郭慶藩撰；王孝漁點校：《莊子集釋・盜跖》，頁995。
〔註19〕〔晉〕嵇康撰；戴明揚校注：《嵇康集校注・難自然好學論》，頁261。

而仁義道德更是狡詐僞飾的手段，所謂清廉謙讓之美德，不過是其人爭名奪利的藉口，以假意修飾的言行求世俗稱譽，懷藏貪欲卻覆之以仁義，是則貪欲愈淫，惡念愈深。所謂善惡、爭讓，實是相對辯證，有惡故能知善，有爭故能顯讓，蓋「讓」實源自於「爭」，諸人不爭，何讓之有？且思上古之世，厥初冥昧，不慮不營，乃因其無文之治，無君無民，故無亂無爭。故嵇康頌揚至德之世的美好純粹，而以辛辣言語針砭假禮法爲名者，虛僞作態的臉孔，揭露圖望位、競私利的行爲，實源自六經抑情之造作，因此嵇、阮在在強調自然本性之伸發。二人所謂自然本性，乃與莊子「無待」狀態合同，咸是不依賴、受限於他物的絕對獨立。他們通過「游」體會逍遙精詣，復歸於現世，見紛亂之源，起自爭奪之禍，實因人性受禮法之壓抑與扭曲之由，故其否定以仁義政教「育」民，而嚮往上古無君之治。

承上所述，七賢種種近乎毀禮之誕行，實可視爲刺世之憤歌，內含其不能不爲的苦衷。以眞情作爲安頓生命的力量，外在秩序（禮教）對於其人而言，只是限制本性眞情的枷鎖，尤是用作政治秩序，僅是一種「必要的罪惡」〔註 20〕。禮制定的目的乃是爲防止人過喜過悲之情濫，然而，魏晉時期禮教淪爲政治人物之工具，已然形式化而缺乏意義，無法自由地表達人之情感。故人欲釋放情感之時，便常與秩序發生矛盾，關注個體之自我實現的魏晉士人，對禮的反動、攻擊亦益發廣泛而深刻。誠如阮籍的生命充滿理性與感性的矛盾衝突，其外顯的理性面貌可藉由後天修養而控制，如口不臧否人物。但感性的生命展演卻是難以僞裝，尤其是透過一種放肆的頹狂途徑，將生命推向極致，以獲得重生新機，同時探索存在的意義，尋回生命之本眞。故他以驚世悖俗的醉酒游任，形成與名教對立的反抗性，其行止並非完全不講邊界，不顧體面的縱欲行爲〔註 21〕，而是在不羈的態度下，堅持對生命的執著。

〔註 20〕《莊子集釋・胠篋》：「聖人之利天下也少，而害天下也多。」郭象注釋曰：「信哉斯言！斯言雖信，而猶不可亡聖者，猶天下知之未能都亡，故須聖道以鎮之也。群知不亡而獨亡聖知，則天下之害又多於有聖矣。然則有聖之害雖多，猶愈於亡聖之無治也。」故余英時指出：「無論是用無形的手還是藏著的手，在新道家政治哲學中，維護秩序幾乎從來不是中心話題。因爲像王弼、何晏、嵇康和郭象那樣的新道家，政治秩序最多不過是一種『必要的罪惡』。」見氏作〈魏晉時期個人主義和新道家〉，收錄於《人文與理性的中國》（臺北：聯經出版社，2008 年），頁 48。

〔註 21〕〔宋〕葉孟德：《石林詩話》言：「晉人多言飲酒，有至沉醉者，此未必意眞在於酒，蓋時方艱難，人各懼禍，惟託於辭，可以粗遠世故。……流傳至嵇、

既無力扭轉現實的矛盾，亦不願同流合污，於是他寄託於「醉游」，表面上以「酒」作爲保生之道，放浪形骸，實以眞情涵養之，透過頹放異俗之迹，對社會進行批判與反省，對名教之士進行嘲諷。同時回返自身，在極盡的矛盾苦悶中，將生命之眞情，藉「酒」以釋放，入其中而忘其外，全然專注而不論外在毀譽。然而，禮教之士卻以其眞情之舉，責其悖禮違俗，或以其生命之晦澀矛盾，而言阮籍誕行乃迴避、疏離現實，故其嘆言：

> 一日復一夕，一夕復一朝。顏色改平常，精神自損消。胸中懷湯火，變化故相招。萬事無窮極，知謀苦不饒。但恐須臾間，魂氣隨風飄。終身履薄冰，誰知我心焦。〔註22〕

在無法盡訴政治理想、一展抱負的現實中，他選擇一條異於常態的道路，企圖衝撞現實，將滿腹愁緒心酸，化作醉言誕迹，釋眞情於其中。他知曉其舉的立時性，在當下唯有以此「變態」，方能在高壓環境中，使形式之禮產生裂縫，解構看似眞理之常態。故阮籍戒其子言：「汝不得復爾！」〔註23〕從其抑斥子渾效其行跡可知，阮籍並不僅是懼其子東施效顰，更是「根本不欲其子再成西施」〔註24〕。放縱之舉止，乃破壞的手段之一，子輩應效其堅持情眞之姿，重新建立生命的主體性。

世人皆道阮籍蔑禮，其言行均有其思想底蘊與政治訴求，表面放蕩，實則對於禮法有其近乎純粹的固持。在生命困頓之至，藉「游」而短暫溢出，於過程中洗滌內心的愁苦，化作理想的執著，回歸於不可規避的社會責任之上，遂有其人反動之迹、激進之語。誠如魯迅所言：「魏晉的破壞禮教者，實是相信禮教到固執之極的。」〔註25〕他們無可奈的痛苦、矛盾，又有誰知其心焦？

第二節　「游」與「世」的圓成演變

從學術層面言，兩漢以儒學爲治要，魏晉則以玄學爲依歸，從事功與浮華、名教與自然之衝突，發展成情禮之論爭。嵇康、阮籍所處的時代，理想

阮、劉伶之徒，遂全欲用此爲保身之計，此意爲顏延年知之。」，收錄於《筆記小說大觀》，（臺北：新興書局，1988年），頁676。

〔註22〕〔晉〕阮籍撰；陳伯君注：《阮籍集校注・詠懷詩》，頁312。

〔註23〕〔唐〕房玄齡等撰；楊家駱主編：《晉書・阮渾傳》，頁1362。

〔註24〕張蓓蓓：《中古學術略論》（臺北：大安出版社，1991年），頁199。

〔註25〕魯迅：〈魏晉風度及文章與藥及酒之關係〉，《魏晉風度及其他》（上海：上海古籍出版社，2000年），頁196。

與現實存在嚴重的齟齬，於是二人只能透過放肆的途徑，保全體性之本眞，其所追求的「游」精神乃是平淡中和以任自然，然而外顯之「游迹」卻是極盡的狂肆，誠如薩孟武所言：

> 在這種環境下，士大夫不是學道家之柔，含垢忍辱，苟全性命，就需學道家之放，放情肆志，以求全生。於是正始年間愈益崇拜老莊，先有何晏與阮籍，繼之又有嵇康王弼樂廣等輩。〔註26〕

儒家並非一昧的斥情重禮，實是側重於禮之社會規範性，以防其淫溢；玄學亦非全然的叛逆姿態，而是擺脫仁義、禮節、道德規範等枷鎖。故時人欲解決的問題，不僅是政治的操守、生命的安頓，更在於如何護持情感的純眞，同時活化制度，求得情禮之平衡。情、禮二者，於長期的談辯建構中，終在「游」中求得平衡：自然者藉「游」以疏散懷抱，衝撞現實；護禮者則透過「游」以得玄趣，洞見清逸。二者通過「游」，同悟生命之自由樂趣，是能淡緩情禮之衝突，雖仍各從所執，然始明「方外人」與「俗中人」間的立場殊異，故從緊張對立之關係，漸趨調和之路。「游」，提供了極富彈性，能夠悠然周旋於理想與現實之間的應世之道，使人既有清逸玄想，又能為政權所容，而能「兩得其中」。

而在名教與自然不斷消弭差異的過程中，自古而今難以平衡之出處問題，於魏晉終開出「朝隱」之新路。儒者之隱，是一種等待時清的手段，積極選擇入世的機會，乃立足於「人文化成」之目的；道家之隱，旨在規避不利於精神、生命自由之威脅，強調個體屬性，入世與否並非終極之選擇〔註27〕。屢經動盪的魏晉名士，有別於漢儒矜禮崇法、以天下為己任之積極入世之心，亦不同於道家全然地瀟灑離世，逍遙離群之自由個體。其人心懷家國，又浸染玄風，故具名士風姿，兼有社會責任與個體能動性。透過情禮、方外

〔註26〕薩孟武：《中國政治思想史》（北京：東方出版社，2008年），頁244。

〔註27〕黃偉倫指出：「就儒家來看，它著重的是一個秩序性的要求與道德倫理的確立，強調禮樂的教化，要以人文來成化自然；而道家則著眼於全身保性與精神自由，故而標舉體性之本眞，要取消人文以回歸自然，是以前者講的是，『志道、據德、依仁、遊藝』，要『興於詩，立於禮，成於樂』；後者則倡言『為學日益，為道日損』，要求『法自然』以『復歸於樸』。所以，如果說儒家的根本關懷表現為一種：對人的社會屬性存在如何『倫理化』的憂患意；那麼道家的根本關懷則表現為：對人的自然屬性存在如何『自然化』的自由意識，前者是站在『人文化成』的立場，表現出主體的積極能動性；而後者則是著眼於『體性之本眞』，表現出價值理想的嚮往復歸。」見氏作〈六朝隱逸文化的新轉向——一個『隱逸自覺論』的提出〉，《成功大學中文學報》第19期，2007年12月，頁6。

俗世、仕隱之二元對立，實可以洞察魏晉士人以「游」作爲應世之道，如何轉化情禮、名教與自然之間的緊張關係，從衝突到認同，進而融貫會通，形塑魏晉士人獨特的游刃有餘之應世態度。

壹、兩得其中，依違之間

魏晉士人以「游」回應當時人安身立命之問題，標舉心靈自由無滯的重要性。特別是自然與名教之間之辯證，從何晏、王弼以自然調整名教，到嵇康、阮籍以自然否定名教。其目的並非在破壞道德規範，而在於點破崇奉禮教以牟自利者之虛僞面孔後，而後回歸於生命自在自適的追求。「游」的靈活性正使人能自由往來於自然與人間世中，兩不相離。它賦予人於道德之能動性，使人能自由的抉擇道德意向與新價值之開闢，不必將自由託予渺不可及的神人、大人。而「俗中人」亦透過「游」，以理解的目光，看待「方外人」所迸發的激烈、狂亂之誕行，實是欲振聾發聵，促使時人探查生命苦悶根源，回歸並實踐完整的本我。二者共同思考：「名教是否符合自然之理想原則而有其價值，進而探問其中是否能安置人的生命而使人的心靈有其自由」〔註28〕。於是，「方外人」與「俗中人」非再相互攻訐、遽化衝突，而能體明二者之差異，各從所執，並認同各自的意志取向，無須妒羨任自然之自由，蓋因「名教中自有樂地」。

「游」乃成爲魏晉士人普遍的應世之道，使其能在情禮之間、名教與自然之際，得心應手，正如裴楷適能「兩得其中」。《世說新語・任誕》11 載：

> 阮步兵喪母，裴令公往弔之。阮方醉，散髮坐牀，箕踞不哭。裴至，下席於地，哭弔唁畢，便去。或問裴：「凡弔，主人哭，客乃爲禮。阮既不哭，君何爲哭？」裴曰：「阮方外之人，故不崇禮制；我輩俗中人，故以儀軌自居。」時人歎爲兩得其中。〔註29〕

阮籍母喪，裴楷往弔喪，籍酩酊大醉，散髮坐床，箕踞不哭。裴乃跪席痛哭，禮畢而返。按弔喪之禮，應由主人先哭，而客者再回禮泣之，既然阮籍未哭，裴楷哭悼豈非違禮之舉？故時人質疑之。是觀時人非難之語，彰顯哭泣儼然成爲一種體制內的行爲，無關哀情與喪義。於是裴楷透過方內方外的分判，爲二人行爲取得一溝通的平台。其言阮籍本是方外之人，不守禮制誠是自然，

〔註28〕高晨陽：《儒道會通與正始玄學》（濟南：齊魯書社，2000 年），頁 369。
〔註29〕〔南朝宋〕劉義慶撰；余嘉錫箋疏：《世說新語箋疏・任誕》11，頁 733。

以此爲其行迹尋得優容之解，同時以儀軌自居的我輩俗人自稱，航護禮教立場，安頓世俗之議。此實爲裴楷周旋於禮意與禮文之際，嘗試在禮教中實踐人性自然，而自覺的在「情」與「禮」的輾轉對話下，進而各行其是的表現〔註30〕。戴逵論之曰：「若裴公之致吊，欲冥外以護内，有達意也，有弘防也。」〔註31〕言裴楷兼明內外之分際，尊重阮籍生命意識之自主選擇，體其歌也有思，其哭也有懷，同情的理解其張揚而無奈的放達。且又能持守禮儀法度，情禮會通，故有「兩得其中」之譽。此種「清通」的體認，乃是回歸於名教和自然之「本意」方能有之，誠如戴逵〈放達爲非道論〉所言：

> 儒家尚譽者，本以興賢也，既失其本，則有色取之行。情喪眞，以容貌相欺，其弊必至於末僞。道家去名者，欲以篤實也，苟失其本，又有越檢之行。情禮俱虧，則仰詠兼忘，其弊必至於本薄。夫僞薄者，非二本之失，而僞弊者必託二本以自通。〔註32〕

儒家重視名譽乃本其興賢之目的，若然失其本因，逕自模仿行爲表象，便淪爲欺世盜名的途徑。道家強調革除名言之絆礙，欲回復人之純元本性，若失其底蘊，必然落入放蕩失行之境。但若循儒、道之根本意圖，定無淪爲弊端末流之可能，故造成二家之虛無僵化，乃因虛僞之人假託二家之說以矯飾其行跡。如貴游子弟之狎褻冶游，空擬七賢醉游之迹，本末倒置，卻無實義。從時論對於裴楷弔喪之行爲來看，戴逵並非否定「游」之應世態度，反而讚許其能通過「兩得其中」之游世態度，開顯會通情禮的時代發展取向。

此種不落二者、依違兩可的應世態度，既能調和情禮，亦使生活更加從容、有彈性，減緩現實與心靈的拉扯，使模棱兩可的言行，留下更多思考空間，又如《世說新語・言語》72 載：

> 王中郎令伏玄度、習鑿齒論青、楚人物。臨成，以示韓康伯。康伯都無言，王曰：「何故不言？」韓曰：「無可無不可。」〔註33〕

「無可無不可」語出《論語》，孔子以此論出處抉擇，認爲只要義之所在，仕、隱皆可。此正符應魏晉「游」之精義，並非斷然地與他者決裂，判分彼我，

〔註30〕吳冠宏：〈玄解以探新——《世說新語》中「時論」之示例的考察與延展〉，《文與哲》，第十九期，2011 年 12 月，頁 72。

〔註31〕〔南朝宋〕劉義慶撰；余嘉錫箋疏：《世說新語箋疏・任誕》11，頁 733。

〔註32〕〔清〕嚴可均校輯：《全上古三代秦漢三國六朝文・戴逵・放達爲非道論》，頁 2250。

〔註33〕〔南朝宋〕劉義慶撰；余嘉錫箋疏：《世說新語箋疏・言語》72，頁 132。

而是從容迴圜於對立的二者，只要精神之自適安放，無處不是歸途。韓康伯以此發揮，於「可」與「不可」間，諱言優劣的態度，回答既非肯定，亦非否定，留下可否之間的想像餘地，巧妙地規避他人的問難。又如《世說新語・文學》75 載：

> 庾子嵩作意賦成，從子文康見，問曰：「若有意邪？非賦之所盡；若無意邪？復何所賦？」答曰：「正在有意無意之間。」〔註 34〕

庾敳作〈意賦〉，使其侄庾亮論之，亮不便評論，故反問敳作此文竟是有意？亦或無意？蓋在言意之辯的玄學思潮下，文章貴「意」，即情志所託，文字只是作者技巧的表現。故若是爲文「有意」，文字語言實無法盡表哲思，若爲文「無意」，無情思灌注，又何須成作？庾敳之回答，適與韓康伯「無可無不可」之思相仿，遊走在正反兩面，不置可否。以「正在有意無意之間」，作爲其著文態度之註解，不偏廢一方，游刃於情意與文字之間，隱約間同備二者，避讓可能的衝突，以靈活敏捷，甚而八面玲瓏的態度，顧全兩方，面面俱到。

「游」實是一種圓融而具狡猾色彩的應世態度，正因其人有透穿世事的明亮眼光，了解現實的詭譎和自己當爲、能爲之限，以「游」做爲保護屏障，依違兩可的態度應世，轉移政治的直接利害性，同時破除非仕即隱的二元選擇，轉換隱必苦窮山林的型態，既非疏離現實，又能於人世寄心調暢，適性逍遙，任化於儒道、情禮之間，而呈顯對個體生命的尊重及執著專情。

貳、無用爲心，風流爲政

「游」的興盛，無論是對自然山林的嚮往，或是莊園文化的發展，皆使隱逸方式受到影響而產生改變。隱逸意義的背後本身即具有兩種可能：一是沉潛以待世清，伺時而動；一是維護人格，避禍保生。「游」是閒適縱游，旨在排憂遣懷；而「隱」不僅只是游賞山水，主要目的在於避害全生。然而，在魏晉初期，「隱」被視爲對當權者的反抗，被剝奪隱居自由的士人，只能以「亦仕亦隱」的方式，利用心靈上的自我放逐，回應現實的苦痛，故形成「游」與「隱」結合的「朝隱」形態。

朝隱之說最初起於漢代，《史記・滑稽列傳》載東方朔自言避世於朝廷，其云：

〔註 34〕〔南朝宋〕劉義慶撰；余嘉錫箋疏：《世說新語箋疏・文學》75，頁 256。

> 朔行殿中，郎謂之曰：「人皆以先生爲狂。」朔曰：「如朔等，所謂避世於朝廷閒者也。古之人，乃避世於深山中。」時坐席中，酒酣，據地歌曰：「陸沈於俗，避世金馬門。宮殿中可以避世全身，何必深山之中，蒿廬之下。」〔註35〕

隱之目的乃在於避世全身，東方朔以其「狂」姿作爲避世之方，故能「癡狂的說著老實話」，而爲帝王所容。不必故作清高的與世決裂，既然市朝可藏，何必執著於蒿廬之下。此種「形見神藏」、「身仕心隱」的處世方法，深深影響魏晉士人的應世之道。蓋魏晉之際，曹氏與司馬氏之爭益趨激烈，士人去就間易生嫌疑，尤是高平陵事變後，一日間名士減半，因激於時變，而亟思自全之道，棲遲林泉便成爲士人最佳的寄志遣愁之方。或是因宦途顛躓，有志難酬，或是欲迴避去危以全其道、安其身。對政治的不滿和反抗不斷積累，強烈的歸棲之詠表現於文學創作中，如阮籍詩文中即流露顯著的隱逸之思，他希冀自己可以如巢父、許由般隱居，故《詠懷詩》寫道：

> 膏火自煎熬，多財爲患害。布衣可終身，寵祿豈足賴？（第六）
>
> 對酒不能言，悽愴懷酸辛。願耕東皋陽，誰與守其眞？（第三十四）〔註36〕

在詩中，阮籍透露出對世事禍害的危機感，錢財都可能危及生命，表示自己願意放棄世間名利，投向山林的懷抱。然而，政治的詭異險惡，使阮籍無法如願地遁入山林，反而主動向司馬政權求官二次：第一次是求爲東平相，第二次是聽聞步兵營廚善釀酒，而求爲步兵校尉。以「隱晦心迹」的方式降低司馬氏對他的防範之心，方得以免遭殺戮之禍。同爲竹林七賢的向秀，在嵇康被害之後，不得不應詔入仕，《晉書・向秀傳》載：

> 康既被誅，秀應本郡計入洛。文帝問曰：「聞有箕山之志，何以在此？」秀曰：「以爲巢許狷介之士，未達堯心，豈足多慕。」〔註37〕

爲了避免「抗志顯高」招惹殺身之禍，他們雖心繫山林，本欲無拘無束地逍遙於天地之間，然現實的困阨，「朝隱」成爲他們雖志不欲仕卻又不得不仕的情況下的權宜之計。

阮籍、向秀等人是不得已而仕，但在西晉以後，時局相對平緩，穩定的

〔註35〕〔漢〕司馬遷：《史記・滑稽列傳》（臺北：鼎文書局，1981年），頁3205。

〔註36〕〔晉〕阮籍撰；陳伯君注：《阮籍集校注・詠懷詩》，頁229、314。

〔註37〕〔唐〕房玄齡等撰：《晉書・向秀傳》，頁1375。

生活，加之豐厚的經濟實力，使貴游子弟漸失去憂患意識，游樂山水成爲士人普遍休閒型態。同時，「游」的發展淡緩仕、隱距離，士人日以自然爲友，流連於山林野趣，且社會又瀰染豪奢之氣，高門奢華對比隱逸之清虛，是將隱者冠以清高之象徵，脫失適性自然之本義，遂漸演變成尚嘉遁、好山水的「以隱爲樂」之況。如陸機的《招隱詩》云：

明發心不夷，振衣聊躑躅。躑躅欲安之，幽人在浚穀。朝採南澗藻，夕息西山足。輕條象雲構，密葉承翠幄。激楚佇蘭林，回方薄秀木。山溜何泠泠，飛泉漱鳴玉。哀音附零波，頹響赴曾曲。至樂非有假，安事澆淳樸。富貴苟難圖，稅駕從所欲。〔註38〕

登山臨水、悠然自得，皆爲純粹的自然景物描寫，「隱」之意涵，雖較正始時期薄弱，然「游」於山水之趣卻顯著地增高。連極盡豪奢的石崇也崇尚隱逸，故於〈思歸引〉中自言「晚節更樂放逸，篤好林葭，遂肥遁於河陽別業。」〔註39〕雖見園林終隱之志，然不過是貪圖放逸之樂，豈有清思？時之官吏，皆不以時務經懷，反視堯舜事業爲塵垢秕糠，而以一丘一壑爲風流，如王衍雖居宰輔之重，卻「不以經國爲念，而思自全之計」〔註40〕，志在苟免，而無忠蹇之操、爲官之氣節。而庾敳雖爲陳留相，然「未嘗以事攖心，從容酣暢，寄通而已！」〔註41〕蓋吏非吏，隱非隱，其人行爲已非單純的避禍遠害，乃以「馳騁莊門，排登李室」自許，將「隱」與「游」合流，轉變爲一種時尚流行。

於是，「隱」於何處，不再重要，重要的是「欲隱之心」，《晉書．鄧粲傳》載：

荊州刺使桓沖卑謙厚禮請粲爲別駕，粲嘉其好賢，乃起應召。驎之、尚公謂之曰：「卿道廣學深，眾所推懷，忽然改節，誠失所望。」粲笑答曰：「足下可謂有志於隱而未知隱。夫隱之爲道，朝亦可隱，市亦可隱。隱初在我，不在於物。」〔註42〕

隱逸不一定以山林爲限，可以隱於市屠，藏於賣漿家，甚至隱於廟堂之中。

〔註38〕〔晉〕陸機撰；王永順主編：《陸機文集》（上海：上海社會科學院出版社，2000年），頁37。

〔註39〕逯欽立輯校：《先秦漢魏晉南北朝詩．石崇．思歸引》頁643。

〔註40〕〔唐〕房玄齡等撰；楊家駱主編：《晉書．王衍傳》，頁1237。

〔註41〕〔唐〕房玄齡等撰；楊家駱主編：《晉書．庾敳傳》，頁1395。

〔註42〕〔唐〕房玄齡等撰；楊家駱主編：《晉書．鄧粲傳》，頁2151。

然而，此只是一種「美好的幻想」。強權的壟斷，生活的安逸，造成貴游子弟放蕩越禮，挾朝隱之名，行縱慾之實。尤是元康以後，主張儒玄「將無同」之三語掾開出自然與名教之新路；中朝名士自詡爲儒玄之「調和者」，清談再起，仿效正始、竹林之玄言誕行風氣爲之大盛，卻不復見其精神高意。高門貴族「口不論世事，唯雅詠玄虛」，身處高位卻無視其社會責任，誕行亦不見政治訴求，落於形式上的困執，了無及義之言，何況廉恥！誣引老莊，倚仗虛曠，以其「特操」而名重海內，使「慕游」者逐跡肆行，任自然之游遂一落成爲形似神非的「僞自然」。實是「借玄虛以助溺，引道德以自獎」，誠如江建俊所言：「逃避政治禍害的因素已經不存在，而任誕卻變本加厲，純以放曠爲務，且彼此效法，成了群體風氣，以至於『露頭散髮，裸袒箕踞』，以此爲得『大道之本』，輿論評價還以此爲『通』，爲『達』。」〔註 43〕社會已然淪落爲「驕褻」之境，「朝隱」漸淪爲負面之荒唐表現，連帶老莊亦成爲放蕩者之口實，爲後世詬病之禍首。

鑒因於此，士人重新反省魏晉以來「游」風所造成的狎褻放浪、居官無官官之事，轉而尋求儒學之道德約束力，《晉書・裴頠傳》載：

> 頠深患時俗放蕩，不尊儒術，何晏、阮籍素有高名於世，口談浮虛，不遵禮法，尸祿耽寵，仕不事事；至王衍之徒，聲譽太盛，位高勢重，不以物務自嬰，遂相放效，風教陵遲，乃著崇有之論以釋其蔽。〔註 44〕

中朝名士廣泛談玄，虛無浮泛，居官無官事，不以百姓爲心，致使制度弛廢，國本淪喪，貴無失去原有的玄心精神，以矯此弊的崇有論遂而代起。裴頠反對老子「有生於無」之說，認爲無乃虛無，無法成事，而言：

> 夫總混群本，宗極之道也。方以族異，庶類之品也。形象著分，有生之體也。化感錯綜，理迹之原也。夫品而爲族，則所稟者偏，偏無自足，故憑乎外資。是以生而可尋，所謂理也。理之所體，所謂有也。〔註 45〕

世間存在的根本之道在於萬物之中，萬物各依其道而各分其類、其職，此爲存在之根據，故「宗極之道」是爲「群有」，即世間種種的具體存在，非出於

〔註 43〕江建俊：《魏晉玄理玄風研究》（臺北：花木蘭出版社，2012 年），頁 259。

〔註 44〕〔唐〕房玄齡等撰；楊家駱主編：《晉書・裴頠傳》，頁 1044。

〔註 45〕〔清〕嚴可均校輯：《全上古三代秦漢三國六朝文・裴頠・崇有論》，頁 1647。

「無」。唯「有」乃能濟有，無不能生有，如制器必出於匠，不可因爲工匠非器物之類，而言器物的產生乃源於無。蓋其「有」、「無」，並非從老莊不可名相之道的形上思維而言，乃從本體之邏輯概念而言〔註 46〕，目的乃在針對當時虛無之放蕩流弊，絕盈謬、收流遁，並非專重於哲學思維之重構。

基於此，裴頠認爲貴無對政教道德是有害無益，甚至使禮教崩壞，其言：

賤有則必外形，外形則必遺制，遺制則必忽防，忽防則必亂禮，禮制弗存，則無以爲政矣。〔註 47〕

裴頠認爲重無輕有，則會輕視形體的行動，進而遺漏行動的規範，繼而忽略制度、忘記禮法，沒有禮制則無政教可言，風俗道德亦隨之敗壞，故世間種種悖禮遺制之迹均可藉虛無之名而行，遂而形鑄一種放蕩而無依準的社會風氣。但他並非否定老子之言，而是以儒家的「君子之道」解釋老子的「靜一守本」〔註 48〕，強調於有非有，於無非無，過分的限制和放任均不宜提倡，須明人之爲人的責任。合理的統治，有助於維持社會基本秩序，但不可流於繁文縟節，亦不可過分任情失序，倡言居中定務之要。繼之郭象注《莊》，強調「無爲者，非拱默之謂也，直各任其自爲，則性命安矣」〔註 49〕，非必透過隱居才能體現無爲精神，只要能謹守其分位，不造作營求、外騁逐馳，基於對生命的滿足，自足任情，唯以適性、安命，均可即於其存在之狀況而自得逍遙〔註 50〕。是以「足於性分」重新詮釋莊子「游」之意旨，進而提出「迹冥圓融」，調和有爲與無爲之間的矛盾，其言：

聖人雖在廟堂之上，然其心無異於山林之中，世豈識之哉。徒見其戴黃屋，佩玉璽，便謂是以纓拂其心矣。見其歷山川，同民事，便

〔註 46〕牟宗三指出：「『崇有論』以物類之存在爲『有』，而以『有』之不在之『非有』爲『無』，此種客觀之實有論與道家所言之有無完全不相干。道家不自存在上之有之否定而顯無，而是自巧僞造作之『人爲之有』之否定而顯『無』。」見氏作《才性與玄理》，（臺北：臺灣學生書局，1989 年），頁 370。

〔註 47〕〔清〕嚴可均校輯：《全上古三代秦漢三國六朝文・裴頠・崇有論》，頁 1648。

〔註 48〕裴頠於《崇有論》言：「觀老子之書雖博有所經，而云『有生於無』，以虛爲主，偏立一家之辭，豈有以而然哉！人之既生，以保生爲全，全之所階，以順感爲務。若味近以虧業，則沈溺之釁興；懷末以忘本，則天理之眞滅。故動之所交，存亡之會也。夫有非有，於無非無；於無非無，於有非有。」可參見孔繁：《魏晉玄談》（臺北：紅葉文化，1993 年），頁 135。

〔註 49〕〔清〕嚴可均校輯：《全上古三代秦漢三國六朝文》，頁 369。

〔註 50〕關於郭象「適性逍遙」之論述，可參見本論第二章第二節「魏晉士人對莊學『游』義之衍繹」。

謂是以憔悴其神矣，豈知至至者之不戲哉。〔註51〕

一般人多以爲許由無爲，堯則有爲，實則堯「無對於天下」，非因統治身分的不同，而自覺與他人有高下對立之別，故能與外物相冥合，其治乃是出於不治，爲乃是出於無爲。他雖治天下，卻不曾將天下放在心上，故其治乃以不治爲根本。而許由獨立於高山，自以清高爲標，方是不能與外物冥合而相對立者。故堯治天下，其無爲之本乃奠基於有爲之迹上，本迹相融，而達到迹冥圓融。蓋郭象之游義不僅爲凡庶指出一條擬聖之路，亦企圖匡正時人普遍以「望空爲高而笑勤恪」之荒唐隱迹。

東晉過江後，長時間濡染玄風，玄學大抵根固爲士人之思想基礎，故鄉易爲他鄉，士人面對家國割裂之巨變，潛意識中的濟世之思再度沸騰，儒、道入世與出世之選擇再度衝撞。然而，不同於魏晉之初，名教與玄風之激烈衝突、抗爭，經歷裴頠、郭象等人調和有、無之問題，二家於思想上之歧見，漸趨和緩〔註 52〕，名士亦無須以激烈手段突破生命瓶頸。另一方面，西晉末期，八王之亂、永嘉之禍接踵而至，南遷士人並不急於趨虜返鄉，而是企望平和生活，撫慰飽經戰亂的疲憊心靈。同時，初入建康的北方政權，亦迫切仰賴南方本土世族之支持，以穩定政權局勢。故東晉建國之初，並非以北伐爲第一要務，乃以穩定民心並迅速鞏固政權爲首先考量，誠如康中乾所言：

> 對東晉當局來説，最基本的國策並不是去收復北土，而是穩定人心，妥善處理南、北士族之間的矛盾，以達到政治上的和諧、安寧。東晉從開國到中期（淝水之戰），其主要的政治工作就是加強內部團結和穩定朝野。〔註53〕

於是，朝野上下「苦候安寧」，一反中朝時期驕奢競豪、頹靡之風，社會大抵崇尚清虛，務在簡約，曾經歷元康冶游風氣的王導，主張「鎮之以靜，群情自安」〔註54〕，提倡清談，追慕嵇、阮玄風，承繼中朝以來久盛不衰之玄風，卻不若昔時放縱奢靡。政治、思想均以寧和爲主要目的，朝隱再度流行。其

〔註51〕〔清〕郭慶藩撰；王孝漁點校：《莊子集釋・逍遙遊》，頁28。

〔註52〕高晨陽指出：「從總體來看，魏晉玄學的理論宗旨通過本末有無之辯，以確定名教與自然的關係。儘管玄學家所依據的經典有別，和理論視角不完全相同，但無不關注和效力解決這一時代性的課題。」見氏作〈魏晉玄學派系之別與階段之分〉，《山東大學學報》，第4期，1999年10月，頁4。

〔註53〕康中乾：《魏晉玄學》（北京：人民出版社，2008年），頁263。

〔註54〕〔唐〕房玄齡等撰；楊家駱主編：《晉書・王導傳》，頁1751。

中將「隱」與「游」二者結合最爲著名者，當推「風流宰相」謝安。《世說新語・賞譽》注引《續晉陽秋》曰：

> 安家於會稽上虞縣，優游山林，六七年間，徵召不至，雖彈奏相屬，繼以禁錮，而晏然不屑也。〔註55〕

謝安早年高臥東山，雅好山居海游，即使脅之以禁錮，仍未見其有出仕之心，蓋因家族中人如謝尙、謝奕、謝萬多入政治核心，謝安無須擔負家門之榮衰，故可盡享愜意閒處的樂游生活。然而，謝尙、謝奕相繼喪亡，謝萬又因北伐失利，貶爲庶人〔註56〕，正値風雨飄搖的謝氏一族，基於門第的利益考量，謝安惟有出而仕宦，方能解決家族危機，《晉書・謝安傳》載：

> 安雖放情丘壑，然每游賞，必以妓女從。既累辟不就，簡文帝時爲相，曰：「安石既與人同樂，必不得不與人同憂，召之必至。」時安弟萬爲西中郎將，總藩任之重。安雖處衡門，其名猶出萬之右，自然有公輔之望，處家常以儀範訓子弟。安妻，劉惔妹也，既見家門富貴，而安獨靜退，乃謂曰：「丈夫不如此也？」安掩鼻曰：「恐不免耳。」及萬黜廢，安始有仕進志，時年已四十餘矣。〔註57〕

對於謝安而言，出處仕隱並無優劣高下之別，需仕則往，可隱則退，出仕只是謝氏一員必須之責任，正如謝道韞論之云「亡叔太傅先正，以無用爲心，顯隱爲優劣，始末正當動靜之異耳」〔註58〕。謝安出仕後，並非積極樹黨立威、擅權謀利，在個人方面，仍保有逍遙游世之心，自然之志始終不渝；在社會方面，不再疏離個人與政治間的關係，乃基於「和」的社會共識下，維持門閥與皇室間的微妙平衡〔註59〕，撫內攘外，與世同樂同憂。

〔註55〕〔南朝宋〕劉義慶撰；余嘉錫箋疏：《世說新語箋疏・賞譽》77，頁465。

〔註56〕〔唐〕房玄齡等撰；楊家駱主編：《晉書・謝萬傳》：「萬既受任北征，矜豪傲物，嘗以嘯詠自高，未嘗撫眾。兄安深憂之，自隊主將帥已下，安無不慰勉。謂萬曰：『汝爲元帥，諸將宜數接對，以悅其心，豈有傲誕若斯而能濟事也！』萬乃召集諸將，都無所說，直以如意指四坐云：『諸將皆勁卒。』諸將益恨之。既而先遣征虜將軍劉建修治馬頭城池，自率眾入渦潁，以援洛陽。北中郎將郗曇以疾病退還彭城，萬以爲賊盛致退，便引軍還，眾遂潰散，狼狽單歸，廢爲庶人。」頁2087。

〔註57〕〔唐〕房玄齡等撰；楊家駱主編：《晉書・謝安傳》，頁2073。

〔註58〕〔南朝宋〕劉義慶撰；余嘉錫箋疏：《世說新語箋疏・排調》26劉孝標注引《婦人集》，頁801。

〔註59〕謝安出仕時値桓溫擅政，且須謹愼應對桓溫的謀逆野心。直至桓溫病死，謝安亦未趁機根除桓氏家族，一方面乃因前秦苻堅不段侵防騷擾，一方面乃爲

又《晉書‧謝安傳》載：

> 嘗往臨安山中，坐石室，臨浚谷，悠然嘆曰：「此去伯夷何遠！」常與孫綽等泛海，風起浪湧，諸人並懼，安吟嘯自若。〔註60〕

謝安放情丘壑，寄心山水，即使面對驚濤駭浪，仍無變於色，不單只藉游歷山川以抒懷，而是在縱情游觀中學習，蘊積能量，透過審美經驗，累積生命的智慧，提高精神的層次。即便出仕，其心仍念往昔隱居生活，雖深受朝寄，然東山之志始終不渝。故於東山營造別業，樓館林竹甚盛，常攜親友子侄畜妓游集；及出仕，又能成功地指揮肥水之戰，故有「高臥東山四十年，一堂絲竹敗苻堅」之美稱。

王導不僅穩固倉皇南渡的東晉政權，調停南北士族之衝突，抵抗北方外蠻蠢動之野心。而謝安則與諸名士、高僧游覽南方之名山勝水，泛滄海、踏群山，將「游」之應世態度，揮灑極致，既不負社會責任，亦不辜己心逍遙。他們雖企慕嵇阮，但不盲從於其人「醉游」之表象，而是將「游」與「隱」結合，「游」不再只是單純的心靈寄託，而成為一種活潑靈動的生活方式，藉由觀望社會、政治現況，累積治國的能力。魏晉士人折衷仕與隱之間的矛盾，只要心無滯累，有「隱」之心，自能逍遙游於天地，朱門何能擾其潔，官場亦不能改變其恬適之心。是以和尚可以觀朱門如蓬戶，觀胡族統治者如「海鷗鳥」，蓋「無心」而順有，則無入而不自得，此最得「玄」意。

第三節　「游」與「藝」的互滲開展

士人鍾情於「游」，以親臨自然的方式體現老莊的人生理想，藉自然轉移現實的苦悶，同時從山水經驗中品味「道」，使心靈重歸自由，故常流連自然而不知返，山水成為生命之一，實難分割。阮籍曾「登臨山水，經日忘歸」〔註61〕，在自然中泯滅時間、空間的界限，忘卻現實的苦痛煩悶，進入自然的審美觀照之中，入神而物我兩忘。顧愷之對於自然亦有著深刻的感受，嘗有人問會稽山川之美，顧云：「千巖競秀，萬壑爭流，草木蒙籠其上，若雲興霞蔚。」〔註62〕以短短四句如詩般語言，勾勒出江南美景，使人如若同游其中，又〈神情詩〉

維持各士族間的權力平衡，相互牽制，避免一氏坐大的可能。

〔註60〕〔唐〕房玄齡等撰；楊家駱主編：《晉書‧謝安傳》，頁2072。

〔註61〕〔唐〕房玄齡等撰；楊家駱主編：《晉書‧阮籍傳》，頁1359。

〔註62〕〔南朝宋〕劉義慶撰；余嘉錫箋疏：《世說新語箋疏‧言語》88，頁55。

言：

春水滿四澤，夏雲多奇峰；秋月揚明輝，冬嶺秀孤松。〔註63〕

對自然的細膩觀察，與美感經驗的累積，以水、雲、月、松代表四季變化，巧妙地融山川之美於一詩。由是知魏晉文學與藝術，誠與自然關係密不可分，士人基於「暢神」之目的，進行游覽活動，並將其中所體悟的感受，落筆爲文。不僅有條理地記錄旅行過程變化〔註64〕，同時反應士人的心靈追求與人生觀。故從游仙、玄言、隱逸到山水詩的演變，當可追蹤魏晉山水文學之發展脈絡，繼以考察「游」如何影響魏晉時人對繪畫理論、建築的建構，梳理「游」、「藝」互動下的魏晉文學、藝術之面貌。

壹、山水文學的擴衍

魏晉士人以「游」往來於自然、社會，以精神自由爲旨趣，破除名言、道德規範、體制限定之藩籬，追求隨心所欲、不爲事物牽絆地逍遙人間。「游」的靈動性影響詩歌類型的流動多變，士人或醉游、或採藥求仙之隱游，發而爲詩，或玄言、或詠仙、或慕隱，皆與山水不可分離，是而統稱爲魏晉「山水文學」。

揆之詩作反映的思想追求，始於游仙。蓋因生命的無常瞬逝，士人體會富貴逸樂誠是短暫，即使當下榮寵，亦無法永保家門之福祿，禍福往復無常，誠如王孝伯所嘆「所遇無故物，焉得不速老」〔註65〕。人事易分，年華易逝，時人莫不厭棄如此無常多苦的塵世，故詩文多抒厭世之嗟〔註66〕。然而，雖有厭世，卻非厭生欲死，乃更加積極把握有限生命的美好，尋求超脫之方。於是，神仙之長壽無期遂成其人渴慕、追逐的對象。兩漢以來，方士採藥煉丹以求養生延年之風盛行，求訪仙道之行流傳甚廣。又，老莊哲思本有超然

〔註63〕逯欽立輯校：《先秦漢魏晉南北朝詩・顧愷之・神情詩》，頁931。

〔註64〕張秋麗：《漢魏六朝紀行賦研究》，國立政治大學中國文學研究所博士論文，1996年，頁8。

〔註65〕〔南朝宋〕劉義慶撰；余嘉錫箋疏：《世說新語・文學》101載：「王孝伯在京行散。至其弟王睹戶前，問古詩中何句爲最？睹思未答。孝伯曰：『所遇無故物，焉得不速老。』此句最佳。」頁276。

〔註66〕〔魏〕曹植撰；劉幼文校注：《曹植集校注・薤露行》：「天地無窮極，陰陽轉相從。人居一世間，忽若風吹塵。」（臺北：明文書局，1985年）頁433。又陳伯君校住：《阮籍集校注・詠懷詩》：「朝爲媚少年，夕暮成醜老。自非王子晉，誰能常美好。」頁219。

高舉、傲世遨游之意向，尤是莊子「神人」、「至人」、「大人」諸形象，建構體道逍遙的灑脫姿態，極易與神仙思想結合。魏晉士人徬徨於人間苦悶，乃嚮往神人逍遙自由的生活，遂將精神寄託於仙者遠游之中，藉以忘卻現實的苦痛的磨難〔註 67〕，游仙文學由是盛行。是若阮籍、劉伶筆下的「大人」，超然於物外，出塵如仙，應變順和，與造化推移，正是一位理想化和神仙化的游仙者形象，充分體現仙玄合流之思，象徵自由解放的超越精神。士人不僅藉神人飛升之姿以奔放心靈，更親入山林以採藥求仙，將游歷經驗結合仙鄉想像，鋪陳爲詩。於是詩中太初、太始、太乙、太清、九疑、瀛洲等仙鄉描繪，除是因襲自《莊》、《易》中開天闢地時宇宙的太虛幻境，更有人間山水之影迹，如郭樸〈遊仙詩〉有《山海經》中之「蓬萊」、「崑崙」，庾闡〈遊仙詩〉則有「瀛洲」。文學乃反映士人精神最直接的表現，故「詩雜仙心」之況，除見當時游仙詩文流行之盛，更見魏晉士人企慕「游」仙、實踐「游」迹、內化「游」思的普遍情景。

兩晉莊老玄理大盛，士人透過山水以觀道悟理，詩題雖多是游山覽物，然玄思、玄言，幾已成爲詩文之意旨，正如鍾嶸《詩品序》云：

> 永嘉時貴黃老，稍尚虛談。於時篇什，理過其辭，淡乎寡味，爰及江表，微波尚傳。孫綽許詢桓庾諸公，詩皆平典似《道德經》，建安風力盡矣。

時之詩文多以老莊玄理爲吟詠對象，妙言玄遠，義理多豐，卻以「淡」爲語言特色，少眞情，使文學趣味略寡，而無藝術感染力，誠如蘭亭游之詩作，多爲說理的玄言詩，只是山水成分的比重或有不同。蓋玄言詩的目的並非摹寫山水，乃是藉山水以散懷。詩人透過玄理「淡」化沉慟執著的情感，消解人與自然的衝突，使人從感官誘惑、強烈的情緒中釋放，「淡」爲意識開啓基礎之瞬間，便能與物交融，澹然而游，體道無礙。玄言詩雖無游仙作品般具有華麗夢幻的仙境描寫，卻反映詩人對於社會、生命的思考，披露其玄學對於士人心靈、胸臆境界的影響，更可見士人在環境滯阨下，渴望自由逍遙之心。

魏晉之際，時人多以游仙作爲玄學人生觀的呈現，然玄言詩的興起，士人轉以「託懷玄勝，遠詠老莊」自標，詩必玄言，言必玄意。游仙詩本身所

〔註 67〕袁濟喜：《人海孤舟——魏晉六朝士的孤獨意識》（鄭州：河南人民出版社，1995 年），頁 70。

表現的肉體成仙的人生理想被人生足意、再進一步被出世隱逸的人生理想所取代〔註 68〕。乃更強調「蕭條高寄，不與時務經懷」〔註 69〕，既非超世，亦非出世，而是處世的隱逸之想。在道家隱世無名、反璞歸眞、復返自然的倡導下，魏晉士人視自然為道之載體，山水直是味道對象，將藐姑射之神山轉置於人間野澤，避世隱者實如仙人般逍遙，卻不失現實性。隱思代起，時人普遍慕仰隱之清逸，詩文屢見歸棲之志，如左思〈招隱詩〉：

> 策杖招隱士，荒塗橫古今。巖穴無結構，丘中有鳴琴。白雲停陰岡，丹葩曜陽林。石泉漱瓊瑤，纖鱗或浮沉。非必絲與竹，山水有清音。何事待嘯歌，灌木自悲吟。秋菊兼餱糧，幽蘭間重襟。躊躇足力煩，聊以投吾簪。〔註 70〕

雖題為「招隱」，卻非如漢代淮南小山〈招隱詩〉中，招喚隱士自危險、痛苦的林澤深山中回到社會〔註 71〕，而是表達尋隱、歸隱的渴望。其所「招喚」的對象已非隱者，而是深深憧憬隱逸的自己。諸如張華、張載、陸機之〈招隱詩〉，亦同表對隱遁之謳詠。隱逸不僅可以避禍保身，且可以靜制動，達到以退為進的效果〔註 72〕。故士人多隱居於山林田野之中，恬淡寧靜，任化無為。將理想、抱負寄託於文學創作中，於山林田園尋求精神的歸宿。

東晉以降，士人之游覽活動雖仍不脫玄趣，亦未將山水視為獨立之審美個體，但已顯露由抒情寫意走向致力描寫山水文辭之趨勢，將山水與美感藝術結合，隱含藝術審美的目光，誠如傅剛所言：

> 東晉詩人目的是通過山水體玄，其詩是玄言化的山水詩，或者說是以山水為題材的玄言詩。隨著山水的審美特性愈為突出，本來體玄的目的便悄悄轉換為審美目的，一個轉換的過程在玄言詩內部完

〔註 68〕陳順智：《魏晉玄學與六朝文學》（武漢：武漢大學出版社，1993 年），頁 261。

〔註 69〕〔南朝宋〕劉義慶撰；余嘉錫箋疏：《世說新語箋疏・品藻》36：「撫軍問孫興公：『卿自謂何如？』曰：『下官才能所經，悉不如諸賢。至於斟酌時宜，籠罩當世，亦多所不及。然以不才，時復託懷玄勝，遠詠老莊，蕭條高寄，不與時務經懷，自謂此心無所與讓也。』」頁 520。

〔註 70〕逯欽立輯校：《先秦漢魏晉南北朝詩・左思・招隱詩》，頁 734。

〔註 71〕〔清〕嚴可均校輯：《全上古三代秦漢三國六朝文・淮南小山・招隱詩》：「攀援桂枝兮聊淹留，虎豹斗兮熊羆咆，禽獸駭兮亡其曹。王孫兮歸來，山中兮不可以久留。」頁 239。

〔註 72〕陶建國：《兩漢魏晉之道家思想》（臺北：文津出版社，1990 年），頁 711。

成：山水詩誕生了。〔註73〕

玄言詩絕非山水詩之阻礙，肇因名士之玄思乃是通過觀覽山水，而悟得之體驗，故玄理與山水本即玄言詩之構成要素，只是在玄言詩中，山水是道體，而非審美個體，故於莊老漸退的轉變過程中，山水詩才正式獨立於詩歌史中。

是觀「游仙」與「隱逸」質性皆同，均是背離世俗種種價值之追求，不汲汲於道德肯定，推重精神之無憂無傷。士人內心愈加忿鬱苦痛，愈覺人世之俗不可耐，然身之無奈，行之限制，唯藉詩作以馳騁於物外，寄情自然，撫平心中的悲憤之情，忘卻現實煩惱。其詩實是由「游」與「觀」所組成的世界。是知，魏晉「山水文學」可謂是仙、玄、隱互滲的產物，更是與「游」共構而成，故游仙、玄言、隱逸到山水詩之流變脈絡，實可視爲「游」的文學再現。

貳、山水畫之漸興

魏晉士人之「游」，不僅反映名士應世態度，同時亦呈顯藝術自覺的過程。蓋因主體意識的強化，對內強調人之才情風姿、言談的超塵絕俗；對外則重新體會自然之美，以游覽觀賞提升生命精神的密度，擴大藝術審美境界。士人將對於山水的癡情，移情於藝術之中，將生活中不可言說的苦悶寄於藝術，追求超脫自由的精神境界，使生命與藝術相通，藝術本體因而從倫理精神中解放，轉變爲審美因素，自然成爲觸目興嘆的關鍵，大地山川的生命力與心理體驗和感受相互照察，山水與觀者互爲主體，人從自然中尋回自我，山水亦因不同的觀者，而有豐富的美感表現。無論人物識鑒或藝術審美，均著重「神」之要，表現於繪畫之中，則以顧愷之爲魏晉之代表人物。

世稱顧愷之「才絕、畫絕、癡絕」〔註74〕，不僅文采名傳於當時，尤善丹青，妙圖寫，謝安稱其「有蒼生以來未之有」〔註75〕。但因無可靠畫作傳

〔註73〕傅剛：《魏晉南北朝詩歌史論》（長春：吉林教育出版社，1995年），頁274。

〔註74〕〔唐〕房玄齡等撰；楊家駱主編：《晉書・顧愷之傳》，頁2406。

〔註75〕陳傳席指出：「當時依靠桓溫的謝安說顧的畫『蒼生以來，未之有也』。到底是出於什麼目的？是客氣話，是漫與之語，還是認眞之語，我們可以做各種分析。但不論怎麼說，謝安不是專門評論家。他的話沒有謝赫有分量。但在當時謝安的影響卻是超過任何一個評論家的，他的話『份量』之重是不言可喻的。」見氏作《六朝畫論研究》（臺北：臺灣學生書局，1996年），頁4。

世，後代評價不一〔註76〕，其主要貢獻乃在於畫論，強調人物畫之精神表現，《世說新語・巧藝》13載：

顧長康畫人，或數年不點目睛。人問其故，顧曰：『四體妍媸。本無關於妙處，傳神寫照，正在阿堵中』〔註77〕

與「形似」相比，愷之更強調「神傳」在繪畫中的重要性，特別是人物畫，其將眼睛視爲人物美的關鍵，眼神的寫意與否，決定了畫中人物的精神特徵，甚至能顯現難以具體描摹之性格與智慧才情，故其言：「手揮五絃易，目送歸鴻難」。繪畫之精義，在於如何將言外之意現於畫中，使畫面與境界相契，而非單純地描形，因此愷之常在形似的基礎上，利用藝術加工表現他對傳神的自覺追求，《世說新語・巧藝》9載：

顧長康畫裴叔則，頰上益三毛。人問其故？顧曰：「裴楷儁朗有識具，正此是其識具。」看畫者尋之，定覺益三毛如有神明，殊勝未安時。〔註78〕

寫形可易，寫心唯難，人物畫的關鍵乃在於人物的精神狀態與內心世界的刻畫，三毛並非形貌本有之物，乃是增其神明的輔助之筆，雖稍離寫實之基礎，卻使人物風姿更爲勃發彰顯，爲其「傳神」之精妙處。顧愷之將自我完全外射、移置情感於藝術活動之中，臻至忘我、無我之境〔註79〕，將眞情與之合而爲一，外在人事變遷，亦不復擾其神，故使他能在動盪之際，避禍遠害，從中尋得生命的價值，鑽研於藝術領域，突破歷來繪畫之侷限。顧愷之強調「傳神寫照」，認爲神乃存於客觀的形體之中，透過形方得以顯現，形的描繪亦不能脫離寫神，否則便失去藝術的意義與價值，故形神乃相契合，不可相違。畫家欲得繪畫對象之神，當以「遷想妙得」作爲途徑，意指畫家須本主

〔註76〕傅抱石以爲：「顧愷之在中國畫學演進史是開山祖，在中國山水畫史也是一位獨闢弘途的功臣，他不但代表了第四世紀初葉前後的畫壇，今日看起來，也許足以稱爲第七世紀以前的唯一大家。」見氏作《中國山水畫史的研究》（上海：上海人民美術出版社，1960年），頁50。然大約同時期的謝赫於《古畫品錄》卻將顧愷之得畫列爲第三品，評爲「迹不迨意」。故陳傳席先生之說較爲中肯：「顧愷之的主要貢獻在畫論。因無可靠的畫迹存世，對他得畫難做結論。但把他的畫稱爲六朝最傑出的，卻是沒有根據的。」見氏作《六朝畫論研究》（臺北：臺灣學生書局，1991年），頁4。

〔註77〕〔南朝宋〕劉義慶撰；余嘉錫箋疏：《世說新語箋疏・巧藝》13，頁721。

〔註78〕〔南朝宋〕劉義慶撰；余嘉錫箋疏：《世說新語箋疏・巧藝》9，頁719。

〔註79〕劉志偉：〈論『癡』的審美與文化價值〉，《河南師苑大學學報》，第37卷第6期，2010年11月，頁173。

體之感情，從各個方面反覆觀察對象，深入體會、揣摩對象的情感，掌握對象的特徵，而後提煉、分析，便可得其「傳神」之趣〔註 80〕。如此，「遷想」便不受對象的形體限制，亦不脫對形象的直觀感受，《世說新語・巧藝》載：

> 顧長康畫謝幼輿在巖石裡。人問其所以？顧曰：「謝云：『一丘一壑，自謂過之。』此子宜置丘壑中」。〔註 81〕

畫人不僅是神似，更要透過「想像」將難以描摩的「神」繪出，不僅拓展以往囿於「形」之技巧限制，使風姿神貌既有人的自然形象，卻又超出人的自然形象〔註 82〕，更確立「神」的概念，將人的心靈神明視爲繪畫的表現對象。

顧愷之的畫論不僅影響後代審美形式，亦是其觀人之法：他將人物置於山水之間，結合生命感受與藝術，山水漸由被動客體，化爲主動本體，此是魏晉士人對場域（從官場轉到山水）的選擇；他提出畫的藝術性，言繪畫的價值乃在於「傳神」，亦是對自我定位——從群體價值到個體情意我之追尋——的選擇。用於山水畫中，同樣強調「想像」的重要，隨類賦彩，非單以如實描繪，他在〈畫雲台山記〉寫道：

> 山有面，則背向有影，可令慶雲西而吐於東方清天中。凡天及水色，盡用空青，竟素下以暎日。西去山：別降其遠近。發迹東基，轉上未半，作紫石如堅雲者五、六枚。〔註 83〕

愷之爲渲染道教仙人活動的靈妙氛圍，拋棄岩石的本有顏色，乃以紫色襯托仙境的玄幻，岩石的形狀乃「形」，而紫色乃其欲襯托的「神」，故形只是實現神的手段，神才是繪畫的目的，脫卻畫者直觀感受的形貌，而乃著重內潛之神明，否則天堂地獄同貌異質，雖形似亦無可別矣。然他並非一味地強調想像之「神」，亦標舉「形」的重要，形神並俱，其在〈畫論〉中便提到：「美麗之形，尺寸之制，陰陽之數，纖妙之迹，世所並貴。」不可執偏而忽略形體的比例合理，悖離寫實之基礎，亦不應拘泥外在形似而忽略傳神之美，妄作空想，誠若齊白石所言：「妙就妙在似與不似之間，太似則媚俗，不似則欺世」，恰當言明畫者在作畫時對形的拿捏分寸。由於愷之對藝術的執著癡迷，

〔註 80〕林朝成：《魏晉玄學的自然觀與自然美學研究》（臺北：花木蘭出版社，2009 年），頁 82。

〔註 81〕〔南朝宋〕劉義慶撰；余嘉錫箋疏：《世說新語箋疏・巧藝》12，頁 723。

〔註 82〕王瑩：〈論顧愷之「傳神寫照」理論在中國繪畫美學中的發展〉，《學理論》第 3 期，2011 年 1 月，頁 153。

〔註 83〕陳傳席：《六朝畫論研究》（臺北：臺灣學生書局，1996 年），頁 81。

方能專注於繪畫技巧與理論的建立，使繪畫擺脫附庸地位，在藝術上徹底醒覺，故有學者讚其乃「開山水畫之端緒」〔註 84〕。顧愷之對後代畫家提出山水在繪畫中的獨立形式之影響，實不言可喻，其「傳神論」更被廣泛地運用至文學領域之中，不僅爲中國畫論奠定堅實基礎，亦爲後代文學創作指引一條嶄新道路。

其後，宗炳提出「臥以游之」，將本應於山水行游中，而得「釋域中之常戀，暢超然之高清」的感悟體驗，透過「暢神」之說，打破時間與空間的限制，提出經由「觀看」所引發的神思活動的積極參予〔註 85〕，使動態之「游」，轉入批圖幽對的靜觀賞鑑。其於〈畫山水序〉中提出「澄懷味象」、「應目感神」、「神超理得」之論，聯繫山水精神與創作者之神思，藉由「澄懷」工夫虛靜主體心，悟味蘊於山水畫中的自然之神，尺幅對象與自我情感相互結合，相化而相忘，產生與親入山水相同的暢神之效。同時使一直處於被動角色的觀畫者，提升至與山水畫互爲主體的角色，畫作因不同觀者的鑑賞，而有豐富多元的藝術美感；不同的觀者亦藉由山水畫，使自我精神更臻成熟，在鑑賞過程中逐步建構主體，消解觀者與作品的對立性〔註 86〕，故能達到「臥游」所強調如臨其境般地悠游於眞山實水中的感受與境界，畫中山水由是可代替眞實山水，而有藝術價値。濃縮於尺幅中的雲霞林岫，不僅可以藻玄瑩素，達到身心的洗滌作用，更可棲神導氣，增厚主體精神的觀照度，既是玄義對象，同時也是賞心悅目的藝術對象。山水引發觀者之感興，觀者亦挹注其情思於其中，二者相冥於繪畫之上，遂而落實山水畫對於「游」的藝術實踐，即魏晉之「玄義」美學強調「游心於物之初」的暢神境界。

宗炳一反傳統以「成教化、存鑒戒」爲繪畫的功能與目的，回歸山水的形式來論山水之美，呼喚審美經驗，並以想像之創作力，以寫形爲手段，以寫神爲目的，將玄牝之靈納於尺素之內，藉畫使精神與自然相通，感受自然

〔註 84〕鄭昶、傅抱石等諸家均認爲山水畫成立於顧愷之，鄭昶言：「惟當時所謂山水畫者，多爲人物背景，獨顧愷之所作，乃能從人物之背景更進一步，故有我國山水畫祖之稱焉。」見氏作《中國畫學全史》（臺北：中華書局，1982 年），頁 45。又傅抱石指出：「和大村氏（即日人大村西崖）同感，且更進一層把山水畫祖推爲顧愷之得上有鄭昶氏。」見氏作《中國古代山水畫史》（天津：天津人民美術出版社，2001 年），頁 14。

〔註 85〕楊柳：〈廟堂、山林、佛土的美好結合——對宗炳〈畫山水序〉的創新解讀以及對山水畫教學的啓示〉，湖南師範大學碩士學位論文，2007 年，頁 65。

〔註 86〕葉朗：《中國美學史大綱》（臺北：滄浪出版社，1986 年），頁 65。

之美，體會自然之道，同時確立山水畫的獨立審美功能與價值，漸入自由藝術之萌芽。蓋宗炳以「暢神」作爲山水畫的主要目的，鮮明的突出畫家抒一己之懷、寫自我神意的自由特性，並且重視觀者賞鑒的功能，強調觀者創造性的審美活動。其〈畫山水序〉便提出許多關於繪畫創作之理論，如「以形寫形，以色貌色」的創作方法，非以描摹現實爲繪畫功能，乃著重在「寫」，加入作者的生命經驗與想像，使山水之靈與人的情感結合。文中「神思」之審美想像，更爲後世所倚重，特別是劉勰《文心雕龍》中更特立〈神思〉一篇，其內容多承襲自宗炳〈畫山水序〉。首先，劉氏先言藝術準備階段主觀的虛靜，與宗炳強調臥游前必透過「澄懷」功夫，以虛靜心靈，不謀而合。其次，劉氏強調從虛靜到神與物游的創作思維發展過程，直指心隨物游，物隨心轉。然宗炳標榜鑑賞者地位，以觀者的角度肯定山水畫之審美價值，在南朝卻未得到發展，六朝乃至唐代山水畫論，仍多以創作者角度談神與物游的創作過程〔註87〕，實爲可惜。

參、園林建築的榮盛

魏晉時期獨特的「游」文化，不受地理所限，可優游林野，亦可將自然山林複製到私家園林。「園」或「林」本皆有於平地栽種果樹之意〔註88〕，二詞合稱爲「園林」，最早見於東漢班彪之〈冀州賦〉:「瞻淇奧之園林，善綠竹之猗猗」〔註89〕，觀園內之流水、綠竹，以興君子美德。雖引《詩經・衛風・淇奧》美君子盛德之意〔註90〕，然「瞻」字實已暗符園林之觀賞性。漢魏之

〔註87〕鄭毓瑜:〈由宗炳論山水畫之「暢神」談司空圖詩品的品鑑特色〉,《中外文學》,第16卷第12期，1988年5月，頁57。

〔註88〕《說文解字》載「園」乃「所以樹果也」，段玉裁注之曰:「鄭風傳曰:『園所以樹木也。』按毛言木，許言果者，毛詩檀穀桃棘皆系諸原木可以包果。故周禮云:『園圃毓草木。』許意凡云苑囿已必有艸木，故以樹果系諸園。」而「林」乃是「平土有叢木曰林」，段玉裁注之曰:「周禮林衡注曰:『竹木生平地曰林。』〈小雅〉依彼、平林，傳曰:『平林，林木之在平地者也。』」見〔漢〕許慎撰;〔清〕段玉裁注:《說文解字注》(臺北:藝文印書館，2005年)，頁280。

〔註89〕〔清〕嚴可均校輯:《全上古三代秦漢三國六朝文・班彪・冀州賦》，頁598。

〔註90〕朱守亮:《詩經評釋・衛風・淇奧》:「瞻彼淇奧，綠竹猗猗。有匪君子，如切如磋，如琢如磨。」《詩序》曰:「〈淇奧〉，美武公之德也。有文章，又能聽其規諫，以禮自防，故能入相于周，美而作是詩也。」(臺北:臺灣學生書局，1984年)，頁176。

際，游賞園林之風氣益熾，仿擬帝王別苑的鄴城銅雀園，不僅是曹魏政權的軍事中心，也是鄴下文人抒發生命情懷的舞台，率是狎池苑、憐風月，園中巍若仙居之景，屢見於文人詩作。魏晉時期，私家園林更盛，或稱「別業」或逕稱「園」，不僅具備生產的經濟性，乃更強化娛樂性、觀賞性、寄託性。如七賢共醉於山陽別業，既是躲避政治禍亂的棲身地，亦爲滌情暢懷、共歌理想的休閒地。於是，園林的文化性逐漸擴顯，乃成爲文人進行藝術創作、談論哲理寄寓，或享受雅趣之場所。

私家園林盛行，肇因有二：一爲經濟因素，一爲侈風滋廣。蓋九品官制與佔田蔭戶〔註 91〕等制度，致使士族高門擁有強盛的經濟實力與政治關係，封山占澤，圈占大量的土地。《晉書・王浚傳》載：「浚爲政苛暴，將吏又貪殘，並廣占山澤，引水灌田，漬陷冢墓。」〔註 92〕王戎亦「廣收八方園田水碓，周徧天下」〔註 93〕，世家大族奴客縱橫，占地屯田，凌人宅墓，藉此以積實聚錢，於是貧者益貧、富者愈富。加之晉世初平，物流倉府，官僚私門勾結甚盛，奢靡汰侈之習氣相沿，助長狎褻浪游之流行。石崇、王愷、羊琇以奢靡相尚，財產豐積，室宇宏麗。營屋造園計之百數，奴婢且曳紈繡、珥金翠。豪奢之盛，幾逾帝室。帝王亦未禁阻，反以助之，《晉書・石崇傳》載：

> 武帝每助愷，嘗以珊瑚樹賜之，高二尺許，枝柯扶疏，世所罕比。愷以示崇，崇便以鐵如意擊之，應手而碎。愷既惋惜，又以爲嫉己之寶，聲色方厲。崇曰：「不足多恨，今還卿。」乃命左右悉取珊瑚樹，有高三四尺者六七株，條幹絕俗，光彩曜日，如愷比者甚眾。愷怳然自失矣。〔註 94〕

蠟燭作炊、錦步爲障，未足能彰顯時人誇富炫財的程度，是從石崇對於奇珍異寶視之若敝屣的態度，任意棄之、毀之，信手拈來一物，竟更勝於皇家百倍，知是富貴驕人之甚者。蓋高門營造園林除了經濟功能外，更重視其文化功能，窮珍極麗，網羅天下之至精至美，用以娛目享樂，身分比誇，故夸恣成俗，轉相高尚，千金何足惜，但享身名俱泰爾。

〔註 91〕 西晉時，官僚地主可依其品位高低佔田 50 頃到 10 頃不等，並可蔭親屬九族至三族，免除課役，還可蔭屬佃客，爲自己納租服役，官僚地主因而擁有深厚的經濟實力。

〔註 92〕〔唐〕房玄齡等撰；楊家駱主編：《晉書・王浚傳》，頁 1148。

〔註 93〕〔唐〕房玄齡等撰；楊家駱主編：《晉書・王戎傳》，頁 1234。

〔註 94〕〔唐〕房玄齡等撰；楊家駱主編：《晉書・石崇傳》，頁 1007。

尤其過江以後，江南的秀麗風光使人沉醉其中，士人多將別業建於會稽地區，將隱逸之想轉化，把社會現實性與自由、人文結合，既然人間可優游山水，窮歡極樂，何必離塵出世？《世說新語》中載：

> 簡文入華林園，顧謂左右曰：「會心處不必在遠，翳然林水，便自有豪濮間想，不覺鳥獸禽魚自來親人。」〔註 95〕

士人利用人工方式營造近似自然的環境，或直接依山傍水，將山林納爲己宅，或仿造自然，構築人工山水，旨在求盡一生之歡，窮當年之樂，與正始年間竹林之游的高蹈離塵之精神已有所不同。「游」的型態已然拓寬，不單僅止於自然林野中，而是將在俗世中修建私宅，營造園林，從而優游其中的形態作爲一種「游」的方式，故園林藝術之欣賞，亦成爲當時的風尚，據楊衒之《洛陽伽藍記》載：

> 當時四海晏清，八荒率職……。於是帝族王侯、外戚公主，擅山海之富，居川林之饒，爭修園宅，互相誇競。崇門豐室；飛館生風，重樓起霧。高台芳榭，家家而築；花林曲池，園園而有。莫不桃李夏綠，竹柏冬青。〔註 96〕

帝王貴族皆競相築園修宅，園內極盡豪奢，樓閣高台，花林曲池，應有盡有。園林既得山水之趣，又有居家之便，更可彰顯造園者的權力、財力之盛，如《晉書・謝安傳》11 載：

> （謝安）又於土山營墅，樓館竹林甚盛，每攜中外子侄往來游集，肴饌亦屢費百金，世頗以此譏焉，而安殊不以屑意。〔註 97〕
>
> 會稽孔珪家起園，列植洞柳，多構山泉，殆窮眞趣。〔註 98〕

過江後，司馬政權仰賴瑯琊王氏的協助、擁戴，北方士族仍可憑藉西晉時的勢力以及從北方帶來的大量佃客、部曲，在南方坐擁大片秀麗風光。如王導坐佔鍾山，傳至梁朝仍有良田八十餘頃〔註 99〕。又陳郡謝氏家業之豐，謝安

〔註 95〕〔南朝宋〕劉義慶撰；余嘉錫箋疏：《世說新語箋疏・言語》61，頁 120。

〔註 96〕〔北魏〕楊衒之撰；范祥雍校注：《洛陽伽藍記校注》（北京：上海古籍出版社，1978 年），頁 206。

〔註 97〕〔唐〕房玄齡等撰；楊家駱主編：《晉書・謝安傳》，頁 2075。

〔註 98〕〔唐〕李延壽撰：《南史》（臺北：鼎文書局，1981 年），頁 1038。

〔註 99〕〔清〕孫文川撰；陳作霖編：《南朝佛寺志》：「大愛敬寺在鍾山竹澗。梁普通元年，武帝爲太祖文皇帝造。越三年，建七層靈塔。大通四年，又造旃檀像，長一丈六尺，方造寺時，中書令王騫舊墅在側。有王導賜田八十頃，從求不得，遂逼奪之。」（臺北：明文書局，1980 年），頁 43。

之孫謝混，「田業十餘處，僮僕千人」，至謝靈運時仍擁「北山二園，南山三苑」，樹大根深，可見一斑。偏安風氣愈習，造園活動益盛，名士極力追求「第二自然」之塑造，有山水之樂，卻無除跋涉之苦，且亦具有獨立的美學形態，將形式、色彩、結構、空間鎔鑄於園林藝術中。誠如周忠武所言：

> 當時的官僚大夫以隱逸野居爲高雅，他們不滿足於一時的遊山玩水，要求身在廟堂而又能長期地享用、佔有大自然的山林野趣，私家園林便應運而生。〔註 100〕

不同於西方園林強調比例、幾何結構的再現，中國式園林建築偏重於感性的表現，強調（人）情與（物）景的相互作用，突顯造藝之巧奪天工，建築的富麗堂皇之美。「游」所強調的精神逍遙於天地之意漸漸淡化，取而代之的是獨立的審美形式，深度提升「游」的自然審美意識，展現對於園林造形藝術的極致追求。

除了皇家林苑與士人園林外，寺觀園林也是魏晉園林藝術中極爲重要的型態之一。東晉時，佛教昌盛，本重清靜遠俗的佛教，其建築多藏於南方的佳山秀水裡，與雲雨煙霧爲依，築於峻崖或深壑中，故有「南朝八百四十寺，多少樓台煙雨中」之盛況。由於佛理與玄學有其互通處，佛寺與園林的關係實亦難以明確區隔，《世說新語・棲逸》載：

> 康僧淵在豫章，去郭數十里，立精舍。旁連嶺，帶長川，芳林列於軒庭，清流激於堂宇。乃閒居研講，希心理味，庾公諸人多往看之。觀其運用吐納，風流轉佳。加已處之怡然，亦有以自得，聲名乃興。〔註 101〕

康僧淵建精舍，選址與山水爲鄰，內構亦仿效自然山水，於自然中體悟宇宙、人生的道理。精舍不僅講說佛法，亦是名士往來聚集，談玄說理之美處，故居寺言空與游園談玄之意義相去不遠。佛寺與園林均是巧構於自然山林中，其內亦仿自然，植花草，種竹柏，闢曲池，在縱目游賞間，不僅蘊含豐富的審美情趣，更可於美景中頓悟妙理，在自然與現實中求得平衡，宗教哲學與山水游覽合而爲一。無論是園林與佛寺建築，均透過靜態的山水觀照，與躍動的生命相互碰撞、激盪，建築藝術不再只是有形的結構，而是心靈主體與客觀環境相互交融的產物。游於其中可滌俗濾志，理通而澹忘，最後道明而逍遙於天地之間。

〔註 100〕周宗武：《城市園林藝術》（南京：東南大學出版社，2000 年），頁 24。

〔註 101〕〔南朝宋〕劉義慶撰；余嘉錫箋疏：《世說新語箋疏・棲逸》11，頁 660。

小 結

「游」可謂是魏晉士人生命精神的體現〔註 102〕：發而爲文，則有山水紀游詩文，包含游仙、玄言、隱逸、山水詩的產生；繪畫上，一反傳統以「成教化、存鑒戒」爲繪畫的功能與目的，回歸山水的形式以論山水之美，呼喚審美經驗，以暢神爲目的，突出觀者地位，強調透過「神思」飛馳而產生創造性的審美活動；建築上，將對自然的審美，轉以建築園林表現山水之麗，造成園林藝術之風行，寫下中國園林文化重要的一頁；政治上，因「游」的美好感受，復歸於社會後，見塵世之紛濁擾攘，故挾帶強烈性批判以振聾發聵，是有無君論之起；應世，則因「游」的靈活婉轉，使人能悠游於自然社會、情禮之間，兩得其中而不相衝突；隱逸，則受「游」的影響，淡化對歸隱山林的追求，而求「游心」之要，若心能隱，朝堂市井皆無可擾之。

「游」不僅是一種游覽自然的方式，士人更在其中尋得精神家園。從「瓦全」到「順化」，士人透過「游」以解決生命之各種困惑，無論是生死的探問、情禮的衝突，在人與自然間的相化相忘中，生命不再是荏苒匆匆，而顯得從容靜好。透過「游」使「道」與「心」相融合，將「自然」生活化，以純淨胸懷游人間世，不以俗念矯勵本眞，且肯定現世生活，並在現實與精神間達到平衡。誠於自我眞情，得意淡然，處世坦然，使「游」化入於士人情意之中，展現多元而燦然的魏晉風度。

〔註 102〕 江建俊：《于有非有，于無非無——魏晉思想文化綜論》〈莊子「游」的意識對魏晉名士游浪山水之影響〉（臺北：新文豐出版社，2009 年），頁 48。

第五章　結　論

陰雲蔽日、沮濡彌望的魏晉時期，士人鑒於文化困境中的生活焦慮，唯有透過與變升降、與世推移的「游」，方能在機變屢起的社會，護養本眞而不受拘闔。在有意無意之間，迂迴地紓洩胸中苦澀，表達抗權逆教的訴求。此現象實是士人在自我解嘲中，投身於表象背後——嘲弄世代——的反動意志，亦是魏晉士人面對現實之動輒得咎，開展之獨特的內在自我覺醒。正因於此，是能突破兩漢以來儒學的束縛，不再將生命價值困於建功立業之上，轉而追求主體意識的強化。時人乃深思「我」存在之意義，如何解決人之精神生命安頓的問題，使自身能超越一般觀念規範，而不被表象迷惑，亦不流於形式？莊子「游」精神，正好爲其人提供解套之法，誠如鄭雪花所言：

> 「游」的哲思關乎著人之如何覺察自身存有的意識，如何觀看此在的世界，如何實踐存有的整全眞實。在他們的哲思裡（莊周、阮籍、郭象），「逍遙遊」所體現的自由境界是一種從所有既定意義界域解放出來的，自身存有意識的覺醒，一種內在眞實的凝視，這樣的覺醒與凝視乃是在宇宙中與每個人、每件事物的關係中體現的。〔註1〕

因現實而生的痛苦，必不能從現世中尋求自由解脫。於是，精神絕對自由解放的「游」，恰是提供生命一種理性的防禦機制。透過心靈的修養，脫略社會屬性之箝制，使意識的自我從苦悶的現世逸出、離位。但「游」並非再現逍遙境界，而是通過自我與世界的辨證（有無、內外），繼而超越的過程中，重新建構的自由之主體。蓋「游」實是一種生命的安養之道，是對現實不完滿

〔註 1〕鄭雪花：《非常的行旅——〈逍遙遊〉在世變情境中的詮釋景觀》，國立成功大學中國文學研究所博士論文，2005 年，頁 196。

的補償，更是將「道」落實於生命的一種途徑。使人從哀樂情慾之渴求、生死強烈執著的桎梏中解放。

在莊子「游」中，人世間既非羈累，亦非罣礙，而是「非存在」〔註2〕，誠如王博所言：「心的逍遙游中並沒有形體的位置，而形的世界也不會成爲桎梏心的場所。」〔註3〕然而，魏晉之「游」，卻是將人間世視爲真切的存在，士人因在「世變」〔註4〕的衝擊下，亟欲使身心跳脫現實的侷限，解放受束縛的靈魂，滌去心中垢累。「游」不僅只是外放行爲，更多是內需的必然。他們並非追步至人無待之游，而是以「脫困」爲旨。其精神雖承自莊周，卻是「變種的莊學」〔註5〕，「游」實是故意爲之的不得已，希冀逃離世俗、批判現實、反諷社會。正如江建俊所言：

> 魏晉之游，則帶有幾分「逸」氣爲特色，或山水之實游，或迹冥於仕途，或任放於禮法，或即色之游玄，或做大人之清思，或游仙都餐紫芝之仙游，皆有所寄。……然亦如夙慧早秀，璀璨有餘，於至美至樂則稍遜之，蓋無大鵬之性分，不能奮飛洪濛，只能如斥鷃之作蓬蒿游，自適其適爾！〔註6〕

莊子乃是因「忘」而「游」，從外天下、外物、外生，終而見獨，所以莊子的游是孤獨的，本自一種超越性的完善人格目的，最終臻至的極境乃是「超然

〔註2〕鄭雪花：《非常的行旅——〈逍遙遊〉在世變情境中的詮釋景觀》，國立成功大學中國文學研究所博士論文，2005年，頁197。

〔註3〕王博：《莊子哲學》（北京：北京大學出版社，2004年），頁207。

〔註4〕李豐楙指出：「一般學界傳統的評價，對於魏晉南北朝的整體成就並非特別肯定，通常總是將其思想創見或文學創作只作爲大唐文化的先驅，乃是一種思想、文學成熟期之前的醞釀期。類似的評價多少是從儒家思想、文化的本位觀出發，或是只從詩歌、小說的成熟表現作論斷，因而比較易於忽略了『世變』的時代情境，卻能促使文士從常態世局中逸出，並創發一種殊異於常世的精神面向，如此才可展現其既有破壞、也有創造的文化活力。」見氏作〈嚴肅與遊戲——六朝詩人的兩種精神面向〉，《世變與創化——漢唐、唐宋轉換期之文藝現象》（臺北：中研院文哲所籌辦處，2000年），頁5。

〔註5〕王巍指出：「玄學思想雖以老莊的面目出現，但又不完全等同於先秦老莊思想，而是適應當時社會現實的需要而產生變種的老莊思想。它側重於對本體的研究，以『無』爲體，以『有』爲用，崇尚自然，以自然爲體。」見氏作《魏晉南北朝文學意識的歷史嬗變》（瀋陽：遼寧人民出版社，2006年），頁3。

〔註6〕江建俊：《於有非有，於無非無——魏晉思想文化綜論》（臺北：新文豐出版社，2009年），頁48。

物外、純粹獨一的純然狀態」〔註7〕，故謂其「游」乃是一種無前見、無智識、無意識的自由來去。魏晉士人卻是因「游」而「忘」，透過「游」以純化心靈，忘記世間種種紛擾、對立，乃於自我存在之「理」上求，是立足於現世的游刃有餘，藉「天地四時，猶有消息」之理，安撫人因滄海桑田而油生的倉皇無措，將世事變遷，化入四時流行之循環，使人事糾葛顯得渺不足道。蓋魏晉之「游」非如老莊「至足」之「大」游，打通時間、空間和語言的相對性，通天下之一氣。而多是「自足」之「小」游，僅能應世浮沉，與時抑揚，有安頓自我之用，卻無安世、立人之功，甚至自顧不暇。於是乎只能「高喊」欲如大鵬之遠舉，終不過是斥鷃之蓬蒿游，僅是揮灑聲光耳。

對魏晉士人而言，「游」乃解憂興樂之方式，亦是隨時婉轉的處事態度，既有自由性、超越性，更具有在世性、自適性。士人從自然游覽中得到新生之契機，遙悟至人逍遙之美好，體明莊子自由眞諦，然形而上的仙鄉並非魏晉士人的終點，形而下的世界才是其人歸途。於是，莊子與魏晉士人雖在自由之「游」中交會，卻只能錯身，魏晉之「游」便挾帶回歸性批判而來。以更爲深刻的眼光審視社會亂象，莊子至人逍遙之游境，遂成爲人間不可企得之精神寄託、理想的指標、批判的手段。士人藉由「至人」闡論其人生取向，抒發對現實的批判和理想境界的嚮往，同時將禍亂之源指向禮教之治，發展形成一種具有強烈思辨的理論型態〔註8〕。因「游」而生的批判意識——無君論，並非完全揚棄「士」的精神，而是批判禮教束縛下所產生的虛假。統治者多假藉禮教之名，剷除異己，且制度規範多抑隱情感健康的流動，形塑諸多「規規小儒」，伏身屈膝於教條之中，視之若金科玉律，一昧迎合討好，無己思己見，僅是禮教軀殼而已矣。

鑒此亂象，士人繼承莊子精神，以無爲無欲、適性自足爲人生理想，恬靜自適，回歸生命的起點，是人與外物無相衝突，從容靜好。復言之，基於對現實社會的「不完美」，「至人之游」成爲知識份子心中嚮往的理想境界，

〔註7〕〔清〕郭慶藩撰；王孝漁點校：《莊子集釋・大宗師》：「參日而後能外天下；已外天下矣，吾又守之，七日而後能外物；已外物矣，吾又守之，九日而後能外生；已外生矣，而後能朝徹；朝徹，而後能見獨；見獨，而後能無古今；無古今，而後能入於不死不生。殺生者不死，生生者不生。其爲物，無不將也，無不迎也；無不毀也，無不成也。其名爲攖寧。攖寧也者，攖而後成者。」頁252。

〔註8〕王翔：《逍遙人生——先秦道家的人格理想》（南京：江蘇教育出版社，1996年），頁170。

從而衍生回歸無君之治的願想。這是其人批判「吃人禮教」的手段，同時反映出時人對於美好生活的願望與追求，啓迪後代對於改善社會的積極思考。

魏晉士人將「游」實踐爲具體的生活型態，作爲一種遣情、賞情的方式，或苦悶、或快樂、或逃避、或共賞。透過自然，發現造化賦予萬物之美，從寄情到嬉戲，「游」標舉士人「寧作我」的精神自由，更是其人「深情的寄託」，內在情感的恣然紓放。整體揆之，魏晉士人之「游」乃是不斷地討論「情」的安頓問題，如嵇康以「游心於淡」作爲情感的調節闡釋，金谷游、蘭亭游的情意變化表現，新亭悲游的傷逝、茅山游的慟情，士人莫不以抒情→化情→暢情作爲「游」之目的。他們並非要拋棄情感，邁向無情，而是將之轉化，遣去負面性，使情感不斷地焠鍊、純化。兩漢以降，情感幾是落於負面屬性，董仲舒論「性善情惡」〔註9〕，班固言「情生於陰欲」〔註10〕，咸是籲人應透過修養以調節情的流動。魏晉時期，何晏謂聖人無情、王弼言聖人有情，雖是辯議主體情感的有無，但同歸於尋找調節情感的方式，誠如羅宗強所言：

> 何晏提出聖人無喜怒哀樂，是要說明聖人之情，以禮節制；王弼說聖人有情，是要說明聖人之情，是一種自然本性的自我節制。兩人都爲重情的社會風氣尋找一種感情節制的方式，何晏以禮，而王弼以性。何晏近孔，而王弼近老、莊。但兩人的共同特點，是承認一般人重情、任情而動的合理性。〔註11〕

王戎喪子，慟而直言「太上忘情，最下不及情；情之所鍾，正在我輩」〔註12〕，正可視爲魏晉士人對「情」的普遍表述——鍾情、任情。此中雖明顯存在「聖人」與「我輩」的區別〔註13〕，然魏晉士人無意爲聖，只想做個深情的我輩，

〔註9〕董仲舒以爲「性生於陽，情生於陰。陰氣鄙，陽氣仁，曰性善者是見其陽；謂惡者是見其陰也。」見〔漢〕王充撰；黃暉校釋：《論衡校釋》（北京：中華書局，1996年），頁139。

〔註10〕《白虎通義》引《勾命決》云：「情生於陰，欲以時念也；性生於陽，以就理也。陽氣者仁，陰氣者貪，故情有利欲，性有仁也。」見〔漢〕王充撰；黃暉校釋：《論衡校釋》（北京：中華書局，1996年），頁140。

〔註11〕羅宗強：《玄學與魏晉士人心態》（臺北：文史哲出版社，1992年），頁86～87。

〔註12〕〔南朝宋〕劉義慶撰；余嘉錫箋疏：《世說新語箋疏・傷逝》4，頁637。

〔註13〕吳冠宏指出：「此所謂『聖人忘情』與『最下不及情』皆非關注焦點，因爲它們的目的都在爲『我輩』定位，突顯其『鍾情』的角色。」見氏作〈從余英時〈名教危機與魏晉士風的演變〉一文中「情」之論述及其商榷談玄論與魏晉士風的合理關涉〉，《東華人文學報》，第8期，2006年1月，頁6。

欲「脫去禮教的制約，展現『情眞』的意趣」〔註 14〕。蓋如阮籍嘗率意獨游，「車迹所窮，輒痛哭而返」，其哭之痛，在於無路可走，亦是厭棄自己壓抑、屈辱人生的痛哭〔註 15〕。悲其苦悶，慟其所抑，生命鬱結扭曲至臨界，無人傾訴、理解，內在精神的消損，充滿壓抑與惶恐，時人卻只看到他的放縱任意，笑其頹狂癡迹，誰又知其心焦？其醉酒肆游所顯之「怪」，乃是「以僞顯僞」〔註 16〕，正因禮教之士強將禮置於情之先，以虛僞桎梏辨是非善惡，忽略制禮的目的乃爲防止人過喜過悲之情濫，即「緣情以制禮」。是以阮籍「反」顯其對立，眞情洋溢非禮所能限，直言「禮豈爲我輩而設」，突出僞禮之僵化概念。在名教之士看來，阮籍乃毀廢禮教的悖逆者，但在對於阮籍而言，一切均任情而動，是極欲衝破僞禮、追求人格自由之堅持。

魏晉士人因情而發之游，或清、或狂、或戲、或美、或玄，由「游」突顯人對個體生命、情感、精神之自由的重視，連帶生發對政治社會的疏離、批判，對神仙、隱逸的渴慕。相對於名利場的紛擾混濁，自然的清新成爲士人縱情的場域、游賞吟詠的對象，誠如王國瓔所言：

> 知識份子在個人自我意識的覺醒中，開始探索個人生命在的意義和價值，並且注意到個人生活素質的提高與悠遊行樂的重要。於是視怡情山水和詩文美酒爲理想生活的主要構成分子，也是心身寄託之所在。魏、晉時代世族大家修築林園別墅，廣佔山澤良田，一方面有其經濟的目的，另一方面則是在崇老、莊，尚嘉遁的風氣之下，追求個人在山水美景中優游賞翫的享受。〔註 17〕

游覽詩具體形化詩人從感悟到緣情的創作過程，體證「游」的暢情目的。從鄴下貴游到藝術臥游，從詠樂〔註 18〕、詠仙、詠玄直到以山水作爲審美對象

〔註 14〕吳冠宏：〈魏晉人鍾情的生命特質及其殊義試探——以《世說．言語》「支公好鶴」一則爲解讀釋例〉，《東華漢學》，第 2 期，2004 年 5 月，頁 109。

〔註 15〕張曉婧：〈其歌也有思，其哭也有懷——阮籍詩歌中的創傷體驗〉，《柳州職業技術學院學報》第 10 卷第 2 期，2010 年 6 月，頁 69。

〔註 16〕牟宗三指出：「裴楷嵇喜應酬之僞也。嵇康齎酒挾琴，則怪態之僞也。以僞生僞，以怪引怪，遂顯一切禮俗亦僞。」見氏作《才性與玄理》（臺北：臺灣學生書局，2002 年），頁 290。

〔註 17〕王國瓔：《中國山水詩研究》（臺北：聯經出版事業公司，1986 年），頁 121。

〔註 18〕〔日〕小尾郊一指出：「鄴下遊覽生活所產生的賦，是描寫遊樂自然環境的作品。在這些作品中，『自然』被描寫成既快樂又美麗。」見〔日〕小尾郊一撰、高輝陽譯：〈魏晉文學所表現的自然及自然觀〉，《藝術學報》，第 42 期，1988 年 6 月，頁 104。

之詠山水，「游」不僅調節「情」的流動，同時使山水詩從游覽詩中脫顯。情感若然氾濫，便無法冷靜的觀山閱水，因外在情緒已然干擾人與山水的流通，故須「無情」，「理」方能見。即是在脫情、化情後，心才具備「賞」之功能。當吾人具備游山水的自覺性，並與悟理結合，美的意識自然於山水中顯現，方能以「媚」作為自然之屬性。雖於魏晉時期山水多屬道的範疇，但在形與神的調和下，山水審美的自覺益盛，為南朝的山水詩創作奠定基礎。

魏晉士人通過創意性的「游」，彰顯精神的超越性、情感的自由性，將「游」具體落實為生活型態，從而意識生命之窮通、情感之轉化。無論人與他物、他者、個體精神之游，均以「寧作我」為標，是個人氣度，亦是時代風神。從感物到外物，興情到暢情，魏晉士人從率性自然，到自然深情，這是人性發展的一種內在邏輯〔註 19〕。透過「游」進行主體的建構、精神的昇華，尋得隨順現實的有效途徑，不同類型的「游」，表達士人不同的情感，或樂、或憂、或戲、或壯、或醉、或侈、或貴、或悲、或雅、或放、或恣、或忘，此正是魏晉士人透過「游」以顯現其情意之多元面貌。

〔註 19〕章啓群：《論魏晉自然觀——中國藝術自覺的哲學考察》（北京：北京大學出版社，2000 年），頁 15。

參考書目

（除古籍外，皆按作者姓氏筆劃排列）

壹、古籍（按朝代順序排列）

一、經史類

1. 〔漢〕司馬遷：《史記》，臺北：鼎文書局，1981 年。
2. 〔漢〕許慎著；〔清〕段玉裁注：《說文解字注》，臺北：藝文印書館，2005 年。
3. 〔晉〕陳壽撰；〔宋〕裴松之注：《三國志》，臺北：鼎文書局，1980 年。
4. 〔北魏〕酈道元注；楊守敬疏：《水經注疏》，南京：江蘇古籍出版社，1999 年。
5. 〔南朝宋〕范曄撰；〔唐〕李賢等注：《後漢書》，臺北：鼎文書局，1981 年。
6. 〔梁〕沈約：《宋書》，臺北：鼎文書局，1980 年。
7. 〔唐〕房玄齡等撰；楊家駱主編：《晉書》，臺北：鼎文書局，1980 年。
8. 〔唐〕杜佑：《通典》，北京：中華書局，1988 年。
9. 〔唐〕李延壽撰：《南史》，臺北：鼎文書局，1981 年。
10. 〔重刊宋本〕《十三經注疏附校勘記》，臺北：藝文印書館，1965 年。
11. 〔宋〕朱熹：《點校四書章句集注》，北京：中華書局，1983 年。
12. 〔宋〕朱熹：《詩經集註》，臺北：華正書局，1982 年。
13. 〔明〕胡維新輯：《兩京遺編》，臺北：臺灣商務印書館，1969 年。
14. 〔清〕孫文川撰；陳作霖編：《南朝佛寺志》，臺北：明文書局，1980 年。

二、子集類

1. 〔漢〕王充撰；黃暉校釋：《論衡校釋》，北京：中華書局，1996年。
2. 〔魏〕曹操撰；鄧淑杰主編：《曹操集》，長春：時代文藝出版社，1995年。
3. 〔魏〕曹丕撰；易健賢譯注：《魏文帝集全譯》，貴陽：貴州人民出版社，1998年。
4. 〔魏〕曹植撰；劉幼文校注：《曹植集校注》，臺北：明文書局，1985年。
5. 〔晉〕嵇康撰；殷翔、郭全芝注：《嵇康集注》，合肥：黃山書社，1986年。
6. 〔晉〕阮籍撰；陳伯君校注：《阮籍集校注》，北京：中華書局，1987年。
7. 〔晉〕何遜撰；李伯齊校注：《何遜集校注》，濟南：齊魯書社，1988年。
8. 〔晉〕陸機撰；王永順主編：《陸機文集》，上海：上海社會科學院出版社，2000年。
9. 〔晉〕潘岳撰；董志廣校注：《潘岳集校注》，天津：天津古籍出版社，2005年。
10. 〔晉〕葛洪撰；楊明照校箋：《抱朴子校箋》，北京：中華書局，1991年。
11. 〔晉〕陶潛撰；龔斌校箋：《陶淵明集校箋》，上海：上海古籍出版社，1996年。
12. 〔北魏〕楊衒之；范祥雍校注：《洛陽伽藍記校注》，上海：上海古籍出版社，1978年。
13. 〔南朝宋〕劉義慶撰；余嘉錫：《世說新語箋疏》，臺北：華正書局，2003年。
14. 〔南朝梁〕鍾嶸撰；汪中注：《詩品注》，臺北：正中書局，1969年。
15. 〔南朝梁〕劉勰撰；王利器校箋：《文心雕龍校証》，臺北：明文書局，1982年。
16. 〔南朝梁〕蕭統編；〔唐〕李善注：《文選》，臺北：文津出版社，1987年。
17. 〔唐〕歐陽詢撰：《藝文類聚》，上海：上海古籍出版社，1999年。
18. 〔唐〕李昉等編：《太平廣記》，北京：中華書局，1961年。
19. 〔宋〕普濟：《五燈會元》，北京：中華書局，1984年。
20. 〔宋〕樂史：《太平寰宇記》，臺北：文海出版社，1963年
21. 〔宋〕胡仔：《苕溪魚隱叢話》，北京：人民文學出版社，1984年。
22. 〔清〕郭慶藩撰；王孝漁點校：《莊子集釋》，北京：中華書局，1995年。
23. 〔清〕嚴可均校輯：《全上古三代秦漢三國六朝文》，北京：中華書局，

1991 年。
24. 朱謙之：《老子校釋》，北京：中華書局，1984 年。
25. 嚴靈峯：《無求備齋莊子集成初編》，臺北：藝文印書館，1972 年。
26. 楊伯峻：《列子集釋》，北京：中華書局，1979 年。
27. 逯欽立輯校：《先秦漢魏晉南北朝詩》，北京：中華書局，1983 年。
28. 大藏經刊行會編：《大正新脩大藏經》，臺北：新文豐出版社，1983 年。
29. 余紹初輯校：《建安七子集》，臺北：文史哲出版社，1990 年。
30. 吳雲校注：《建安七子集校注》，天津：天津古籍出版社，1991 年。
31. 韓格平：《竹林七賢詩文全集譯注》，長春：吉林文史出版社，1997 年。

貳、專書

1. 〔日〕白川靜著；加地伸行、范月嬌合譯：《中國古代文化》，臺北：文津出版社，1983 年。
2. 〔日〕池田知久著；王啓發、曹峰譯：《道家思想的新研究——以《莊子》爲中心》，河南：中州古籍出版社，2009 年。
3. 〔日〕福光永司著、陳冠學譯：《莊子》，臺北：三民書局，1968 年。
4. 〔法〕余蓮著、卓立譯：《淡之頌——論中國思想與美學》，臺北：桂冠圖書公司，2006 年。
5. 孔繁：《魏晉玄談》，臺北：紅葉文化事業有限公司，1993 年。
6. 尤雅姿：《魏晉士人之思想與文化研究》，臺北：文史哲出版社，1998 年。
7. 王文進：《仕隱與中國文學》，臺北：臺灣書店，1999 年。
8. 王永亮：《中國畫與道家思想》，北京：文化藝術出版社，2007 年。
9. 王國瓔：《中國山水詩研究》，臺北：聯經出版社，1986 年。
10. 王博：《莊子哲學》，北京：北京大學出版社，2004 年。
11. 王翔：《逍遙人生——先秦道家的人格理想》，南京：江蘇教育出版社，1996 年。
12. 王焱：《得道的幸福——莊子審美體驗研究》，廣州：暨南大學出版社，2012 年。
13. 王瑤：《中古文學史論》，臺北：長安出版社，1982 年。
14. 王毅：《中國園林文化史》，上海：上海人民出版社，2004 年。
15. 王蕁父箋註、劉鐵冷校刊：《古詩源箋注》，臺北：華正書局，2005 年。
16. 王曉毅：《王弼評傳》，南京：南京大學出版社，1996 年。

17. 王曉毅：《放達不羈的士族》，臺北：文津出版社，1990 年。
18. 王巍：《魏晉南北朝文學意識的歷史嬗變》，瀋陽：遼寧人民出版社，2006 年。
19. 任繼愈主編：《中國哲學發展史——魏晉南北朝》，北京：人民出版社，1998 年。
20. 成復旺：《中國古代的人學與美學》，北京：中國人民大學出版社，1992 年。
21. 成復旺：《神與物遊——論中國傳統審美方式》，臺北：商鼎文化出版社，1992 年。
22. 江建俊：《于有非有，于無非無——魏晉思想文化綜論》，臺北：新文豐出版社，2009 年。
23. 江建俊：《魏晉玄理玄風研究》，臺北：花木蘭出版社，2012 年。
24. 牟宗三：《才性與玄理》，臺北：臺灣學生書局，1989 年。
25. 何啓民：《魏晉思想與談風》，臺北：臺灣學生書局，1990 年。
26. 余英時著；程嫩生、羅群等譯：《人文與理性的中國》，臺北：聯經出版社，2008 年。
27. 吳功正：《六朝美學史》，南京：江蘇美術出版社，1996 年。
28. 吳光明：《莊子》，臺北：東大圖書公司，1988 年。
29. 李建中：《魏晉文學與魏晉人格》，武漢：湖北教育出版社，1998 年。
30. 李清筠：《魏晉名士人格研究》，臺北：文津出版社，2000 年。
31. 李澤厚：《美的歷程》，臺北：三民書局，1996 年。
32. 李澤厚：《華夏美學》，臺北：三民書局，1996 年。
33. 李霞：《圓融之思——儒道佛及其關係研究》。合肥：安徽大學出版社，2005 年。
34. 李豐楙：《憂與遊：六朝隋唐遊仙詩論集》，臺北：臺灣學生書局，1996 年。
35. 周宗武：《城市園林藝術》，南京：東南大學出版社，2000 年。
36. 宗白華：《美學與意境》，上海：人民出版社，1987 年。
37. 林朝成：《魏晉玄學的自然觀與自然美學研究》，臺北：花木蘭出版社，2009 年。
38. 林聰舜：《向郭莊學研究》，臺北：文史哲出版社，1981 年。
39. 胡曉明：《萬川之月：中國山水詩的心靈境界》，北京：三聯書局，1996 年。
40. 范子燁：《世說新語研究》，哈爾濱：黑龍江教育出版社，1998 年。

41. 韋賓：《漢魏六朝畫論十講》，北京：中國社會科學出版社，2009 年。
42. 徐公持：《魏晉文學史》，北京：人民文學出版社，1999 年。
43. 徐克謙：《莊子哲學新探——道．言．自由與美》，北京：中華書局，2005 年。
44. 徐復觀：《中國藝術精神》，臺北：臺灣學生書局，1976 年。
45. 徐斌：《魏晉玄學新論》，上海：上海古籍出版社，2000 年。
46. 袁濟喜：《六朝美學》，北京：北京大學出版社，1999 年。
47. 馬良懷：《崩潰與重建中的困惑——魏晉風度研究》，北京：中國社會科學出版社，1993 年。
48. 涂光社：《莊子範疇心解》，北京：北京中國社會科學出版社，2003 年。
49. 崔大華：《莊學研究》，臺北：文史哲出版社，1999 年。
50. 康中乾：《有無之辨．魏晉玄學本體思想再解讀》，北京：人民出版社，2003 年。
51. 張宏：《秦漢魏晉游仙詩的淵源流變論略》，北京：宗教文化出版社，2009 年。
52. 張克鋒：《魏晉南北朝文學與書畫的會通》，北京：中國社會科學出版社，2010 年。
53. 張蓓蓓：《中古學術略論》，臺北：大安出版社，1991 年。
54. 盛源、袁濟喜：《六朝清音》，鄭州：河南人民出版社，2000 年。
55. 莊耀郎：《郭象玄學》，臺北：里仁書局，1998 年。
56. 陳少明：《〈齊物論〉及其影響》，北京：北京大學出版社，2004 年。
57. 陳平原主編，湯一介、胡仲平編：《魏晉玄學研究》，武漢：湖北教育出版社，2008 年。
58. 陳昌明：《六朝文學之感官辯證》，臺北：里仁書局，2005 年。
59. 陳寅恪：《金明館叢稿初編》，上海：上海古籍出版社，1980 年。
60. 陳望衡：《中國古典美學史》，長沙：湖南教育出版社，1998 年。
61. 陳順智：《魏晉玄學與六朝文學》，湖北：武漢大學出版社，1993 年。
62. 陳傳席《六朝畫論研究》，臺北：臺灣學生書局，1996 年。
63. 章啓群：《論魏晉自然觀——中國藝術自覺的哲學考察》，北京：北京大學出版社，2000 年。
64. 傅抱石：《中國古代山水畫史》，天津：天津人民美術出版社，2001 年。
65. 傅剛：《魏晉南北朝詩歌史論》，長春：吉林教育出版社，1995 年。
66. 曾春海：《兩漢魏晉哲學史》，臺北：五南出版社，2009 年。
67. 湯一介：《郭象》，臺北：東大圖書公司，1999 年。

68. 馮友蘭、李澤厚等著；駱玉明、肖能選編：《魏晉風度二十講》，北京：華夏出版社，2009 年。
69. 黃偉倫：《魏晉文學自覺論題新探》，臺北：臺灣學生書局，2006 年。
70. 黃錦鋐：《莊子及其文學》，臺北：東大圖書公司，1984 年。
71. 楊成寅：《中國歷代繪畫理論評注》，武漢：湖北美術出版社，2009 年。
72. 楊國榮：《莊子的思想世界》，上海：華東師範大學出版社，2009 年。
73. 楊儒賓：《莊周風貌》，臺北：黎明文化事業公司，1991 年。
74. 葉朗：《中國美學史大綱》，上海：人民出版社，1985 年。
75. 葉海煙：《老莊哲學新論》，臺北：文津出版社，1997 年。
76. 葉海煙：《莊子的生命哲學》，臺北：東大圖書公司，1990 年。
77. 葉舒憲譯編：《神話——原型批評》，西安：陝西師範大學出版社，1987 年。
78. 葛路：《中國古代繪畫理論發展史》，上海：上海人民出版社，1982 年。
79. 鄔錫鑫：《魏晉美學與玄學》，貴陽：貴州教育出版社，2006 年。
80. 寧稼雨：《魏晉風度——中古文人生活行爲的文化意識》，北京：東方出版社，1992 年。
81. 臧要科：《三玄與詮釋——詮釋學視域下的魏晉玄學研究》，開封：河南大學出版社，2009 年。
82. 儀平策：《中國審美文化史》，濟南：山東畫報出版社，2000 年。
83. 劉笑敢：《莊子哲學及其演變》，北京：中國人民大學出版社，2010 年。
84. 鄭世根：《莊子氣化論》，臺北：臺灣學生書局，1993 年。
85. 鄭笠：《莊子美學與中國古代畫論》，北京：商務印書館，2012 年。
86. 鄭開：《道家形而上學研究》，北京：宗教文化出版社，2003 年。
87. 鄭毓瑜：《六朝情境美學綜論》，臺北：臺灣學生書局，1994 年。
88. 魯迅、容肇祖、湯用彤著：《魏晉思想》，臺北：里仁書局，1995 年。
89. 魯迅：《魏晉風度及其他》，上海：上海古籍出版社，2000 年。
90. 盧桂珍：《境界・思維・語言——魏晉玄理研究》，臺北：臺大出版中心，2010 年。
91. 蕭淑貞：《魏晉山水紀遊詩之內容》，臺北：臺灣學生書局，2009 年。
92. 錢志熙：《魏晉詩歌藝術原論》，北京：北京大學出版社，1993 年。
93. 錢鍾書：《談藝錄》，北京：中華書局，1984 年。
94. 薛富興：《山水精神——中國美學史文集》，天津：南開大學出版社，2009 年。

95. 鍾仕倫：《魏晉南北朝美育思想研究》，北京：中國社會科學出版社，2006 年。
96. 鍾泰言：《莊子發微》，上海：上海古籍出版社，2002 年。
97. 韓林合：《虛己以游世——《莊子》哲學研究》，北京：北京大學出版社，2006 年。
98. 薩孟武：《中國政治思想史》，北京：東方出版社，2008 年。
99. 魏向東、曹炳生、楊光、陳情編著：《中國古代文化史》，蘇州：蘇州大學出版社，1998 年。
100. 羅宗強：《玄學與魏晉士人心態》，臺北：文史哲出版社，1992 年。
101. 譚召文《禪月詩魂——中國詩僧縱橫談》，北京：三聯書店，1994 年。
102. 蘇新鋈：《郭象莊學平議》，臺北：臺灣學生書局，1980 年。
103. 龔鵬程：《游的精神文化史論》，石家莊：河北教育出版社，2001 年。

參、博士論文

1. 何善蒙：《魏晉情論》，復旦大學哲學系博士論文，2005 年。
2. 姚曉菲：《兩晉南朝琅邪王氏家族文化與文學研究》，揚州大學博士論文，2007 年。
3. 蔡振豐：《魏晉佛學格義問題的考察——以道安爲中心的研究》，國立臺灣大學中國文學研究所博士論文，1998 年。
4. 鄭雪花：《非常的行旅——〈逍遙遊〉在世變情境中的詮釋景觀》，國立成功大學中國文學研究所博士論文，2005 年。
5. 鄧聯合：《莊子〈逍遙遊〉釋論》，北京大學哲學系博士論文，2008 年。

肆、期刊論文

1. 〔日〕小尾郊一撰、高輝陽譯：〈魏晉文學所表現的自然及自然觀〉，《藝術學報》，第 42 期，1988 年 6 月，頁 77～135。
2. 尤煌傑：〈宗炳「澄懷味象」之美學意蘊〉，「海峽兩岸哲學及其時代角色意識之自覺學術研討會」，2007 年，頁 149～165。
3. 文彥波：〈論「游」的審美意蘊的流變及意義〉，《綏化學院學報》，第 28 卷第 2 期，2008 年 4 月，106～109。
4. 王瑩：〈論顧愷之「傳神寫照」理論在中國繪畫美學中的發展〉，《學理論》第 3 期，2011 年 1 月，頁 152～153。
5. 石芳：〈莊子〈逍遙遊〉理想人格及其現實意義〉，《隴東學院學報》，第 21 卷第 6 期，2010 年 11 月，頁 38～41。

6. 何紅玉：〈二十四友與西晉士人精神風貌〉，《甘肅理論學刊》，第 2 期，2002 年 3 月，頁 70～73。
7. 吳冠宏：〈玄解以探新——《世說新語》中「時論」之示例的考察與延展〉，《文與哲》，第十九期，2011 年 12 月，頁 61～86。
8. 吳冠宏：〈從余英時〈名教危機與魏晉士風的演變〉一文中「情」之論述及其商榷談玄論與魏晉士風的合理關涉〉，《東華人文學報》，第 8 期，2006 年 1 月，頁 1～26。
9. 吳冠宏：〈論魏晉之『癡』與『晦智』--從《世說・賞譽》『王湛隱德』一則談起〉，《魏晉南北朝文學與思想學術研討會論文集》，臺北：里仁書局，2004 年，頁 561～592。
10. 吳冠宏：〈魏晉人鍾情的生命特質及其殊義試探——以《世說・言語》「支公好鶴」一則爲解讀釋例〉，《東華漢學》第二期，2004 年 5 月，頁 105～129。
11. 李健：〈應會感物——宗炳的感物美學〉，《深圳大學學報》，第 25 卷第 1 期，2008 年 1 月，頁 120～126。
12. 周大興：〈即色與游玄——支遁佛教玄學的詮釋〉，《中國文哲研究集刊》，第 24 期，2004 年 3 月，頁 183～215。
13. 林育信〈論南朝隱逸思想與佛教思想的融合——以慧遠爲考察中心〉《興大中文學報》第 17 期，2005 年 6 月，頁 315～334。
14. 林朝成：〈六朝佛家美學——以宗炳暢神說爲中心的研究〉，《國際佛學中心第二期》，臺北：靈鷲山出版社，1992 年，頁 180～200。
15. 林頤：〈由「越名教而任自然」透視嵇康哲學思想的內涵〉，《天中學刊》第 26 卷第 6 期，2011 年 12 月。
16. 姚義斌：〈即色、無心和澄懷味象——宗炳《畫山水序》理論來源再議〉，《南京航空航天大學學報》（社會科學版），第 12 卷第 1 期，2010 年 3 月，頁 53～57。
17. 洪景譚：〈即色游玄——郭象「自生」而「獨化」的玄理結構試探〉，《哲學與文化》，第 33 卷第 9 期，2006 年 9 月，頁 109～125。
18. 洪瓊：〈中國「游」文化之精神〉，《理論界》，2009 年 11 月，頁 158～160。
19. 徐斌：〈竹林名士對放達的把握〉，《浙江社會科學》，第 5 期，2004 年 9 月，頁 157～162。
20. 秦麗娟：〈魏晉風度：《世說新語》中的一杯美酒〉，《文學評論》，第 4 期，2010 年，頁 42～43。
21. 袁濟喜、黎臻：〈論東晉顧愷之的「癡絕」〉，《寶雞文理學院學報》，第 30 卷第 2 期，2010 年 4 月，頁 60～65。
22. 高晨陽：〈魏晉玄學派系之別與階段之分〉，《山東大學學報》，第 4 期，

1999 年 10 月，頁 1～5。

23. 張玉清：〈七賢之游與魏晉隱士及其他〉，《河南理工大學學報》（社會科學版），第 11 卷第 2 期，2010 年 4 月，頁 257～264。

24. 張愛波：〈論任誕與中朝名士〉，《江淮論壇》，第 5 期，2006 年，頁 155～159。

25. 張榮：〈莊子「游」的審美生存思想當議〉，《船山學刊》，第 2 期，2010 年，頁，69～72。

26. 張曉婧：〈其歌也有思，其哭也有懷——阮籍詩歌中的創傷體驗〉，《柳州職業技術學院學報》，第 10 卷第 2 期，2010 年 6 月，頁 66～69。

27. 陳宥伶：〈從《世説新語》看魏晉士人的癖好〉，《有鳳初鳴年刊》，第六期，2010 年 10 月，頁 421～439。

28. 陳滿銘：〈《論語》「天生德於予」辨析〉，《師大學報》（人文與社會類），47 卷第 2 期，2002 年 10 月，頁 87～104。

29. 曾春海：〈竹林七賢與酒〉，收錄於《中州學刊》，第 1 期，2007 年 3 月，頁 175～180。

30. 曾春海：〈魏晉山水審美之哲學探究〉，《哲學與文化》第 35 卷第 7 期，2008 年 7 月，頁 101～120。

31. 童明昌：〈宗炳「暢神」説的美學意涵試探〉，《東海中國文學研究》第 3 期，2005 年 6 月，頁 43～66。

32. 陽淼、田曉膺：〈從莊子之「游」到道教「游仙」的審美意蘊〉，《海南大學學報》（人文社會科學版），第 25 卷第 1 期，2007 年 2 月，頁 85～89。

33. 馮皓：〈從《逍遙遊》看莊子自由意識的審美超越〉，《聊城大學學報》（社會科學版），第 1 期，2007 年 1 月，頁 87～90。

34. 黃偉倫：〈六朝隱逸文化的新轉向——一個『隱逸自覺論』的提出〉，《成功大學中文學報》，第 19 期，2007 年 12 月，頁 1～26。

35. 楊儒賓：〈「山水」是怎麼發現的——「玄化山水」析論〉，《臺大中文學報》，第 30 期，2009 年 6 月，頁 209～254。

36. 解婷婷：〈從對逍遙意的闡釋看支道林對向郭獨化論的超越〉，《東方論壇》，第 5 期，2008 年 3 月，頁 18～20。

37. 寧新昌、張美煥：〈論嵇康的「自然」境界〉，《渭南師範學院學報》，第 21 卷第 4 期，2006 年 7 月，頁 15～18。

38. 廖蔚卿：〈論魏晉名士的狂與癡〉，《漢魏六朝文學論集》，臺北：大安出版社，1997 年，頁 149～164。

39. 劉志偉：〈論『癡』的審美與文化價值〉，《河南師苑大學學報》，第 37 卷第 6 期，2010 年 11 月，頁 171～176。

40. 劉春香：〈魏晉南北朝時期的巫覡與淫祀〉，《許昌學院學報》，第 25 卷第 6 期，2006 年，頁 27～30。

41. 劉浩洋：〈「誤國」者的側寫——東晉謝氏之清談興家的營謀〉，《政大中文學報》，第 13 期，2010 年 6 月，頁 151～176。

42. 劉笑敢：〈兩種逍遙與兩種自由〉，《哲學與文化》，第 33 卷第 7 期，2006 年 7 月，頁 29～37。

43. 劉梁劍：〈《逍遙游》向郭義與支遁義勘會〉，《華東師範大學學報》，第 42 卷第 3 期，2010 年 6 月，頁 31～36。

44. 蔡紅燕：〈風流總被雨打風吹去——結合莊子的自由觀看嵇康的自由追求〉，《中州大學學報》，第 23 卷第 1 期，2006 年 1 月，頁 66～68。

45. 蔡瑜：〈陶淵明的懷古意識與典範形塑〉，《臺大文史哲學報》，第七十二期，2010 年 5 月，頁 1～34。

46. 魯慶中：〈阮咸：一個才情卓異、行爲駭俗的魏晉風度的個案〉，《殷都學刊》，第 2 期，2009 年 3 月，頁 94～97。

47. 戴明璽：〈先秦儒家內聖外王的悖論與困局〉，《聊城大學學報》（哲學社會科學版），第 3 期，2002 年，頁 49～54。

48. 謝大寧：〈儒隱與道隱〉，《國立中正大學學報》，第 3 卷第 1 期，1992 年 10 月，頁 121～145。

49. 魏航：〈莊子之「游」的方式與境界〉，《現代哲學》，第 3 期，2009 年 5 月，頁 125～128。

50. 羅世琴：〈瘋與癡——由福柯《瘋癲與文明》看阮籍之任誕〉，寧夏師範學院學報（社會科學），第 28 卷第 5 期，2007 年 9 月，頁 15～17。